Pedro Páramo

Letras Hispánicas

Juan Rulfo

Pedro Páramo

Edición de José Carlos González Boixo

TRIGESIMOCUARTA EDICIÓN

CÁTEDRA

LETRAS HISPÁNICAS

1.ª edición, 1983
16.ª edición ampliada, 2002
25.ª edición revisada y actualizada, 2013
32.ª edición ampliada y actualizada, 2020
34.ª edición, 2022

PAPEL DE FIBRA
CERTIFICADA

© Herederos de Juan Rulfo
© De la introducción y notas: José Carlos González Boixo, 1983, 2022
© Ediciones Cátedra (Grupo Anaya, S. A.), 1983, 2020
Juan Ignacio Luca de Tena, 15. 28027 Madrid
Depósito legal: B. 8.146-2011
I.S.B.N.: 978-84-376-0418-3
Printed in Spain

Índice

Hacienda en Actipan, 1955. Fotografía de Juan Rulfo.

Introducción

Arrieros llegando a Apulco, *circa* 1940. Fotografía de Juan Rulfo.

Vida y obra de un escritor

> Me llamo Juan Nepomuceno Pérez Rulfo Vizcaíno, me apilaron todos los nombres de mis antepasados maternos y paternos como si fuera el vástago de un racimo de plátanos, y aunque sienta preferencia por el verbo arracimar me hubiera gustado un nombre más sencillo[1].

Así se presentaba Juan Rulfo, simplificando esa larga lista de nombres y apellidos a la que, incluso, podría haber añadido el nombre de Carlos, que figuraba en primer lugar en el acta de bautismo. Sin embargo, ese racimo de nombres sí tuvo para Rulfo una importancia capital, pues al quedarse huérfano muy tempranamente sintió la necesidad de enraizar con unos orígenes, lo que le llevó a investigar profusamente en sus antecedentes familiares. Aparece así, ya en el comienzo de su biografía[2], uno de los temas más desarrollados en su

---

[1] Teresa Gómez Gleason, «Juan Rulfo y el mundo de su próxima novela "La cordillera"», en *Recopilación de textos...* (1969) (II C), pág. 150. Si la referencia bibliográfica no está citada de manera completa a pie de página, el lector deberá acudir a la «Bibliografía» final de esta introducción, teniendo presente que está dividida en apartados. Para facilitar su localización, en ocasiones, se indica entre paréntesis el apartado.

[2] Estas páginas iniciales intentan relacionar la biografía de Rulfo con su obra literaria, razón por la que solo se detienen en aspectos que, de manera directa o indirecta, pudieron afectar a su proceso creativo. Para un mejor conocimiento biográfico de Rulfo se recomiendan el libro de Alberto Vital (2017), *Noticias sobre Juan Rulfo. La biografía. 1762-2016* y el capítulo de Víctor Jiménez, «Cronología de la obra y la vida de Juan Rulfo», en Fundación Juan Rulfo, *Juan Rulfo y su obra. Una guía crítica* (2018) (II C), págs. 25-47.

11

obra literaria, el de la orfandad, aspecto que se refleja en su obra ampliamente, desde esa frase tremenda que exclama uno de los personajes del cuento «¡Diles que no me maten!» («Es algo difícil crecer sabiendo que la cosa de donde podemos agarrarnos para enraizar está muerta»), hasta la necesidad de Juan Preciado por encontrar sus orígenes en *Pedro Páramo*.

Juan Rulfo nació en Sayula (estado de Jalisco) el día 16 de mayo de 1917. En tiempos pasados hubo cierta confusión sobre el año de nacimiento, derivada de las confesiones del propio Rulfo que solía indicar a tal efecto el año 1918. Sin embargo, las investigaciones de Munguía Cárdenas (1987)[3], que aporta las actas de nacimiento y bautismo, no dejan lugar a dudas. Hasta el momento, no ha sido posible explicar la actitud de Rulfo, que utiliza también la fecha de 1917 en algunos documentos. Atribuirlo a un error por su parte no parece factible; tal vez se pudiese encontrar alguna justificación en intereses de tipo administrativo. De manera sorprendente, una situación similar se produce en relación al lugar de nacimiento. Rulfo, de manera reiterada, en las numerosas entrevistas que concedió, aludía a San Gabriel o a Apulco, justificando la mención a ambos lugares de la siguiente manera: «lo que pasa es que [Apulco] es un pueblo perteneciente a San Gabriel, y San Gabriel a su vez es del distrito de Sayula, y como es pueblo no aparece en los mapas. Siempre se da como origen la población más grande» (Soler Serrano, 1977). Respecto a Sayula, negó que fuese el lugar de nacimiento: «Pero yo nunca he vivido allí en Sayula. No conozco Sayula. No podría decir cómo es [...]. Mis padres me registraron allí» (Harss, 1966: 304). Sin embargo, la publicación del facsímil del acta de nacimiento (Munguía Cárdenas, 1987: 20) ratifica a Sayula como tal. Lo más probable es que existiese una razón sentimental por parte de Rulfo: como interpreta Vital (2017: 57), «Si bien Juan Rulfo nació en Sayula, su lugar electivo fue Apulco». Tanto Apulco como San Gabriel son lugares ligados a su in-

---

[3] Federico Munguía Cárdenas, *Antecedentes y datos biográficos de Juan Rulfo*, Unidad Editorial del Gobierno de Jalisco, Guadalajara, 1987. También en *La ficción de la memoria: Juan Rulfo ante la crítica* (2003), págs. 465-484 y en *Historiando* (2018), págs. 41-58.

fancia. En realidad, no se trata de «mentiras» ni de «errores»; más bien hay que considerar estas variaciones como lícitas formas de construcción del relato autobiográfico, «ficcionalizado» en más de una ocasión con toques humorísticos que buscaban la amenidad.

De ningún otro aspecto de su biografía habló Rulfo tan extensamente como de sus antecedentes familiares, remontándose al año 1790, fecha en la que, procedente de España, llegaría a México su antepasado directo, Juan del Rulfo: «fue monje de un convento, era el mayor de la familia, y el padre no lo quería y lo metió de monje; entonces se fue a México a un convento, de ahí se huyó...» (Soler Serrano, 1977). Rulfo, que parecía disfrutar al referirse a estos nebulosos comienzos familiares, añadiría, sin duda, buenas dosis de fantasía. Prescindiré del relato de la saga familiar, al que aludió en diversas entrevistas (Vital, 2017: 35, rastrea esos orígenes desde el año 1762) y me centraré en los primeros años de la vida de Rulfo, ya que los acontecimientos históricos que se vivían en México —la Revolución— marcarían su biografía, quedando reflejadas en su obra literaria, igualmente de manera sustancial, las vivencias de aquellos años.

Sus padres fueron Juan Nepomuceno Pérez Rulfo y María Vizcaíno Arias, pertenecientes a familias acomodadas (su abuelo paterno era abogado y el materno, hacendado). En Apulco se casaron sus padres en 1914 (lugar en el que fundó Carlos Vizcaíno, su abuelo materno, la hacienda en la que Rulfo vivió en diversos momentos de su juventud), pero la familia se vio obligada a abandonar la hacienda a causa de la inseguridad de la zona, azotada por incontroladas bandas revolucionarias. Estos acontecimientos y la posterior revolución cristera, que nuevamente asoló la región, determinaron la ruina familiar. La familia se traslada a Sayula en 1917 y, más tarde, a Guadalajara. Detengámonos en el trazado biográfico para comentar ciertos datos que pueden tener interés. Algunos de los lugares citados aparecerán en la obra literaria de Rulfo: Tuxcacuesco, en la primera versión de *Pedro Páramo* en vez de Comala; San Gabriel es el pueblo en el que transcurren los acontecimientos narrados en el cuento «En la madrugada»; Sayula aparece también en la novela. Son, simplemente, ejemplos de una constante en la obra de Rulfo: la ubicación de sus historias en esta región de Jalisco donde nació y vivió su infancia. Y un dato más que ratifica la importancia que esta etapa biográfica tiene respecto a su obra literaria: en el cuento «El Llano en llamas» todo gira en torno al personaje de Pedro Zamora, que no es otro que el cruel revolucionario que obliga a su familia a abandonar Apulco y que provocó su ruina.

Pasado ese periodo de gran inestabilidad, la familia puede regresar a San Gabriel a finales de 1920 o principios de 1921, aunque la situación política siguió siendo conflictiva en los años siguientes debido a la guerra cristera. La infancia de Rulfo transcurriría en este lugar hasta el año 1927. Dos sucesos luctuosos marcarían esos años infantiles. En 1923 el padre de Rulfo es asesinado y a fines de 1927 fallece su madre, a los treinta y dos años. Su orfandad quedaría reflejada en su obra literaria, tanto en la novela, cuando el joven Pedro Páramo recibe la noticia del asesinato de su padre, como en el cuento «¡Diles que no me maten!», versión que, aunque alejada de la realidad, juega con el nombre del asesino, Guadalupe Nava. El asesinato del padre hubo de marcarle profundamente y, a pesar de que los hechos reales fueron bien conocidos, Rulfo recreó el episodio de manera imprecisa y con toques legendarios, como si necesitase añadir una cierta heroicidad al absurdo de una muerte en la que el asesino se comportó de manera cobarde, disparando a su padre por la espalda:

> a mi padre lo mataron unas gavillas de bandoleros que andaban allí, resabios de gente que se metió a la revolución y a quienes les quedaron ganas de seguir peleando y saqueando. A nuestra hacienda de San Pedro la quemaron como cuatro veces, cuando todavía vivía mi papá. A mi tío lo asesinaron, a mi abuelo lo colgaron de los dedos gordos y los perdió; era mucha la violencia y todos morían a los treinta tres años. Como Cristo, sí[4].

---

[4] Elena Poniatowska, «¡Ay vida, no me mereces! Juan Rulfo, tú pon la cara de disimulo», en *Inframundo* 1983 (I C), pág. 43.

En la familia Pérez Rulfo nunca hubo mucha paz; todos morían temprano a la edad de 33 años y todos eran asesinados por la espalda. Solo a David, el último, víctima de su afición, lo mató un caballo[5].

tenía seis años cuando asesinaron a mi padre porque, tu sabes, quedaron muchas gavillas. Mi padre tenía autorización para confirmar del obispo de Papantla, pues en tierras agitadas podían delegar ese sacramento en los seglares. Recaudaba el dinero de las confirmaciones y lo daba a los curas. Regresaba de una gira cuando fue asaltado y muerto por los gavilleros[6].

La rebelión de los cristeros, entre 1926 y 1929, especialmente virulenta en aquella zona de Jalisco, acentuó los problemas económicos de una familia sin padre (la hacienda paterna, San Pedro Toxín, que aparece mencionada en el cuento «El Llano en llamas» quedó arrasada después de su muerte). Estos sucesos de los cristeros fueron frecuentemente objeto de reflexión para nuestro autor. Rulfo la consideró una rebelión estúpida, y no tanto por los males que acarreó a su familia, sino porque en el fondo era la expresión de unos «pueblos muy reaccionarios, pueblos con ideas muy conservadoras, fanáticos» (Harss, 1966: 308). Rulfo pensaba en un constante engaño, desde la conquista española, la independencia, la revolución, lo que había derivado en un pueblo reconcentrado, que se inhibía al exterior; por eso el ambiente de los cuentos, el ambiente de Comala, un pueblo que se deja morir, es la fiel expresión de un pasado que cae inexorablemente sobre esas gentes que Rulfo refleja. Como un símbolo más de ese proceso de destrucción veía Rulfo la rebelión cristera:

Es que hubo un decreto en donde se aplicaba un artículo de la Revolución, en donde los curas no podían hacer políti-

---

[5] Gómez Gleason, *op. cit.* pág. 151. El relato de Rulfo, aunque pueda parecer pura invención, se acerca bastante a la realidad. Varios de sus tíos paternos murieron jóvenes y de forma violenta: Raúl, policía, de un disparo, Rubén, asesinado por la espalda, Jesús se ahogó en un naufragio (Vital, 2017: 90-91).

[6] Fernando Benítez, «Conversaciones con Juan Rulfo», en *Inframundo* (1983) (I C), pág. 8.

15

ca en las administraciones públicas, en donde las iglesias eran propiedad del estado, como son actualmente [...] Claro, protestaron los habitantes. Empezaron a agitar y a causar conflictos (Harss, 1966: 308).

La Cristiada se caracterizó más que nada por el saqueo, tanto de un lado como del otro. Fue una rebelión estúpida porque ni los cristianos tenían posibilidades de triunfo, ni los federales tenían los suficientes recursos para acabar con estos hombres que eran de tipo guerrillero (Soler Serrano, 1977).

Uno de sus cuentos, «La noche que lo dejaron solo» recrea esas luchas de los cristeros, lo mismo que en la novela y en algunos cuentos se alude a la Revolución mexicana. Parte de la educación primaria la realiza Rulfo en el colegio de las monjas josefinas, hasta su clausura en 1926 debido a las leyes anticlericales dictaminadas por el gobierno del presidente Calles. La persecución obliga al cura Irineo Monroy a ocultarse en casa de la abuela materna, Tiburcia Arias, persona muy religiosa. Allí traslada su extensa biblioteca, lo que dará ocasión a Juan Rulfo de iniciar su vocación lectora, en aquellos meses de obligada reclusión en un San Gabriel azotado por la guerra cristera:

Cuando se fue a la Cristiada, el cura de mi pueblo dejó su biblioteca en la casa [...] Tenía muchos libros porque él se decía censor eclesiástico y recogía de las casas los libros de la gente que los tenía para ver si podía leerlos. Tenía el índex y con ese los prohibía, pero lo que hacía en realidad era quedarse con ellos, porque en su biblioteca había muchos más libros profanos que religiosos, los mismos que yo me senté a leer, las novelas de Alejandro Dumas, las de Víctor Hugo, *Dick Turpin, Buffalo Bill, Sitting Bull*. Todo eso lo leí yo a los diez años, me pasaba todo el tiempo leyendo; no podías salir a la calle porque te podía tocar un balazo. Yo oía muchos balazos. Después de algún combate entre los federales y los cristeros había colgados en todos los postes. Eso sí, tanto saqueaban los federales como los cristeros (Vital, 2017: 95).

Parece razonable vincular estas experiencias infantiles, lo mismo que sus vivencias juveniles jaliscienses, con su obra literaria, ya que esta refleja episodios concretos, lugares y ambientes. El conocimiento de estos datos es, sin duda, útil para el análisis literario, pero no son por sí mismos relevantes del proceso creativo. Aunque sea una obviedad, cabe recordar que esas mismas experiencias las tuvieron el resto de personas de su generación, sin que revirtiesen en experiencia literaria. De manera paralela, deberíamos considerar que la experiencia lectora de Rulfo, que pudo ser similar en otros lectores, no justifica por sí misma el nacimiento de un escritor, aunque es indudable que sí forma parte sustancial de la formación de un escritor. La anécdota anterior, esas lecturas infantiles de Rulfo, simboliza una actitud constante a lo largo de toda su vida. Antonio Alatorre, que llegaría a ser un prestigioso filólogo, comentaría con admiración su encuentro con Juan Rulfo en Guadalajara, a comienzos de los años cuarenta, sorprendido ante aquel joven melómano y ávido lector que le recomendaba la lectura de novelistas norteamericanos cuya existencia desconocía. Múltiples anécdotas jalonan la vida de Rulfo, ligadas a espacios míticos, como la librería-cafetería El Juglar, su desmesura en la compra de libros, sus lecturas de autores minoritarios y, en definitiva, cualquier lector quedará sorprendido ante la ingente cantidad de lecturas que mencionó en conferencias, en textos escritos o en entrevistas. El mejor ejemplo, los quince mil volúmenes de su biblioteca[7].

Si la Cristiada fue motivo suficiente para que Rulfo desarrollara una visión crítica de la realidad de su entorno, otros acontecimientos vitales le afectaron en aquellos primeros años, dejando una huella profunda en su carácter y que no fueron ajenos a la personalidad que dota a sus personajes literarios. En 1927, los dos hermanos mayores, Severiano y Juan, ingresaron en el Instituto Luis Silva de Guadalajara, centro religioso que funcionaba como escuela e instituto y que admitía alumnos internos (situación en la que quedaron los dos hermanos) y que, en sus orígenes, había sido también orfana-

---

[7] La biblioteca se encuentra actualmente en la casa de su esposa, Clara Aparicio de Rulfo. Una información detallada y valiosa la ofrece, por primera vez, su hijo Juan Francisco Rulfo en «Algunas notas sobre la biblioteca de Juan Rulfo» (Fundación Juan Rulfo, 2018: 48-57).

to. Rulfo permaneció en dicha institución hasta el año 1932, completando los estudios de primaria. Su vida en el orfanato le dejará una huella muy personal: su soledad. Los recuerdos de esta etapa de su vida son muy tristes:

> Era el único orfanato que existía en Guadalajara y a los ricos de Guadalajara los encerraban allí como cárcel correccional. Nosotros, que no éramos de allí, veníamos de los pueblos, pues lo tomábamos todo como cosa natural, pero para muchas personas, sobre todo hijos de gente pudiente de Guadalajara, la forma de castigar a los hijos era metiéndolos en ese orfanato... era terrible la disciplina, el sistema era carcelario... Lo que aprendí fue a deprimirme, fue una de las épocas en que me encontré más solo y donde conseguí un estado depresivo que todavía no se me puede curar (Soler Serrano, 1977).

Llegamos ahora a un momento de su vida, conocido a raíz de su fallecimiento, que llena el hueco que se tenía respecto a los años 1932-34. Tal como explica minuciosamente Alatorre:

> Terminado en 1931 el sexto año de primaria en el «Luis Silva», Juan hizo allí mismo lo que se llamaba «sexto año doble», que era una como mini-escuela de comercio [...] Y, terminado el «sexto año doble» en 1932, Juan pasó en noviembre del mismo año al seminario de la arquidiócesis de Guadalajara [...], lo pusieron en segundo año [...] pasó a tercero (año escolar 1933-1934), y en el examen final quedó reprobado en latín [...]. Para pasar a cuarto año Juan hubiera tenido que dedicar las vacaciones de verano de 1934 a estudiar y más estudiar latín para presentar un examen extraordinario. Y, si hubiera tenido deseos ardientes de ser cura, sin duda lo hubiera hecho. Pero no lo hizo. En agosto de 1934 acabó la etapa seminarística (Alatorre, 1998: 171).

¿Por qué Rulfo nunca mencionó públicamente su estancia en el seminario? Lo más probable es que para él careciese, simplemente, de interés hablar de una etapa breve en su vida que tal vez no le reportó ninguna experiencia nueva. Tal vez, también, no resultaba conveniente en los años treinta y cuarenta resaltar este hecho en un país marcado entonces por una política laicista. No parece que él tuviese ninguna vocación sacerdotal y sabemos que fue su abuela Tiburcia, tan religiosa, quien propició su entrada en el seminario. Cubría así, de todas formas, estudios de secundaria que le permitían el acceso a la universidad, en cuyos cursos de preparatoria intentó matricularse en 1933, aunque el cierre de la Universidad de Guadalajara debido a las huelgas lo impidió. Si a nivel personal pudo ser una etapa gris, sin interés, en cambio, en relación a su literatura, es fácil imaginar su trascendencia. Se culminaba así una educación en instituciones católicas —antes, las josefinas y el colegio Luis Silva— que le permitió a Rulfo empaparse de esa religiosidad vivida de manera angustiosa por sus personajes literarios.

A fines de 1935 se traslada a la ciudad de México, viviendo en casa de un tío paterno, David Pérez Rulfo, coronel de las guardias presidenciales del general Lázaro Cárdenas, gracias a cuya influencia entra a trabajar en la Secretaría de Gobernación. Se inicia así una larga etapa de su vida, en puestos relacionados con los archivos, que llega hasta mediados de 1947. Las menciones de Rulfo a esta etapa son abundantes. Señalaré algunas que nos permitirán apreciar la trayectoria de aquellos años en los que Rulfo se convierte en escritor:

> Estaba en D. F., en el archivo de Migración, en Gobernación, es el mejor modo de que a uno le dejen tranquilo, en un archivo, cambian los ministros y cambian los empleados importantes, pero de nosotros los archiveros se olvidan [...]. Recuerdo con cariño esa etapa burocrática; la burocracia mexicana eso tiene de bueno, fomenta la amistad[8].

> Allí estuve un tiempo, y en 1939 pasé a ser agente del Departamento de Inmigración. Tú sabes que cada tanto tiempo, por escalafón, se cambian los trabajos; por eso llegué a ser agente y en 1940 me trasladaron a Guadalajara, encargado de

  [8] Juan Rulfo, «Juan Rulfo», en *Los narradores ante el público* (primera serie), México, Joaquín Mortiz, 1966, pág. 26. En el año 2012 se volvieron a editar los dos tomos que recogen testimonios de un buen número de escritores mexicanos (México, INBA/Universidad Autónoma de Nuevo León/Ficticia; edición a cargo de Antonio Acevedo Escobedo).

la vigilancia de los marinos italianos y alemanes de los barcos incautados en los puertos mexicanos: México había entrado en la guerra. Después trasladaron a los marinos a la cárcel de Perote, pero yo me quedé allá en Guadalajara, sin hacer nada. Me quería venir a México, hice todo lo posible y al fin lo logré (Ruffinelli, 1992: 469).

Los comienzos de Rulfo como escritor coinciden con su llegada a la Ciudad de México. La imagen —más o menos real— de un oficinista al que nadie exige demasiado, recluido en los archivos del Departamento de Migración, y que dedica buena parte de su tiempo a leer y a escribir, nos la ofrece el propio Rulfo y el testimonio del escritor Efrén Hernández, que por aquella época fue compañero de trabajo y que comentó:

Nadie supiera nada acerca de sus inéditos empeños, si yo, un día, pienso que por ventura, adivino en su traza externa algo que lo delataba; y no lo instara, hasta con terquedad, primero a que me confesase su vocación, enseguida a que me mostrara sus trabajos y, a la postre, a no seguir destruyendo. Sin mí, lo apunto con satisfacción, 'La Cuesta de las Comadres' habría ido a parar al cesto (*cit.* en Ruffinelli, 1992: 449).

El resultado de esos primeros tanteos literarios de un escritor que no quiere darse a conocer sería una larga novela titulada *El hijo del desaliento,* destruida por Rulfo. Lo único que se salvó de esta novela fue un fragmento fechado en enero de 1940 y que con el título de «Un pedazo de noche» se publicó en 1959 en la *Revista Mexicana de Literatura,* núm. 3. Por el testimonio del propio autor, sí parece que esta fue su primera obra, «lo primero que escribí fue esa novela, una novela bastante grande, sí, bastante extensa sobre la Ciudad de México» (Soler Serrano, 1977); menos seguro es el cálculo del tiempo que empleó en su gestación, que podría abarcar desde 1936, ya que Rulfo mencionó que había comenzado a escribirla recién llegado a la ciudad de México, hasta 1942 (Efrén Hernández se refiere a ella en su proceso de escritura en carta dirigida a Rulfo en noviembre de 1941, *cfr.* Vital, 2017: 148). Cuando J. Soler Serrano le preguntó, «y por qué la destruyó, ¿no estaba contento con ella?», respondió:

> Era muy mala. Me sigue pareciendo muy mala. Retórica, alambicada, [...] le di una vez a Juan Rejano, cuando ellos llegaron, un capítulo de esa novela, para que lo publicara en una revista que hicieron ellos que se llamó *Romance*. Era una revista donde publicaban los españoles, y nunca lo publicó por malo [risas]. Así era de mala, así *(loc. cit.)*.

El principal motivo por el que Rulfo decide escribir esa novela es la «soledad», siempre esa presencia constante. Al carecer de la novela, lo único que podemos valorar es el fragmento publicado, «Un pedazo de noche». En un ambiente depresivo se nos presenta el encuentro de un sepulturero, acompañado de un niño que es hijo de un «compadre», con una prostituta. Ambos compartirán su tristeza y soledad. A pesar de la negativa opinión que a Rulfo le mereció este primer ensayo literario, se trata de una buena narración, merecidamente recuperada en las últimas ediciones de su obra (Rulfo, 2017).

Caso bastante distinto es el del cuento «La vida no es muy seria en sus cosas» publicado en la revista *América* (núm. 40, junio de 1945), al que Rulfo descalificó en términos absolutos. Este segundo intento literario no resultó mucho más brillante que el primero para Rulfo, quien señaló: «Dios nos libre. Por fortuna casi nadie lo conoce y el olvido que ha caído sobre él no me parece suficiente»[9]. Efectivamente, se trata de un cuento fallido. Cargado de sentimentalismo, poco tiene que ver con el resto de su obra literaria.

Estos inseguros comienzos literarios acabarían poco después con la publicación de algunos cuentos que pasarían a formar parte de la colección *El Llano en llamas*. Nos podemos preguntar ahora por la preparación literaria de Rulfo. Aunque ajeno toda su vida a grupos literarios organizados, sí que pudo resultar fructífera su relación con escritores de su entorno como Arreola, Alí Chumacero, Efrén Hernández o Emmanuel Carballo. Probablemente, sin embargo, fue más lo

---

[9] Elena Poniatowska, «Charlando con Juan Rulfo», *Excelsior*, 15 de enero de 1954, pág. 7.

que él dio que lo que recibió. Lector impenitente desde muy joven, tuvo una formación que podemos considerar autodidacta. Sabemos que en 1936, a su llegada a la Ciudad de México, asistió como oyente a clases de literatura en la Facultad de Filosofía y Letras, aunque su primer intento —no muy convencido— fue estudiar Derecho. De manera más precisa le comentó a Fernando Benítez:

> Llegué a México debido a la huelga de la Universidad de Guadalajara, que duró de 1933 a 1935. En la Preparatoria no me revalidaron los estudios y me iba como oyente a Mascarones. Asistía a los cursos de Antonio Caso, Lombardo, Menéndez Samará, González Peña, Julio Jiménez Rueda; pero aprendimos literatura en el café de Mascarones, donde se reunían José Luis Martínez, Alí Chumacero, González Durán, gente toda venida de Guadalajara. Comentaban a los *Contemporáneos* que eran nuestros gurúes[10].

En la época en que comienza a escribir ya tiene una sólida formación literaria y es consciente de la necesidad de imprimir un nuevo rumbo al regionalismo imperante en la novelística de la revolución mexicana, de moda por aquellos años en México. La lectura de los novelistas norteamericanos pudo ser determinante. Como señala Alatorre:

> mi introductor a la [literatura] norteamericana fue Juan Rulfo. Por él supe de la existencia de John Dos Passos, de Willa Cather, de John Steinbeck, de Hemingway. Estuve varias veces en su casa, casa de gente acomodada; Juan tenía un buen tocadiscos, y música clásica (lujo inalcanzable para Arreola y para mí): y tenía, limpiamente ordenados en la estantería, muchos libros, de los cuales recuerdo en especial las novelas norteamericanas, en traducciones impresas en Buenos Aires y Santiago de Chile (Alatorre, 1998: 173).

Además, Rulfo siempre señaló, entre sus escritores predilectos, a autores del norte de Europa: Knut Hamsun, Boyersen, Jens Peter Jacobsen, Selma Lagerlöf, Sillanpää, Haldor

---

[10] Fernando Benítez, *op. cit.*, pág. 5.

Laxness. También a los rusos Andreyev y Korolenko, al suizo C. F. Ramuz y al francés Jean Giono.

Los inseguros comienzos literarios de Rulfo finalizan en 1945, año en que publica dos cuentos, «Nos han dado la tierra» (revista *Pan*, núm. 2, en Guadalajara) y «Macario» *(Pan,* núm. 6). El autor ha encontrado su forma de expresión y la calidad literaria de ambos se perpetuará en las sucesivas publicaciones. Se inicia así una década fructífera que culminará con la aparición de *Pedro Páramo*. Sucesivamente irán publicándose diversos cuentos en la revista *América*, de cuyo consejo editorial formaría parte: «Es que somos muy pobres» (agosto de 1947), «La Cuesta de las Comadres» (febrero de 1948), «Talpa» (enero de 1950), «El Llano en llamas» (diciembre de 1950) y «¡Diles que no me maten!» (agosto de 1951). Todos ellos formarán parte de la colección *El Llano en llamas* (1953), que se completó con otros cuentos inéditos hasta un total de 15. Su trabajo de aquellos años no guarda relación con su faceta de escritor. Después de su etapa en Guadalajara, asentado nuevamente en la ciudad de México, deja su puesto de funcionario para trabajar en una empresa multinacional, la firma Goodrich, dedicada a la fabricación de llantas de automóviles. En ella permanecerá entre los años 1947-1952, en los departamentos de venta y publicidad: «estuve muy poco tiempo en publicidad, después fui agente viajero, agente vendedor. Vendedor de llantas por todo el país» (Soler Serrano, 1977). Aunque resulta un poco difícil imaginarse a Rulfo de vendedor, ante la pregunta del entrevistador sobre si se le daba bien la venta de neumáticos, contestó: «muy bien, muy bien, se venden solos» *(loc. cit.)*. Pero más allá de su comentario humorístico, fue una etapa de duro trabajo, algo que nos interesa tener presente para contextualizar el momento de la escritura, ya que Rulfo desarrolló en estos años su máxima actividad como escritor y su experiencia laboral no fue buena, tal como relató en diversas ocasiones. Sirva de ejemplo este amargo comentario:

> Cuando escribí *Pedro Páramo* yo atravesaba por un estado de ánimo verdaderamente triste. Me sentía desgastado físicamente como una piedra bajo un torrente, pues llevaba cinco

años de trabajar catorce horas diarias, sin descanso, sin domingos ni días feriados. Corriendo como un condenado a lo ancho y largo del país para que la fábrica, por la cual me deslomaba, vendiera más que sus competidoras [...] yo estaba cansado, no solo física y moralmente cansado, sino también estaba cansado de mentarles la madre todos los días, aunque no encontraba la forma de decírselos en su cara (Vital, 2017: 178).

La aparición de *El Llano en llamas* (FCE, 1953) fue muy bien acogida por la crítica[11]. Así lo demuestran la media docena de reseñas y dos artículos que se publican en México en 1953 y 1954 (se analizan con minuciosidad en Gerald Martin, 1992: 478-483). Como no podía ser de otra manera, se destacan su estilo y fuerza narrativa, originales en unas composiciones que por su tema continuaban aparentemente la moda regionalista imperante en la época (y que, en realidad, suponían su fin). Contrasta esta recepción objetiva con la opinión de Rulfo: «en realidad, al principio me sentí frustrado porque las primeras ediciones no se vendieron nunca. Eran ediciones de 2000 ejemplares, el máximo de 4000; los únicos que circulaban era porque yo los había regalado, regalaba la mitad de la edición» (Soler Serrano, 1977). Estas declaraciones, tomadas al pie de la letra, son exageradas: ninguna editorial es tan generosa ni es previsible que el autor costease de su bolsillo tantos libros regalados. Más bien parece reflejar, después de muchos años, la sensación que Rulfo recordaba de aquel momento y el deseo de quitarse importancia ante el peso de una fama que sobrellevaba fatigosamente. El éxito de la obra queda atestiguado por la continuidad de las ediciones y por los elogios de escritores y críticos.

La novela *Pedro Páramo*, según Rulfo, la tenía planeada desde hacía años; son los recuerdos de sus vivencias infantiles, como en los cuentos, el activador que la hace pasar de la mente a la escritura:

---

[11] *Cfr.* Jorge Zepeda, «La recepción crítica de *El Llano en llamas*», en Fundación Juan Rulfo, 2018: 107-111.

No había escrito una sola página, pero le estaba dando vueltas a la cabeza. Y hubo una cosa que me dio la clave para sacarlo, es decir, para desenhebrar ese hilo aún enlanado. Fue cuando regresé al pueblo donde vivía, 30 años después, y lo encontré deshabitado. Es un pueblo que he conocido yo, de unos siete mil, ocho mil habitantes. Tenía 150 habitantes cuando llegué [...]. La gente se había ido, así. Pero a alguien se le ocurrió sembrar de casuarinas las calles del pueblo. Y a mí me tocó estar allí una noche, y es un pueblo donde sopla mucho el viento, está al pie de la Sierra Madre. Y en las noches las casuarinas mugen, aúllan. Y el viento. Entonces comprendí yo esa soledad de Comala, del lugar ese[12].

El proceso de escritura fue rápido, «como cuatro o cinco meses» (Soler Serrano, 1977), aunque Rulfo debía referirse a la escritura de la versión definitiva, ya que tenemos otros datos que muestran un proceso mucho más lento. En una entrevista realizada hacia 1970, Rulfo señalaba que «*Pedro Páramo* está pensado y concebido mucho antes de *El Llano en llamas*» (Vital, 2017: 392), lo que indica que era un tema que le obsesionaba muchos años antes de que comenzase su escritura que, tal vez, podría datarse hacia 1947, ya que en una carta fechada el uno de junio y dirigida a Clara, que un año más tarde se convertiría en su esposa, le habla de sus frustrados intentos por escribir *Una estrella junto a la luna,* inicial título de la novela *(cfr.* Vital, 2017: 185). Entre los años 1952 y 1954 fue becario del Centro Mexicano de Escritores (del que sería nombrado asesor literario en 1961), lo que le permitió dedicarse con intensidad a la escritura de esa novela que, después de varios títulos provisionales, se editaría con el definitivo de *Pedro Páramo.* Ruffinelli recoge una información muy precisa al respecto que le permite datar entre el 15 de agosto y el 15 de septiembre de 1953 el comienzo de la escritura de la novela. Rulfo emite un informe al Centro de Escritores Mexicanos en el que señala:

[12] Miguel Briante, «El silencio interrumpido», revista *Confirmado,* núm. 160 (11 de julio de 1968) y núm. 161 (18 de julio de 1968), Argentina, 1968. Larga e interesante entrevista, disponible en la web.

he escrito varios fragmentos de la novela a la que pienso de-
nominar *Los desiertos de la Tierra*. Estos fragmentos escritos
hasta la fecha, aunque no guardan un orden evolutivo, fijan
determinadas bases en que se irá fundamentando el desarrollo de la novela; algunos de estos fragmentos tienen una extensión hasta de cuatro cuartillas, pero como es lógico, no siguen un orden determinado. Considero que en cambio me
servirán de punto de partida para varios capítulos (Ruffinelli,
1992: 452).

En noviembre de 1953 escribe otro informe:

He realizado ya los primeros dos capítulos de la novela,
aunque no de forma definitiva, pues algunas cosas tienen
que ser rehechas para dejarlos por terminado. También tengo formados varios fragmentos de partes que irán en los capítulos subsecuentes. Lo importante en sí, es que al fin he logrado dar con el tratamiento en que se irá realizando el trabajo [...]. Considero que si no tengo ninguna dificultad para
seguir en continuidad los hechos de la historia, posiblemente pueda entregar en el próximo informe los primeros capítulos ya formados *(ibíd.*, pág. 453).

La siguiente cita confirma en lo esencial cómo fue la gestación de la novela. A pesar de su extensión, merece la pena re-
producirla porque aporta datos muy minuciosos. Señala Rulfo:

Acababa de establecerse el Centro Mexicano de Escritores.
Formé parte de la segunda generación de becarios, con Arreola, Chumacero, Ricardo Garibay, Miguel Guardia y Luisa Jo-
sefina Hernández. Cada miércoles por la tarde nos reunía-
mos a leer y criticar nuestros textos en una casa de la avenida
Yucatán. Presidían las sesiones Margaret Shedd, directora del
centro y su coordinador, Ramón Xirau.
En mayo de 1954 compré un cuaderno escolar y apunté el
primer capítulo de una novela que durante muchos años, había ido tomando forma en mi cabeza. Sentí, por fin, haber
encontrado el tono y la atmósfera tan buscada para el libro
que pensé tanto tiempo. Ignoro todavía de dónde salieron
las intuiciones a las que debo *Pedro Páramo*. Fue como si alguien me lo dictara. De pronto, a media calle, se me ocurría
una idea y la anotaba en papelitos verdes y azules.

Al llegar a casa después de mi trabajo en el departamento de publicidad de la Goodrich, pasaba mis apuntes al cuaderno. Escribía a mano, con pluma fuente Sheaffers y en tinta verde. Dejaba párrafos a la mitad, de modo que pudiera dejar un rescoldo o encontrar el hilo pendiente del pensamiento al día siguiente. En cuatro meses, de abril a agosto de 1954, reuní trescientas páginas. Conforme pasaba a máquina el original, destruía las hojas manuscritas.

Llegué a hacer otras tres versiones que consistieron en reducir a la mitad aquellas trescientas páginas. Eliminé toda divagación y borré completamente las intromisiones del autor. Arnaldo Orfila me urgía a entregarle el libro. Yo estaba confuso e indeciso. En las sesiones del centro, Arreola, Chumacero, la señora Shedd y Xirau me decían: «Vas muy bien». Miguel Guardia encontraba en el manuscrito solo un montón de escenas deshilvanadas. Ricardo Garibay, siempre vehemente, golpeaba la mesa para insistir en que mi libro era una porquería...

El manuscrito se llamó, sucesivamente, *Los murmullos* y *Una estrella junto a la luna*. Al fin, en septiembre de 1954, fue entregado al Fondo de Cultura Económica, y se tituló *Pedro Páramo*[13].

La obra tardaría algunos años, pocos, en consolidarse entre los lectores, pero su recepción entre los críticos literarios fue inmediata y muy positiva. Aunque algunas críticas fueron negativas, cuestionando su estructura que, por su novedad, rompía con los moldes tradicionales, el resto comprendió perfectamente que la novela iba a ser considerada como una de las más relevantes de la literatura del siglo XX. Por su agudeza merece citarse el largo artículo de Carlos Blanco Aguinaga, «Realidad y estilo de Juan Rulfo» (1955), luego reproducido en diversas publicaciones, y la reseña, también en ese año, que Carlos Fuentes publica en París, con lo que la internacionalización de Rulfo se inicia muy pronto, como también puede comprobarse por la primera traducción que de la novela se hace al inglés en 1955 [*cfr.* para la recepción crítica de la novela el exhaustivo análisis de Zepeda (2005)].

---

[13] J. Rulfo, «*Pedro Páramo,* treinta años después», en *Juan Rulfo* (II C), 1985: 6.

Como en el caso de *El Llano en llamas,* Rulfo pretendió quitar importancia a una obra cuya fama se convirtió para él en un peso difícil de llevar.

Es difícil encontrar, en el marco de la novelística hispanoamericana, una obra que haya suscitado tal cascada de elogios y una veneración semejante. La belleza de su estilo, su profundidad temática, la novedosa técnica narrativa deslumbraron a los más grandes escritores que no escatimaron sus alabanzas. Carlos Fuentes diría, en el año 2001, que era «para mí, la mejor novela mexicana de todos los tiempos» (Vital, 2017: 264) y Gabriel García Márquez la consideró «la novela más bella que se ha escrito desde el nacimiento de la literatura en español»[14]. El testimonio del premio Nobel no deja lugar a dudas sobre el impacto de su lectura:

> Aquella noche no pude dormir mientras no terminé la segunda lectura. Nunca, desde la noche tremenda en que leí la *Metamorfosis* de Kafka, en una lúgubre pensión de estudiantes de Bogotá —casi diez años antes—, había sufrido una conmoción semejante [...]. El resto de aquel año no pude leer a ningún otro autor, porque todos me parecían menores. No había acabado de escapar al deslumbramiento, cuando alguien dijo a Carlos Velo que yo era capaz de recitar de memoria párrafos completos de *Pedro Páramo.* La verdad iba más lejos: podía recitar el libro completo, al derecho y al revés, sin una falla apreciable, y podía decir en qué página de mi edición se encontraba cada episodio, y no había un solo rasgo del carácter de un personaje que no conociera a fondo *(loc. cit.).*

La publicación de sus dos obras en un corto espacio de tiempo evidenciaba que Rulfo había encontrado su modo de expresión literaria. Pero fue un espejismo. Las nuevas obras, tantas veces prometidas, nunca llegaron a ver la luz. ¿La razón? Imposible de saber. Como confesó a Fernando Benítez, recordando la época en que escribió *Pedro Páramo:* «En una noche escribía un cuento. Traía un gran vuelo, pero me cor-

---

[14] «Breves nostalgias sobre Juan Rulfo», en J. Rulfo, *Toda la obra* (I A), 1992: 800.

taron las alas. Ahora algo madura, algo se forma y necesito de paz y de silencio para reanudar mi trabajo. Espero la magia de otras noches porque yo soy un tecolote. Todo lo hago de noche» (Benítez, *op. cit.*, pág. 9). Ese mismo año de 1955 publicaría dos cuentos que, más tarde, se incorporarían a *El Llano en llamas*, «El día del derrumbe» *(México en la Cultura*, núm. 334) y «La presencia de Matilde Arcángel» *(Cuadernos Médicos*, I, núm. 5). Rulfo, sin embargo, no hacía referencia en su conversación con Benítez a su tercera gran obra, *El gallo de oro*, escrita en fecha indeterminada entre 1956 y finales de 1958. Rulfo, en una época en la que se interesó mucho por el cine (desde mediados de los años cincuenta hasta mediados de los sesenta), recibió el encargo de escribir el argumento de una película. El resultado fue esta novela, cuyo guion cinematográfico fue realizado por Carlos Fuentes y Gabriel García Márquez. La película se estrenó en 1964 (poco le gustó a Rulfo, siempre tan exigente) y la novela quedó olvidada en algún cajón de su escritorio. Solo, muchos años después, en 1980, transigiendo ante la insistencia de algunos allegados, Rulfo dio permiso para su publicación, aunque se desentendió de la edición y, según su costumbre, no dejó pasar la ocasión de infravalorarla. Es seguro que si Rulfo hubiese decidido su publicación en 1959 habría realizado cambios, a tenor de las numerosas variantes que introduce en sus textos en versiones previas a la definitiva. La edición de 1980 se limitó a publicar la copia depositada en el registro cinematográfico correspondiente; es decir, Rulfo no modificó nada con respecto a su texto depositado en enero de 1959. El hecho de que se publicase un texto escrito más de veinte años antes (presentado como texto cinematográfico y desvinculado de una finalidad literaria) y sobre el que cabían dudas sobre su carácter «definitivo», eclipsó la que debía haber sido la gran noticia editorial del año. La tibia recepción de los lectores, condicionada por estas circunstancias, no fue obstáculo, sin embargo, para que algunos críticos literarios —nada más editada— se diesen cuenta de su valor. Las ediciones recientes hacen justicia a esta segunda novela de Rulfo que debe ser considerada una de sus obras «canónicas» (véase González Boixo, 2018: 255-273).

Durante mucho tiempo Rulfo mantuvo la esperanza de los lectores —y probablemente la suya propia— acerca de la publicación de una nueva obra. De la novela *La cordillera* comienzan a aparecer referencias a partir de 1963 (Ruffinelli, 1992: 453-458). Basándose en las múltiples declaraciones de Rulfo pudo saberse su argumento y las características de diversos personajes. Sería la historia de una familia jalisciense desde sus orígenes encomenderos en el siglo XVI hasta la actualidad. Algunos supuestos fragmentos de la misma pueden leerse en *Los cuadernos de Juan Rulfo*. Tal vez la novela llegó a ser desarrollada por Rulfo con cierta extensión, pues en el avance editorial de Siglo XXI de otoño de 1968 figuró como próxima publicación. Sin embargo, después de haber señalado en tantas ocasiones que estaba trabajando en ella, Rulfo declaraba en 1982 que había abandonado el proyecto, aunque aseguraba que se encontraba escribiendo una colección de cuentos: «Estoy terminando un nuevo libro de relatos cortos que, provisionalmente, se titula *La vena de los locos*. Hasta ahora no había tenido tiempo para escribir. En este libro vuelvo a incidir sobre el tema rural, aunque en el mismo se plantean también otras tesis»[15]. En ocasiones anteriores había manifestado su proyecto de alguna nueva colección de cuentos, como la que iba a titularse *Días sin Floresta*, sin que se tengan más datos al respecto. Algunos cuentos inéditos, cuya fecha de escritura no ha sido establecida, se publicaron en la prensa en los días posteriores a su muerte y se incluyeron, junto con otros numerosos textos literarios inéditos en *Los cuadernos de Juan Rulfo* (1994). De acuerdo con Jiménez (2018: 41), «El último relato de Rulfo que se puede fechar [...] se titula "El descubridor"», texto que escribiría en 1968[16]. Estos datos permiten calibrar que la escritura literaria no se cortó abruptamente a finales de los años cincuenta y que, si bien no publicó nuevos textos literarios, fueron numerosos los esfuerzos crea-

---

[15] Antonio Palicio, «Juan Rulfo: "La revolución cubana desencadenó el 'boom' americano"», *ABC*, 22-4-1982, pág. 31.

[16] Reeditado, junto con otros que habían aparecido en *Los cuadernos...*, en Rulfo, 2017.

tivos en los años posteriores, aunque hasta el momento no se haya podido establecer una fechación de los mismos.

La deseada aparición de un nuevo libro se fue alargando indefinidamente, dando motivo a comentarios y creando un mito en torno a su figura. Tal vez nunca se decidió a volver a publicar porque cuando creó *Pedro Páramo* penetró tan profundamente en la esencia del hombre que, como señala Rafael Conte, quedó consumido para siempre:

> Con solo esta novela, de apenas 150 páginas, la escritura mexicana alcanzó su cota más alta, y México otorgó al arte universal una de sus mejores fábulas. *Pedro Páramo* es un hito, un resumen, la culminación de toda una literatura. No es de extrañar que desde entonces Juan Rulfo no haya publicado nada más. Rulfo salió del milagro como consumido para siempre[17].

Apenas se detallan en estas páginas otros datos biográficos de Rulfo, posteriores a la escritura de sus obras canónicas, porque la finalidad de las mismas ha sido la de estudiar la relación que puede establecerse entre los acontecimientos vitales y la obra literaria. El lector puede completarlos acudiendo a la cronología de Jiménez (2018) y a la biografía de Vital (2017). Mencionaré, pues, para satisfacer la natural curiosidad del lector, solo algunos aspectos de la vida de Rulfo después de su consagración como novelista en 1955. La mala experiencia laboral de vendedor de llantas había finalizado con el disfrute de la beca en los años 1953-1954. Durante los dos años siguientes trabajará para la Comisión del Papaloapan, un proyecto regenerativo de la cuenca del río, que trataba de evitar inundaciones y de reorganizar las zonas agrícolas. Afectó a comunidades indígenas de los estados de Oaxaca y Veracruz, y la actividad de Rulfo tuvo que ver con «los campos de la antropología, la edición, la fotografía y una política de conservación ambiental» (Jiménez, 2018: 36). Los años comprendidos entre 1957 y 1962 resultaron complicados para Rulfo,

---

[17] «Escritura mexicana, revolución, máscaras, sangre», *El País,* Madrid, supl. especial, 25 de sept. de 1977, pág. 14.

que sufrió crisis anímicas que no serían ajenas al sentimiento de ir a contracorriente de una vida intelectual y literaria mexicana «gregarias» *(cfr.* Vital, 2017: 277). Sus trabajos durante estos años no son muy estables y el éxito de *Pedro Páramo* no se evidencia en términos económicos. Un dato poco difundido, pero muy relevante para entender su menesterosa situación económica de aquellos años, es el relativo a la nueva beca que la Fundación Rockefeller le concedió durante el año 1958. Gracias al historiador Servando Ortoll tenemos acceso a la documentación y a la correspondencia que Rulfo estableció con el responsable de la institución norteamericana en México, John P. Harrison[18], quien tuvo el acierto de ver la excepcionalidad de Rulfo en el contexto de los escritores mexicanos de la época y puso su empeño en ayudarle para que pudiese dedicarse a la escritura sin agobios económicos. Es Harrison quien le propone que solicite una beca y Rulfo le escribirá al respecto, indicando que: «Las razones principales son de carácter económico. La situación de un escritor en México es precaria. Estoy obligado a tener hasta cinco trabajos. No cuento con tiempo suficiente para escribir»[19]. En el formulario de solicitud, Rulfo indica sus propósitos:

> Escribir una novela y una nueva serie de cuentos. La novela versará sobre la desintegración de la familia mexicana, causada por la Revolución y sus consecuencias. El desarrollo de este trabajo requiere una dedicación constante por la amplitud de su tema y su extensión. Si al otorgárseme la beca esta queda supervisada por el Centro Mexicano de Escrito-

---

[18] Servando Ortoll, «Obstáculos en la escritura de Juan Rulfo», *Signos Literarios*, vol. XI, núm. 22, julio-diciembre de 2015, págs. 76-121.

[19] «"Carta de Juan Rulfo al señor John P. Harrison", Ciudad de México, 20 de diciembre de 1957» (Ortoll, *op. cit.*, pág. 100). «Como "puesto actual" colocó tres: la Sociedad Mexicana de Geografía y Estadística de donde era director de la biblioteca [...]; la Secretaría de Educación Pública, donde investigaba, y Radio Universidad de la Universidad Nacional Autónoma de México. De dársele la beca, Rulfo afirmó que le dedicaría 80 por ciento de su tiempo. Aseguró conocer, además del español, el inglés (que leía "bien" y hablaba "razonablemente") y el francés (lo leía "bien")» *(ibíd.),* resume Ortoll, en referencia al formulario para la solicitud de la beca que Rulfo envió el 4 de enero de 1958.

res, teniendo yo la obligación de informar regularmente del desarrollo de mi trabajo a esa institución estoy seguro de llevar a cabo la obra a que me comprometo *(loc. cit.* pág. 101).

«En respuesta a su solicitud, Juan Rulfo recibió de la Fundación Rockefeller una beca especial (*"Special Fellowship"*)» (Ortoll, págs 101-102). Se trataba de una beca[20] bien dotada (3500 pesos mensuales; el equivalente al salario de un profesor en una universidad mexicana en aquella época) *(loc. cit.,* pág. 104), que empezó a disfrutar desde enero de 1958 y que debió recibir durante todo el año, tal como estaba establecido en el acuerdo.

A finales de 1959 dirige la colección de discos *Viva Voz de México,* amplio proyecto que iniciaba la Universidad Nacional Autónoma de México, en la que autores literarios leían fragmentos de sus propias obras (Rulfo participó en más de treinta grabaciones). A comienzos de 1960 va a trabajar para Televicentro, empresa recién inaugurada en Guadalajara. Allí le brindan la posibilidad de hacer unos anuarios históricos, y nada mejor le podían ofrecer a Rulfo, siempre interesado en la historia mexicana, que ahondar en el pasado de Guadalajara:

> Es que allí en Guadalajara la única actividad cultural es un banco, el Banco Industrial de Jalisco, que publica cada año, como obsequio a sus clientes, libros de historia sobre Guadalajara. Entonces tuve la idea de abarcar la historia de Jalisco desde las crónicas de la conquista, y también hacerlo así en esa forma, que cada año, así como se le daba veneno por la televisión, se le obsequiara un libro (Harss, 1966: 310).

El proyecto de que la televisión regalase libros a sus espectadores no llegó a realizarse, aunque sirvió para que Rulfo dis-

---

[20] No era una nueva beca que añadir a las dos que había tenido en el Centro Mexicano de Escritores, aunque la financiación venía de la misma fuente, la Fundación Rockefeller. Fue una beca a título personal y en las condiciones figuraba que Rulfo presentaría sus resultados cada dos meses a Ramón Xirau, director adjunto en esos momentos del Centro Mexicano de Escritores, quien actuaba de intermediario con la propia Fundación Rockefeller.

frutase de otra de sus aficiones, la lectura de los cronistas de Jalisco. Regresa a la ciudad de México en 1962 y empieza a colaborar con el Instituto Nacional Indigenista, donde sería contratado a partir de octubre de 1963, permaneciendo en dicho organismo hasta su jubilación. Allí llegó a ser responsable de ediciones, ejerciendo un trabajo importante y muy relacionado tanto con el mundo de los libros como con su interés por la historia, la antropología, la cultura y las sociedades indígenas mexicanas: «En total, Rulfo trabajó en la enorme suma de 70 volúmenes durante 23 años» (Vital, 2017: 283). Con la sorna que le caracterizó, muchos años después comentaría recordando aquella época:

> Era, ya no, ya me corrieron, director del departamento de publicaciones del Instituto Nacional Indigenista. Ahora soy sólo asesor. Me echaron porque seguro que les pareció que ya no servía. ¿Que qué escribía? Pues lo que hace un editor cualquiera. Escribía las solapas de los libros, las introducciones, los prólogos [...]. No, no era un lujo, era un trabajo que debía cumplir diariamente. Era de lo que vivía. Y no tenía tiempo de realizar otras cosas[21].

Las dos últimas décadas de la vida de Rulfo estuvieron muy condicionadas, como es lógico, por el prestigio literario que alcanzó. Considerado como uno de los grandes escritores hispanoamericanos contemporáneos, tuvo que convivir con su propia fama, con la gratitud del elogio, pero también con el peso de las obligaciones que conlleva. Los libros de homenaje se sucedieron desde el editado por La Casa de las Américas en 1969 en La Habana, las universidades compitieron entre sí para celebrar congresos y reuniones de reconocimiento y los galardones no faltaron. En 1970 recibe el Premio Nacional de Literatura, en 1980 ingresa en la Academia Mexicana de la Lengua, con un discurso sobre José Gorostiza y, también ese año, fue objeto de un Homenaje Nacional en el Palacio de Bellas Artes. Entre otros galardones, recibió el Premio Prínci-

---

[21] Blanca Berasategui, «Juan Rulfo, la desgana como silencio», *ABC*, «Sábado cultural», 15 de octubre de 1983, pág. VI.

pe de Asturias en 1983, el doctorado «Honoris Causa» por la Universidad Nacional Autónoma de México en 1985, y el Premio Gamio, en 1986, por su labor en el Instituto Indigenista (que recogería su viuda, Clara Aparicio). Juan Rulfo falleció el día 7 de enero de 1986, dejando la imagen mítica del escritor para quien la obra literaria debe cumplir dos requisitos irremplazables: la exigencia de su perfección «artística» y el «compromiso» crítico frente a la realidad. Irremediablemente, en ese momento, los lectores tomamos conciencia de nuestra orfandad, sabedores de que esa literatura prodigiosa, como los milagros, rara vez se hace visible.

Finalizaré este esbozo biográfico del escritor con dos breves apartados. En *Otros textos*, se alude a los numerosos escritos de Rulfo al margen de la creación literaria, que nos ayudan a tener una perspectiva más completa de este creador multifacético, que abordó la crítica literaria y, sobre todo, la investigación histórica, una de sus grandes pasiones. Otras de las facetas creativas de Rulfo fueron la fotografía y el cine, presentadas en el apartado *Rulfo fotógrafo y sus proyectos en el cine*. Especialmente su fotografía tiene una relevancia enorme, ya que Rulfo está considerado como uno de los fotógrafos latinoamericanos más relevantes de la primera mitad del siglo XX (véase González Boixo, 2018: 277-325). La imagen final es la de un humanista muy comprometido con la realidad mexicana y muy crítico con el discurso histórico del poder, algo bien reflejado en su obra literaria, fotográfica y fílmica.

Otros textos

Al margen de la obra canónica de Rulfo, numerosos textos suyos han terminado por ver la luz editorial. Para afrontar su análisis es necesario dividirlos en dos grupos: los de carácter literario y los ensayísticos o históricos.

En primer lugar hay que destacar *Los cuadernos de Juan Rulfo* (Rulfo, 1994), una extensa publicación de 180 páginas que recupera manuscritos y mecanuscritos, entre los que se encuentran relatos que podría considerarse que alcanzaron la versión definitiva («Mi tía Cecilia», «Clotilde» o «Se nos enfrió el comal»), versiones previas de *Pedro Páramo* y fragmentos de la proyectada novela *La cordillera*[22]. Se trata de un material muy valioso, pero difícil de analizar al carecer de datos sobre su proceso de escritura, entre ellos su secuencia cronológica. Es posible que no podamos ir más allá de la admiración que produce la belleza literaria de estas páginas, historias truncas que no sabemos ubicar en muchos casos, pero que ofrecen la posibilidad de analizar el proceso creativo de Rulfo al comparar las distintas versiones de un mismo relato.

En segundo lugar merece destacarse el texto *Castillo de Teayo*, un relato de cinco páginas escrito hacia 1952, editado por primera vez por Víctor Jiménez (Rulfo, *Letras e imágenes*, 2002: 47-55), en el que se aúnan las experiencias personales del viaje a esas ruinas arqueológicas con la reflexión sobre el ejercicio despótico del poder a lo largo de la historia[23]. Se trata de una narración de gran calidad literaria que ha sido incorporada a las ediciones que recogen la obra literaria completa de Rulfo.

En tercer lugar, ha despertado un llamativo interés la versión que Rulfo realizó, entre los años 1945 y 1953, de las *Elegías de Duino* de Rainer María Rilke. Los cuadernos manuscritos y las hojas mecanografiadas fueron descubiertos en el archivo personal del escritor por Alberto Vital y, bajo su dirección, se publicó la versión rulfiana en el año 2006, en una edición de gran rigor académico. Rulfo se basó en las ediciones en español de Juan José Domenchina (1945) y Gonzalo Torrente Ballester (1946)[24], para realizar su propia versión que, si bien en algunas partes es mera trascripción, puede considerarse una recreación personal de gran altura poética. Considerada por

---

[22] Respectivamente, págs. 13-28 y 103-122; 45-94; 127-152.

[23] Es un tema esencial para Rulfo, presente en sus textos literarios, en sus ensayos y en su fotografía. En este relato se contextualiza en el apogeo y decadencia de las culturas indígenas mexicanas, marcadas por ese signo de la violencia que define sus cuentos y su novela *Pedro Páramo*.

[24] En *Tríptico* (2006) se editan conjuntamente el texto alemán de Rilke, la versión de Domenchina (basada en traducciones inglesas, francesas e italianas), la traducción directa del alemán de Torrente y la versión de Rulfo (págs. 93-215). Es relevante la información de Alberto Vital en su artículo «Rulfo y Rilke» (págs. 17-32), ampliado en Vital (2012).

algunos críticos como la versión al español más bella de las elegías de Rilke, ha vuelto a ser editada en formato comercial[25]. No tenemos ningún testimonio del motivo que le llevó a Rulfo a efectuar el laborioso trabajo de apropiación del poema de Rilke, pero puede entenderse como parte de una natural vocación lectora y de su interés por el mundo literario de Rilke, cuyos grandes temas universales —soledad, amor, muerte, humanidad— muestran una afinidad evidente con Rulfo y, de manera especial, en lo relativo al concepto de desilusión ante la realidad. Al margen, no cabe duda de que para Rulfo fue un ejercicio de estilo, en esa constante búsqueda de la perfección del lenguaje literario que apreciamos en las distintas versiones de sus propios textos.

Por último, cabe incluir entre sus textos literarios la colaboración que desarrolló para *El cuento. Revista de imaginación* entre los años 1964 y 1966. Bajo el título de *Retales,* seleccionó diecisiete textos, la mayoría de tipo literario, de autores muy conocidos, como Faulkner, o, en otros casos, absolutamente desconocidos. El interés radica tanto en que, en ocasiones, somete al texto a un proceso de reescritura, como porque esa gavilla de autores puede indicar las variadas preferencias de sus lecturas. La excelente edición de estos textos (Rulfo, I B, 2008) nos permite indagar en su faceta de «lector profesional», tal vez lo único de lo que Rulfo se sentía orgulloso.

En cuanto a los textos de Rulfo de carácter no literario nos encontramos lejos de poseer una relación precisa y, menos aún, de un análisis crítico que nos permita una mejor valoración de la que en este momento puede hacerse. Habría que distinguir entre los textos publicados por él y los que, póstumamente, han ido apareciendo, realizar una catalogación de los mismos (Rulfo escribió reseñas de libros, ensayos históricos y de crítica literaria), recuperar sus artículos, generalmente relacionados con la arquitectura o la historia de México, en revistas con las que colaboró, analizar la importancia de los textos manuscritos o mecanografiados que se encuentran en

---

[25] En la editorial Sexto Piso (Madrid/México, 2015).

su archivo personal. No es escaso el material publicado, pero su dispersión dificulta su estudio, tema que queda pendiente. El principal corpus se recogió, bajo el título «Ensayos, discursos, conferencias y prólogos» en *Toda la obra* (1992), ampliado en la 2ª edición (1996: 369-447). Allí encontramos dos textos fundamentales para entender la concepción literaria de Rulfo: «Situación actual de la novela contemporánea» y «El desafío de la creación». Especial interés tiene el libro *Juan Rulfo. Letras e imágenes* (Rulfo, 2002), tanto por el estudio introductorio de Víctor Jiménez (págs. 17-27), que nos muestra las grandes posibilidades de investigación que al respecto ofrece el archivo personal de Juan Rulfo, como por la publicación de algunos textos sobre historia y arquitectura mexicanas (que Rulfo fue recopilando de otros autores, a modo de materiales de trabajo para algún proyecto que no culminó), en los que añadió comentarios, algunos de carácter literario (págs. 30-46).

Rulfo, fotógrafo y sus proyectos en el cine

Desde que en 1980[26] se «descubrió» que la conocida afición de Rulfo a la fotografía era, en realidad, una manifestación artística de suma importancia, han sido muchas las exposiciones de su obra fotográfica que han podido verse en diversos países y, también, numerosos los libros que han reproducido sus fotografías. Hoy puede afirmarse que en el campo de la fotografía tiene un lugar importante que debemos desligar de su fama literaria. Sin alcanzar, por ceñirnos al ámbito latinoamericano, la significación de Martín Chambi o Manuel Álvarez Bravo, ni la difusión de Sebastião Salgado o de Marcos Zimmermann, su nombre figura de igual a igual con la mayoría de los fotógrafos más reconocidos. La abundante bibliografía sobre esta nueva faceta del escritor ha permitido descubrir, además, las confluencias temáticas con sus obras narrativas.

---

[26] De manera bastante casual, se realizó una exposición de unas cien fotografías suyas con motivo de los actos de homenaje que en ese año se le tributaron en el Palacio de Bellas Artes de México.

Su afición por la fotografía se inició muy pronto y de ella quedaron algunos testimonios en imágenes de Apulco y San Gabriel, correspondientes a los años treinta, pudiéndose establecer una continuidad en su actividad fotográfica a lo largo de los años cuarenta[27], un punto álgido en los cincuenta y un progresivo abandono en los años siguientes, aunque sus fotografías llegan a los años ochenta. En todos los casos estamos hablando de fotografías realizadas desde una perspectiva artística. El interés de los críticos por la fotografía de Rulfo se inicia a partir de la exposición de 1980, pero ha sido en el siglo XXI cuando se han recuperado materiales e informaciones que permiten trazar la cronología de su obra, más allá del conocimiento muy parcial que se tenía hasta ese momento. El deslumbramiento que produjo su exposición de 1980 encontró su explicación en una imagen simplificada del escritor famoso que había mantenido oculta una afición que, casi de manera fortuita, es descubierta. Algo de cierto hay en ese encubrimiento que deriva en descubrimiento (unos siete mil negativos guardados en cajas de zapatos)[28], pero cuando rastreamos su trayectoria fotográfica nos damos cuenta de que fue pública y bien conocida, aunque su fama como escritor terminó convirtiéndola en un mero recuerdo del que solo sobrevivió esa imagen del escritor que era aficionado a la fotografía[29].

Su relación con el cine nos remite de nuevo al escritor, porque en esta faceta de su obra lo que consideramos son los textos que escribió para el cine (sinopsis de argumentos, diálogos de personajes y guiones literarios), sin que llegase a escribir guiones cinematográficos, en el sentido estricto del término. El proyecto más importante en el que estuvo involucrado fue

---

[27] Una relación de fotografías realizadas entre los años 1938 y 1940 puede verse en Jiménez, 2018: 27-29.

[28] Aproximadamente, conocemos unas quinientas fotografías, muchas de las cuales se han reproducido de manera reiterada.

[29] En *Tríptico* (2006) diversos estudios permiten tener una visión bastante completa de su actividad fotográfica. Tienen gran interés los encartes de las 11 fotografías que publica en la revista *América* en 1949 y de las 23 fotografías de la, hasta entonces desconocida, exposición de Guadalajara.

El gallo de oro, pues aunque el texto que escribió es una novela, no cabe duda de que tuvo presente su destino cinematográfico[30]. El periodo que va de 1955 (participación de Rulfo, en calidad de fotógrafo, en la filmación de la película *La Escondida)* a 1964 (estreno de *El gallo de oro,* bajo la dirección de Gavaldón) concentra su interés por el cine y plantea no pocas cuestiones de interés[31], entre ellas la relación de Rulfo con los profesionales cinematográficos y su disyuntiva entre el cine comercial y el vanguardista. La trayectoria de Rulfo en el cine muestra de forma rotunda su concepción «artística» de este medio expresivo y su interés por aportar novedades a un cine mexicano que se estaba anquilosando a finales de los años cincuenta.

En 1960 participa en *El despojo,* cortometraje (12 min.) de Antonio Reynoso, en cuyos créditos figura «Línea argumental y diálogos: Juan Rulfo». Podría pensarse que, dado su carácter de cortometraje, su relevancia es escasa; sin embargo, es una pieza precursora del nuevo cine que se intentará hacer en México en los años siguientes. La cinta puede verse como el paradigma de la creación cinematográfica desde la perspectiva de Rulfo y su contribución más exitosa al cine. El argumento de Rulfo coincide con las historias habituales de su obra literaria: la profundización en temas universales (dolor, soledad, injusticia) a través de una imagen desolada del México rural.

De su segunda intervención en una película conservamos algunos fragmentos que formaron parte del guion de *Paloma herida* (1962) dirigida por Emilio Fernández «El Indio», publicados en *Los cuadernos de Juan Rulfo*[32]: un análisis comparativo con *El despojo* permite establecer numerosos elementos comunes de carácter artístico.

---

[30] Análisis comparativos entre el texto de Rulfo, el guion cinematográfico que escribieron García Márquez y Carlos Fuentes y las dos versiones fílmicas (Gavaldón y Ripstein) pueden verse en Rulfo (I A, 2010) y *Rethinking Juan Rulfo's* (2016).

[31] Weatherford estima que fue su decepción con la versión de *El gallo de oro* el motivo de su alejamiento progresivo del cine profesional (en Rulfo, I A, 2010: 34-39).

[32] Se publicaron con el epígrafe «Borradores para un guion cinematográfico» (Rulfo, I A, 1994: 155-160), sin fecha ni otros datos.

Por último, la participación de Rulfo en *La fórmula secreta* (1964) de Rubén Gámez es significativa. La cinta —un mediometraje (44 minutos)— es una radical muestra de cine experimental, cuya característica más relevante es su tono surrealista. Rulfo colaboró en ella con un texto (en los créditos se señala «texto de Juan Rulfo») que una voz en *off* declama acompañando las imágenes de dos de las diez escenas de que consta la película. Recibió el 1.er premio en el concurso de cine experimental mexicano de 1965 y es considerada un referente del cine independiente. Lo mismo que en el caso de *El despojo*, Rulfo se sentía satisfecho del resultado y no deja de ser llamativo que sean justamente las dos escenas en que se utiliza el texto de Rulfo las vertebradoras de la película y que, además, ambas tengan un carácter muy diferente al resto, que trascurren en un ámbito urbano: la presencia de campesinos, el mundo rural desolado y la acentuación estética del dramatismo son elementos que remiten a sus textos literarios.

Análisis de «Pedro Páramo»

Sería conveniente, para un mejor acercamiento crítico, que el lector hubiese leído previamente la novela. Las dificultades que seguramente encontrará en el transcurso de la lectura deben ser un acicate para él; en cambio, al anticipar soluciones también se pierde la frescura de una primera lectura que, además, teniendo en cuenta la dosis de intriga que acompaña a la narración de Juan Preciado, resulta muy diferente de las lecturas posteriores que podamos hacer. En todo caso, *Pedro Páramo* es una novela que por su complejidad y nivel de simbolismo necesita de varias lecturas. Así, pues, el lector debe sopesar en qué momento de la lectura de la novela puede resultar conveniente acudir a las explicaciones que aparecen en esta parte introductoria o en algunos de los apéndices, en especial en el primero de ellos, en el que se intenta aclarar diversos episodios que pueden considerarse «conflictivos»[33].

---

[33] El lector también encontrará una valiosa ayuda de lectura en el libro de la Fundación Juan Rulfo, *Juan Rulfo y su obra. Una guía crítica* (Víctor Jiménez

La edición de *El Llano en llamas* tuvo un notable éxito y el libro recibió elogios de los críticos. En apariencia, Rulfo no se desviaba demasiado de la narrativa habitual de aquellos años, heredera del regionalismo mundonovista y anclada en los ambientes rurales. En realidad, esa ambientación rural que ligaba su narrativa con la tradición literaria no era más que una pantalla en la que se proyectaba la verdadera dimensión de la literatura de Rulfo, la presencia de los grandes temas universales que afectan al hombre. La publicación, dos años más tarde, de su novela *Pedro Páramo* fue una gran sorpresa: todo resultaba tan nuevo que la temática rural pareció un elemento indiferente ante las vanguardistas técnicas narrativas empleadas. Cuando a comienzos de los años sesenta se evidencia ese cambio sustancial que se produce entre la narrativa realista tradicional y la «nueva narrativa», las miradas de los críticos se dirigieron a Rulfo para otorgarle el merecido reconocimiento de haber sido el iniciador de aquel movimiento literario que asombró al mundo.

La contraposición, no obstante, entre *Pedro Páramo* y *El Llano en llamas,* en términos de «modernidad» frente a «tradición», resulta ser una falsa disyuntiva. No existe, en realidad, tal diferencia y la crítica literaria apenas ha insistido en ello, aceptando un tópico que se revela erróneo. Primero, porque no hay diferencias temáticas: toda la obra literaria de Rulfo es «rural» y no debe asustarnos admitirlo, ya que los términos «ruralismo» y «modernidad» no son antagónicos. Segundo, tampoco es cierto que el experimentalismo de las técnicas narrativas deba ser asociado a la novela, frente a unos cuentos narrados de manera tradicional. Puede sorprender la siguiente afirmación: los cuentos tienen un grado de experimen-

y Jorge Zepeda, coordinadores), México, RM, 2018. Para una profundización en la novela y en el resto de la obra creativa de Rulfo, el lector dispone de una desbordante bibliografía crítica (la que aquí se ofrece intenta ser completa en lo que se refiere a libros monográficos y libros recopilatorios de artículos y selecciona artículos sobre la novela). En mis libros *Claves narrativas de Juan Rulfo* (1984; acceso libre en web «academia.edu») y *Juan Rulfo. Estudios sobre literatura, fotografía y cine* (2018) el lector podrá encontrar análisis más minucioso sobre la novela y otras perspectivas sobre el resto de su obra narrativa y artística.

talismo similar al de la novela y están muy alejados de los modelos tradicionales, algo que puede comprobarse en los numerosos análisis de los cuentos desde la perspectiva de la técnica narrativa, aunque los propios críticos no parecen percatarse de la innovación[34]. El «realismo» de la obra de Rulfo es la base natural de una concepción narrativa moderna en la que la renovación técnica solo tiene sentido como medio para profundizar en una realidad de proyección universal. Rulfo se sumaba a una primera nómina de narradores hispanoamericanos que tenían clara conciencia de la necesidad de superar las técnicas empleadas por la novela tradicional (Sábato, Carpentier, Cortázar, Borges, Felisberto Hernández, Onetti o García Márquez ya habían publicado relatos y novelas que anunciaban la nueva perspectiva, aunque ninguno había innovado tanto técnicamente como Rulfo), autores que se inspiraban, además de en su propia tradición narrativa, en los principales renovadores de la narrativa occidental como Joyce, Faulkner, Proust o Virginia Woolf.

Estructura

Frente a los habituales planteamientos más o menos lineales de las novelas tradicionales, las diversas historias que se entrelazan en *Pedro Páramo* se presentan a través de una estructura fragmentaria que exige del lector una cierta atención. Esta estructura es, sin duda, uno de los elementos fundamentales en la valoración que pueda hacerse de la novela.

En contraposición a la dificultad que ofrece la estructura, el tema o argumento de la novela es sencillo: Juan Preciado cuenta cómo, para cumplir la promesa hecha a su madre moribunda, viaja a Comala para ajustar cuentas con su padre, Pedro Páramo, al que no ha conocido. Pero Juan Preciado —al que no le mueve la venganza, sino la «ilusión» del reen-

---

[34] Pueden verse análisis sobre la estructura de los cuentos en González Boixo, 1984: 205-216 y, también, sobre las modalidades temporales en *Pedro Páramo* y los cuentos, págs. 235-248.

cuentro con sus orígenes— descubre que Comala es un pueblo deshabitado, lleno de fantasmas. Cuando cobra conciencia de que está en medio de un mundo de muertos, el terror se apodera de él y muere, rodeado de los susurros de las almas en pena que pueblan Comala. Juan Preciado es un hombre sin historia; en cambio, Pedro Páramo es el centro de todas esas historias que recrearán el pasado de Comala, ese tiempo que los muertos recordarán para que Juan Preciado se encuentre simbólicamente con su padre, con su propio origen y con su aciago destino, que no es otro que el del pueblo de Comala convertido en imagen del infierno. Perdida en un tiempo pasado permanece la historia del cacique sanguinario, de su amor sin límites por Susana San Juan, de su desesperación cuando ella muere, de su venganza última sobre Comala.

La novela no tiene capítulos, sino «fragmentos» narrativos, tal como de modo habitual los ha denominado la crítica literaria. Son un total de 69, de muy diversa extensión (entre siete líneas y varias páginas), que en el mecanuscrito escrito por Rulfo solo aparecen diferenciados por líneas en blanco (unas cuatro) y que en esta edición se inician, para mayor seguridad del lector, con una letra capitular. La mitad de esos fragmentos están narrados por Juan Preciado (nivel narrativo A) y la otra mitad por un narrador en tercera persona que relata los acontecimientos tal como ocurrieron en tiempos de Pedro Páramo (nivel narrativo B). La intercalación continua de ambos niveles narrativos, con frecuentes distorsiones temporales, crea un contrapunto al que el lector habrá de habituarse y que al inicio de la lectura le sorprenderá. Pero lo cierto es que excepto en una ocasión, cuando se narra la niñez de Pedro Páramo, en el resto de las unidades temáticas existe un lazo de unión entre los dos niveles narrativos. El método utilizado suele ser la alusión, desde el tiempo narrativo de Juan Preciado (A), a un suceso ocurrido en la época de Pedro Páramo, amplificando luego en el otro nivel (B) la información. Este hecho condiciona también el que las diversas historias que se narran se encuentren fragmentadas a lo largo de la novela y que el proceso cronológico sufra continuos saltos. La narración en primera persona de Juan Preciado no hace referencia alguna al momento cronológico en que inicia su viaje a Comala, aunque sabemos que es posterior a la fecha en la que muere Pedro Páramo. Su narración, que no tiene un destinatario explícito, avanza en presente narrativo y relata los sucesos que le ocurren desde su llegada a Comala hasta su muerte, dos días después. A partir de ese momento se establece un nuevo presente narrativo de carácter atemporal, ya que su diálogo con Dorotea en la tumba que comparten se localiza en un lugar concreto, el cementerio de Comala, pero no puede situarse en un tiempo determinado, aunque el lector tiende a pensar que esa conversación se produce poco después de la muerte de Juan Preciado. Es necesario considerar, en la narración de Juan Preciado, la existencia de un doble relato: cuando el lector descubre a mitad de la novela que el narrador, hasta ese momento innominado, se llama Juan Preciado y que le ha contado su «historia» a Dorotea, piensa que el relato que ha leído forma parte de su diálogo con su compañera de tumba. Sin embargo, la presencia en su narración de tiempos verbales en presente de indicativo hace inviable esta opción. Es esta una cuestión en la que es necesario detenerse.

Al comienzo de su relato, Juan Preciado señala «Ahora yo vengo en su lugar. Traigo los ojos con que ella miró estas cosas» (frag. 2) y más adelante, «Sentí el retrato de mi madre guardado en la bolsa de la camisa [...]. Es el mismo que traigo aquí» (frag. 2). En el fragmento siguiente se indica lo que había visto en Sayula, «todavía ayer, a esta misma hora». Teniendo en cuenta que pasará dos noches en Comala, antes de su muerte, ese *ayer* demuestra que el relato que se le ofrece al lector no puede ser el mismo que el que hará a Dorotea, que ha de situarse en un tiempo posterior, cuando ambos comparten la tumba. Y de nuevo se ratifica ese presente narrativo que coincide con el desarrollo de los hechos algunas líneas más adelante: «Ahora estaba aquí, en este pueblo sin ruidos». Y mucho después, en el fragmento 17, al mencionar el grito que oye, dirá: «yo lo oí aquí, untado a las paredes de mi cuarto». Con sorpresa, el lector debe percatarse de la existencia de dos relatos superpuestos: por una parte, Juan Preciado realiza un relato en primera persona simultáneo a los acontecimientos que tienen lugar desde que llega a Comala. Este relato, identificable por la utilización del presente narrativo y los adverbios temporales, no está dirigido a ningún interlocutor, por lo que el lector debe considerarse como el destinatario del mismo, de acuerdo con las convenciones literarias. Por otra parte, el lector descubre, también con sorpresa, que Juan Preciado le ha contado a Dorotea esos mismos acontecimientos, una vez que ambos han sido enterrados en una única tumba. Desde la perspectiva de la técnica narrativa, Rulfo emplea el frecuente recurso de la «elisión», prescindiendo de los tradicionales modos narrativos que exigirían enojosas explicaciones al lector. En el relato de Juan Preciado es básico ese presente narrativo, pues en él se fundamenta su caracterización como narración «fantástica», pero, al mismo tiempo, necesita establecer otro presente narrativo que transcurre en el «no tiempo» de las tumbas de Comala. Se crea así una «ilusión» narrativa, por la que el lector interpreta que el relato de Juan Preciado dirigido a él es el mismo que ha escuchado Dorotea en la tumba. En realidad, no puede serlo, aunque de las intervenciones de Dorotea se deduce que la información que posee el lector es también la que ella tiene. Nada impediría, sin embargo, que Juan Preciado le haya proporcionado otras informaciones.

Desde la perspectiva del relato fantástico, la utilización de un presente narrativo simultáneo a los acontecimientos es uno de los recursos más significativos, ya que, ante la incertidumbre o temor que en los personajes provoca la aparición de un hecho sobrenatural, permite trasmitir al lector dichas sensaciones que deberán ir incrementándose hasta el final de la historia. El relato de Juan Preciado es modélico en la categoría de la narración fantástica: su inicial extrañeza ante una situación que, aunque parece real, presenta aspectos no habituales, se irá convirtiendo en temor ante ciertos acontecimientos inexplicables que le conducirán a admitir algo que resulta imposible: la aparición de diversos difuntos que hablan con él, sin que en apariencia tengan conciencia de su estado. Su relato culmina describiendo la confusión que siente al no poder explicar mediante la razón una situación que ha terminado por producirle pavor. En este momento, y nos encontramos al final del fragmento 35, termina el relato de Juan Preciado, que hemos de considerar incluido en la categoría literaria de «lo fantástico» por las características ya señaladas. Es en el fragmento 36, al hacerse presente el diálogo entre Juan Preciado y Dorotea, cuando la «incertidumbre» desaparece. Es a partir de ese momento, en el que el lector se da cuenta de que Juan Preciado y Dorotea hablan desde la tumba del cementerio de Comala, cuando el relato de Rulfo se adapta a otra categoría narrativa, la de «lo maravilloso», caracterizada por la sustitución del mundo real por otro ficticio que es reconocido por el lector como ajeno al suyo y, por lo tanto, no conflictivo con la realidad cotidiana. Esta situación narrativa se mantendrá en el resto de los fragmentos del nivel A.

Desde que en el fragmento 36 el lector conoce la extraña situación en la que se encuentran Juan Preciado y Dorotea, esa «vida» en la tumba, apreciará que ese diálogo está marcado por una temporalidad que avanza en términos cronológicos. Sin embargo, no podrá establecer una cronología concreta, ya que se sitúa en lo que podría considerarse como un eterno presente posterior a la muerte. En cambio, sí puede conjeturarse una cronología de los acontecimientos ocurridos en Comala en tiempos de Pedro Páramo, tanto a través de las informaciones que los diversos interlocutores le proporcionan a Juan Preciado como por medio del narrador que en tercera persona completa esas informaciones en el nivel narrativo B. La complejidad de la estructura de la novela ha hecho que no sean infrecuentes los análisis críticos[35]. El fragmentarismo estructural, el tipo de narración elusiva que Rulfo practica y su carácter simbólico han contribuido a crear una imagen de novela «difícil», aspecto que se ha exagerado. En todo caso, lo cierto es que *Pedro Páramo* anticipa en algunos años las audaces técnicas narrativas que caracterizaron a la que se denominó «nueva narrativa hispanoamericana».

---

[35] Por mi parte, he analizado su estructura en González Boixo (1984: 183-205). Aunque la novela no ofrece ninguna fecha concreta, puede establecerse una cronología aproximada de los principales acontecimientos (si bien, de carácter especulativo) en lo que se refiere a la historia de Pedro Páramo, que nacería hacia 1865 y moriría hacia 1927. Véase el apéndice «Cronología de la 'historia'», en esta edición.

Para una mejor comprensión del fragmentarismo de la novela se ofrece un análisis descriptivo a partir de los dos niveles narrativos ya señalados:

1) Nivel *A:* fragmentos narrados en primera persona por Juan Preciado y su diálogo con Dorotea.
2) Nivel *B:* fragmentos narrados en tercera persona y escenas dialogadas, correspondientes con la cronología de Pedro Páramo.

Nivel *A:*

Juan Preciado narra su propia historia en los frags. 1-5, 9, 11, 17, 24-36 y 38. Desde un presente narrativo que el lector no conoce hasta que finaliza su narración, Juan Preciado relata de forma totalmente lineal su recorrido por Comala (eliminando los fragmentos intercalados del nivel *B* se aprecia con claridad), señalando cuidadosa y reiteradamente los cambios espaciales y temporales. Además, en estos fragmentos se ofrece al lector parte de la historia de Pedro Páramo a través de las informaciones de los interlocutores de Juan Preciado, aunque sin respetar la cronología lineal. Los frags. 36 y 38 son una especie de puente, de intermedio, entre las dos partes de la novela[36]: Juan Preciado termina su narración y Dorotea le habla de sí misma, compensando narrativamente su silencio hasta ese momento; por otra parte, al final del frag. 36 se enuncia claramente la función del nivel *A* en la segunda parte de la novela: ambos personajes perciben desde su tumba la existencia de otros enterrados, limitándose a ser testigos de sus monólogos. Como consecuencia de esta nueva función

---

[36] En realidad, la novela es un todo continuo, por lo que resulta incorrecto hablar de partes. Sin embargo, el lector percibe que en este momento, coincidiendo con la mitad de la novela, el relato de Juan Preciado sobre su peripecia en Comala ha finalizado y que la segunda mitad de la novela se centra en el relato de los acontecimientos en tiempos de Pedro Páramo. Es en este sentido en el que se habla, de manera laxa, de dos partes en la novela.

narrativa su participación en la segunda parte es muy limitada (frags. 41, 42, 52, 55 y 64).

Tan importante como seguir la peripecia personal de Juan Preciado resulta la información que sobre la época de Pedro Páramo puede obtenerse en este nivel. En primer lugar, los interlocutores que acompañan a Juan Preciado en su viaje por Comala aportarán datos sobre todos los temas que más ampliamente se desarrollarán en el nivel *B*. En dos momentos clave de la novela su información es genérica, aunque centrada en dos personajes fundamentales: en los frags. 1 y 2 se ofrece una referencia sucinta, pero a la vez suficiente, de Pedro Páramo; en el frag. 42 se realiza una síntesis de la historia de Susana, motivo en el que se centra la segunda parte de la novela. En el resto de los casos, se inician temas particulares que se completarán en el nivel *B*: el tema de Dolores (frags. 1, 5 y 9), el de Abundio (frag. 9), el de Miguel Páramo (frag. 11), el de Toribio Aldrete (frag. 17), el de Dorotea (frags. 36 y 38) y el de Susana (frags. 42, 55 y 64). Juan Preciado también recibe información escuchando los monólogos de los muertos que están enterrados cerca. Esto ocurre en dos ocasiones: en los frags. 41 y 52 es Susana quien habla; en el frag. 42 interviene un personaje secundario. Por último, la perspectiva temporal adquiere una notable profundidad en el caso siguiente: Juan Preciado deambula por Comala y escucha voces, murmullos de otra época, de los tiempos de Pedro Páramo (frags. 25-27). Se produce así la actualización en el tiempo presente de Juan Preciado de un tiempo pasado. Es una ruptura temporal completa, cuya complejidad —mezclar dos tiempos diferentes— se adapta perfectamente al tono de la narración: Juan Preciado, en busca de su identidad, recorre un camino de iniciación en el conocimiento de su pasado, que es el pasado colectivo de Comala. Al final de ese recorrido las sombras le rodean y le conducen a la muerte, a la unión con ese pasado. En ese lugar estratégico, como preámbulo a su muerte, van situados esos fragmentos, constituyendo uno de los momentos clave de la novela, ya que anuncian que Juan Preciado está preparado para entrar en el mundo de Comala.

Nivel *B:*

A diferencia de lo que ocurría en el nivel *A,* en este nivel la historia narrada se secciona de forma discontinua en diversas unidades. El criterio que empleo para fijar estas unidades es la relación que pueda existir entre fragmentos en lo que afecta al contenido, espacio y tiempo. En lo que respecta al plano temporal es importante destacar dos aspectos: a) que los fragmentos que integran estas unidades mantengan o no un orden cronológico sucesivo; b) que la ordenación cronológica sea continua o discontinua, es decir, que exista una continuidad temporal total o, por el contrario, que se trate de escenas separadas temporalmente, aunque las primeras mantengan anterioridad cronológica sobre las segundas[37].

Unidad a: Frags. 6-7-8/10/12. Se corresponden con la niñez y adolescencia de Pedro Páramo.

Unidad b: Frags. 18/19 (19-20-21-22) 23. Se relata el asesinato de Toribio Aldrete, adoptando el narrador en tercera persona la perspectiva de Fulgor Sedano. Retrospectivamente, se narran otros episodios anteriores y cercanos en el tiempo: la visita de Fulgor a Pedro Páramo, y las gestiones del administrador ante Dolores con respecto a su boda.

Unidad c: Frags. 37/39/13-14-15-40 (16). Excepto el 16, todos giran en torno a la figura de Miguel Páramo. El 16 se relaciona con los frags. 13, 14, 15 y 40 porque todos ellos muestran también las tribulaciones anímicas del padre Rentería. Sin embargo, la referencia a las «estrellas fugaces» de los frags. 15 y 40, relativas a la muerte de Miguel, no es la misma que la que aparece en el frag. 16, que debe situarse en un tiempo posterior. Dada la complejidad de dicha referencia, el lector puede acudir a una extensa explicación en el Apéndice I: «Anotaciones a los fragmentos» (págs. 228-246).

---

[37] Anotaré con «-» cuando hay continuidad cronológica y con «/» cuando se trata de discontinuidad.

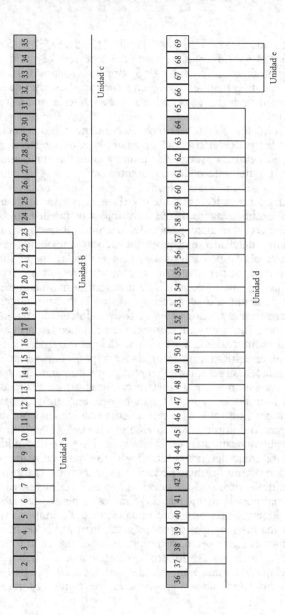

Los fragmentos en trazado oscuro se corresponden con el nivel A. El resto con el nivel B.

51

Unidad d: 43/44/45/46/47-48-49-50/51/53-54/56/57-58/59-60/61-62/63/65. Los frags. 43-46 narran el regreso de Susana. Los frags. 47-50 están centrados en Susana y sus sueños delirantes. Los restantes fragmentos siguen narrando el proceso de la enfermedad de Susana y se intercalan los episodios de la revolución.

Unidad e: 66/67-68-69. El frag. 66 contiene una secuencia independiente del resto y sirve para establecer una separación cronológica entre la muerte de Susana y la de Pedro Páramo, tema central del resto de los fragmentos.

En una primera lectura de la novela es cierto que la intercalación de historias y los saltos cronológicos pueden suponer una cierta dificultad para el lector. Sin embargo, en un análisis más detallado se observa que, aunque presentadas de modo fragmentario, las historias están centradas en un número limitado de personajes, lo cual facilita la lectura e, igualmente, por lo que respecta a la cronología, se mantiene casi siempre la temporalidad sucesiva, sin que la discontinuidad entre fragmentos suponga una verdadera dificultad. Así, en general, se observa un ordenamiento cronológico bastante rígido: en las unidades *a, d* y *e* el paso del tiempo queda suficientemente resaltado; en la unidad *b,* a pesar de su mayor complejidad, se aprecia bien la inclusión de un paréntesis narrativo correspondiente a un tiempo anterior; en realidad, solo en la unidad *c* algunos fragmentos se encuentran situados en lugares distintos a los que les corresponderían si se hubiese seguido un orden cronológico sucesivo.

El fragmentarismo permite que la narración se centre en los momentos esenciales, prescindiendo de historias secundarias y ofreciendo, desde distintas perspectivas, una visión compleja —poliédrica— de la realidad ficticia. La aparente estructura caótica, en opinión de algunos de los primeros comentaristas de la novela, se revela más bien como una estructura minuciosa en la que cada pieza ocupa su preciso lugar. Juan Rulfo fue muy cuidadoso en este aspecto, como puede apreciarse en la interrelación de fragmentos de los dos niveles narrativos: lo habitual es que el nivel *A* aluda a un suceso ocurrido en tiempos de Pedro Páramo, tema que será ampliado en los fragmentos inmediatos del nivel *B*. Solo en una ocasión ambos niveles se intercalan sin que aparentemente existan lazos de unión: me refiero a la unidad *a*, aunque tampoco en este caso persiste por mucho tiempo la inicial desorientación del lector.

Las interpolaciones en *Pedro Páramo*

La interpolación forma parte de los recursos estructurales utilizados en la novela. Se trata de la inclusión de los pensamientos y recuerdos de determinados personajes, utilizando una formalización específica que permita su identificación por el lector como series de unidad narrativa. Su funcionalidad como unidad de discurso completo, solo que cortado y colocado en diferentes lugares de la narración, es lo que le da una situación preferente en el entramado narrativo, distinguiéndola de la mera presencia del pensamiento o recuerdo de un personaje.

Hay tres series de interpolaciones. La más fácil de identificar, puesto que aparece en letra cursiva y entrecomillada, afecta a Juan Preciado: frente a la desolación que observa contrapone el idílico recuerdo que de Comala su madre le había transmitido. En conjunto son ocho interpolaciones repartidas en los frags. 2, 3, 9, 29 y 36.

La segunda serie se centra en los recuerdos que Pedro Páramo va desgranando de su relación con Susana. Son siete y aparecen entrecomilladas, y se encuentran en los frags. 6, 7, 8, 10, 44, 67 y 69. Se produce en esta serie un interesante caso desde el punto de vista narrativo: las interpolaciones parecen acotaciones a la narración básica, como si fuesen comentarios que Pedro Páramo va haciendo, de forma superpuesta, a lo que se va narrando, cual si fuese otro lector más y recordase en ese momento de la lectura diversas situaciones que se inician con episodios de su niñez. Teniendo en cuenta esto, resulta que todas las interpolaciones son «pensadas» desde los momentos cercanos a su muerte.

La última serie la forman las interpolaciones en que Susana recuerda su amor por Florencio. Son cinco, están entrecomilladas y aparecen en los frags. 52, 56, 61 y 63.

Todas las interpolaciones de cada serie forman, en conjunto, una unidad de significación situada en un nivel que flota sobre la estructura básica. Se podrían eliminar y el hilo narrativo sería comprensible en su totalidad, pero se privaría al lector de una fuente de conocimientos mucho más intensa, y ello no solo en los momentos en que aparecen, sino en todo el conjunto de la obra. Además, acentúan temas claves de la novela al estar centradas en los protagonistas: la visión eglógica frente a la infernal en Juan Preciado, el amor imposible de alcanzar en Pedro Páramo y el amor frustrado en Susana. En los tres casos se trata del fracaso derivado de la contraposición de lo deseado con lo real. Como en una síntesis de la filosofía de la novela —la ruptura de la ilusión— las interpolaciones remarcan el carácter pesimista de la misma.

Ensayo interpretativo

La novela moderna ha sido caracterizada por su ambigüedad y, sin duda, *Pedro Páramo* es un buen ejemplo de ello. Se impone en este tipo de obras la necesidad de buscar unidades de sentido y significados que van más allá de la historia que el relato narra linealmente. Es razonable, por lo tanto, que hayan abundado las interpretaciones simbólicas en una novela que, como *Pedro Páramo*, se aleja decididamente de la novelística tradicional realista. Un ejemplo característico de este tipo de crítica es la que ofrecen Peralta y Befumo Boschi (1975). Basándose en autores como Mircea Eliade, René Guenón o H. A. Murena, tratan de encontrar los símbolos míticos que en la novela se reflejarían en la búsqueda del centro cósmico, donde se renace a otro estado del ser y, por lo tanto, existiría la posibilidad de crear un hombre nuevo. Para llegar a ese centro, simbolizado en la casa de los hermanos, Juan Preciado ha de sufrir una serie de pruebas iniciáticas. Su viaje tendría dos sentidos: su propia identificación (lo que Jung denomina «símbolo de trascendencia») y la apertura hacia lo absoluto, el reencuentro con el lugar de origen. Menos optimista es la interpretación de Freeman (1970) que, partiendo de bases teóricas similares, llega a una conclusión fatalista de la novela. Aplicando las cuatro etapas que Mircea Eliade distingue en el «mito del eterno retorno», considera que en la novela aparecen las tres primeras, el paraíso primordial, la disolución progresiva y la destrucción completa o inminente, pero no la última, la regeneración.

Muchos trabajos han interpretado la novela siguiendo posiciones teóricas similares. Lo cierto es que resulta difícil tanto negar como afirmar la presencia de dichos símbolos en el texto. Una interesante propuesta es la de Jiménez de Báez (1990) que, sin renunciar a los postulados teóricos simbolistas, tiene el acierto de incluir la perspectiva histórica.

En una línea paralela, resultan atrayentes y de enriquecedora lectura las interpretaciones que podrían denominarse «míticas». La búsqueda del padre, de tradición griega, y la búsqueda del paraíso perdido, de tradición judeo-occidental, han sido identificadas por Ortega (1969) y Fuentes (1981). Por su parte, O. Paz señaló que la búsqueda del padre —del origen— es algo que se inscribe esencialmente en la mitología del ser mexicano. Así como Embeita (1967) encuentra un paralelismo entre la entrada de Juan Préciado y la llegada de las almas al Hades griego, no es difícil observar el reflejo en la novela de mitos propiamente mexicanos. Lo son, por ejemplo, las «ánimas en pena» o el galope del caballo muerto, los gritos del ahorcado, la aparición del muerto en figura de gato, tal como señala Sommers (1970).

Otras muchas interpretaciones están al alcance del lector: histórico-sociológicas, temáticas o desde un enfoque global. Igualmente otros estudios se han centrado en aspectos no interpretativos: estilísticos o formalistas. El extenso estudio de Gerald Martin (1992) proporciona al lector una exhaustiva reseña de las investigaciones realizadas hasta esa fecha. Pero, como puede comprobarse en la bibliografía, los estudios sobre Rulfo han seguido creciendo (con aportaciones novedosas sobre todo en lo que respecta a la biografía del autor y a su faceta como fotógrafo), incorporándose nuevas interpretaciones.

Mi interpretación de la novela, muy ceñida al texto, pretende ser simplemente una guía de lectura. Primero, intentaré aclarar la trama de la novela —lo cual afecta a la estructura de la obra— porque resulta muy difícil para el lector tratar de interpretar simbólicamente la novela si previamente no ha solucionado los posibles problemas de comprensión lectora. Un segundo paso será la búsqueda de claves simbólicas. En todo caso, siempre me mantengo dentro de una posición metodológica histórico-filológica.

Estudio denotativo

En la novela tradicional —o en términos más generales, en la mayoría de las novelas— no es necesario detenerse en realizar un estudio denotativo, dado que su contenido es explícito. No ocurre esto, sin embargo, en *Pedro Páramo*, donde existen una serie de ambigüedades, relacionadas de modo particular con la frontera entre la vida y la muerte. Lo menos relevante es que el lector se encuentre con personajes muertos que actúan como si estuvieran vivos —desde la época clásica la literatura ha recreado el mundo de la muerte—, sino que lo que le inquieta es la dificultad para situar a los personajes a un lado u otro de esa frontera.

El problema, que primordialmente se le plantea al lector en una primera lectura de la novela —aunque posiblemente perdure en diversas relecturas—, se origina en el nivel *A* de la estructura de la novela, ya que en el nivel *B*, si bien aparece el mundo de los muertos entrelazado con el de los vivos, no existen dificultades para establecer su diferenciación. En cambio, el relato que Juan Preciado hace de su llegada a Comala y de los dos días que pasa allí hasta su muerte está plagado de incógnitas. Las posiciones opuestas y las dudas de los críticos en torno a la muerte de Juan Preciado, o la dificultad para discernir sobre el estado —vivos o muertos— de los personajes con los que se encuentra, son una evidente muestra de la dificultad que encierra la novela y de la necesidad, por lo tanto, de esclarecer este punto en la medida de lo posible.

El lector se identifica con Juan Preciado porque aprecia en su narración el mismo estado de ansiedad y duda que él tiene en la lectura. Lo primero que hay que señalar es que Juan Preciado llega vivo a Comala y muere allí. Los indicios al respecto parecen suficientes y Juan Rulfo lo ha confirmado en algunas ocasiones (entre otras, en el Apéndice III). Es cierto que hay una atmósfera de misterio en torno a Juan Preciado, pero hay que tener en cuenta que esta ambigüedad es algo sustancial en la narración. La frase: «Toqué la puerta; pero en falso. Mi mano se sacudió en el aire como si el aire la hubiera abierto» (frag. 3), no significa que Juan Preciado sea ya un alma en pena: solamente es el inicio de esa pesadilla, de un viaje sin retorno, porque es un viaje al mundo de los muertos, y el paso a esa otra realidad no se puede realizar sin que tengamos que abandonar nuestros criterios lógicos. Es secundario, en este sentido, que tal frase sea fruto de una sensación de Juan Preciado o que esa nueva realidad con la que se va a enfrentar pueda manifestarse en forma tan fantasmagórica.

Todas las vivencias de Juan Preciado en Comala estarán impregnadas de ambigüedad. Pero hay que señalar que tal ambigüedad no es creada por Rulfo pensando en el lector. A quien en realidad va envolviendo es a Juan Preciado. Cuando, por ejemplo, Damiana le dice: «No sé cómo has podido entrar, cuando no existe llave para abrir esta puerta» (frag. 17), el lector, en su incertidumbre, puede olvidar que el fin de esta ambigua situación es mostrar la perplejidad y el desconcierto de Juan Preciado, que ha sido introducido en ese cuarto por Eduviges y cuya puerta ha abierto de par en par la propia Damiana. Enumerar todas las situaciones de este tipo que se producen desde la llegada de Juan Preciado a Comala hasta su muerte sería prolijo: valgan las dos presentadas como ejemplos explicativos.

Lo que sí me parece necesario es intentar una interpretación de por qué Juan Preciado se ve sometido a esa atmósfera agobiante que terminará por llevarle a la muerte. Juan Preciado inicia un viaje hacia el conocimiento de sus raíces colectivas e individuales (Comala como colectividad donde se inscribe el individuo y Pedro Páramo como su origen inmediato); solo que ya es demasiado tarde cuando llega a Comala y de ahí que, en vez del pueblo edénico que su madre le ha retratado, se encuentre con un lugar abandonado, poblado de ánimas en pena. Juan Preciado irá descubriendo que Abundio, Eduviges, Damiana —con los que ha hablado— están muertos. Llegará un momento en que no sabrá si lo que le ocurre es real o fruto de su imaginación, si esas voces fantasmales que le rodean son las únicas que pueblan Comala o si aún lo habitan seres vivos. Esta incertidumbre se transmite al lector, ya que este no dispone de ninguna otra información al margen de la que pueda ofrecer el propio Juan Preciado en su papel de narrador. A medida que transcurre el tiempo se irá percatando del extraño mundo en el que ha penetrado. La sorpresa inicial ante las desconcertantes informaciones de sus interlocutores dará paso a una inquietante inseguridad. Eduviges le informará de que Abundio ha muerto hace tiempo y Damiana, a su vez, hará lo mismo con respecto a Eduviges. Cuando Juan Preciado sospecha que Damiana está muerta también, esta desaparece, confirmándolo. A partir de este momento, el proceso de degradación de Juan Preciado se acentúa. Primero oirá rumores y verá escenas que se inscriben claramente en tiempos de Pedro Páramo, fantasmas que le van rodeando, convocados por su presencia; luego se encontrará con una pareja, Donis y su hermana, a los que pregunta si están vivos. Las respuestas y comportamientos de estos parecen indicar que sí lo están; sin embargo, ni Juan Preciado ni el lector tienen datos objetivos para poder asegurarlo. Se trata, sin duda, de uno de los episodios más complejos y susceptibles de interpretaciones simbólicas de toda la novela. Además, Juan Rulfo ha insistido en señalar que tal pareja no existe: «No existen, es una alucinación que tiene dentro del terror mismo» (Apéndice III). Es difícil que el lector llegue a esta conclusión a través de la simple lectura de la novela. Sin embargo, no debe olvidarse que se trata de poner en evidencia la situación caótica que sufre Juan Preciado y que, siendo él el narrador, no puede ofrecer otra visión que la de la incertidumbre en que se encuentra en ese momento. Por otro lado, visto el episodio tal como lo explica Juan Rulfo, se corresponde perfectamente con el proceso de degradación a que Juan Preciado se ve sometido[38].

---

[38] Un análisis minucioso del relato que Juan Preciado hace de su llegada a Comala puede verse en González Boixo, 2018: 50-67.

Señalaré, para finalizar, que las numerosas situaciones ambiguas que aparecen en la novela se relacionan con el punto de vista narrativo. Si se tiene en cuenta que el narrador en tercera persona, habitualmente, se sitúa en un nivel de equisciencia con respecto a los personajes, y que son, en realidad, los propios personajes los que llevan el peso de la narración, se podrá concluir que la información que obtiene el lector necesariamente será parcial. En este sentido cobra plena virtualidad el fragmentarismo de la novela: las múltiples perspectivas aportadas deberán confrontarse entre sí, y la historia narrada tendrá lagunas por el hecho mismo de que la propia realidad siempre oculta parte de la verdad. Citaré un caso bastante similar al episodio de los hermanos incestuosos. Susana San Juan habla continuamente, en sueños, de Florencio, su gran amor. Fulgor Sedano alude a que ha oído que ha estado casada, y el propio padre de Susana, Bartolomé, lo confirma: «le he dicho que tú, aunque viuda, sigues viviendo con tu marido» (frag. 45). Pero ¿tiene el lector otras pruebas de que esto sea cierto? Más bien, ¿no son demasiado idílicas todas las imágenes que Susana proyecta en el recuerdo de su relación con Florencio, de sus baños en el mar, algo tan alejado de la realidad que presenta la novela? Lo único evidente es que Susana ha rechazado ese mundo de Comala, evadiéndose a través de su imaginación, tal vez por medio de recuerdos idealizados. Rulfo, de hecho, comentó (Apéndice III) que «ese hombre que se casó con ella no existió nunca. Son locuras, son fantasías. Nunca conoció el mar. Nunca se casó con nadie. Siempre vivió con el padre». Tampoco en este caso el lector podrá tener la certeza de que los hechos sucedieron así a partir del texto de la novela. La ambigüedad es, pues, un elemento primordial en *Pedro Páramo*.

Estudio connotativo

La mayoría de las interpretaciones sobre la novela suelen centrarse en la figura de Juan Preciado, pero hay que considerar, sin embargo, que el eje de la novela es el pueblo, Comala. En torno a él, cobrarán sentido los hilos que van formando las diferentes historias, particularmente las de Pedro Páramo y Juan Preciado, que aglutinan a las demás. Comala es el núcleo temático, el lugar simbólico que representa la visión del mundo, de la realidad, que Rulfo nos ofrece.

El fracaso colectivo, social, de Comala tiene su paralelo en el fracaso individual de Juan Preciado. Rulfo presenta a este personaje sin posibilidades de conseguir su salvación individual al vincular su suerte a la de Comala. Cuando Juan Preciado reconstruye su identidad, se dará cuenta de que ha sido atrapado por las sombras de Comala: el destino anterior de Comala va a pesar definitivamente sobre esa búsqueda de salvación individual. Así, la tesis que Rulfo mantiene es que la salvación del hombre no puede ser individual, sino a través de la comunidad; el carácter pesimista de la novela estriba en que la comunidad aparece sojuzgada por una serie de opresiones de las que ni siquiera se intenta liberar, de modo que se llega a su destrucción.

Las relaciones que en la novela se establecen sobre el eje vida-muerte son fundamentales para una correcta interpretación del texto. El hecho de que el pueblo de Comala esté poblado de ánimas es reflejo de una creencia popular, la de que las almas de quienes mueren en pecado permanecen en los lugares donde vivían hasta que las oraciones consiguen redimirlas. En la novela también proviene de raíz popular esa concepción de los cuerpos de los muertos con características de «vivientes». A través del diálogo de Juan Preciado y Dorotea nos enteramos de que en la tumba, los cuerpos continúan conservando las características de los vivos: hay jóvenes y viejos, sienten la humedad, duermen y despiertan, hablan. Esta dicotomía muerte-vida, que terminará fundiéndose en una única realidad, se presenta en la novela de forma ambigua, haciendo difícil establecer las fronteras entre la vida y la muerte. De esta forma, Rulfo crea un mundo «imaginario» que origina dos situaciones importantes: 1) el lector ha de hacer un notable esfuerzo de comprensión, dado que debe abandonar los criterios lógicos para introducirse en un mundo nuevo. Este esfuerzo del lector no es gratuito, pues le hace tomar conciencia de la presencia de un mundo que no es similar al que está acostumbrado a contemplar; al mismo tiempo, la propia dificultad le hace más receptivo para buscar el posible significado que tal mundo pueda representar; 2) el mundo, tal como es presentado, no podía ser más efectivo. Si, en definitiva, la temática de la novela viene a ser, simbólicamente, la problemática existencia del hombre, esta encontrará su máxima expresión en un mundo en el que no existen fronteras entre la vida y la muerte. En este punto radica el pesimismo más acentuado de Rulfo: si sus personajes pierden la ilusión en la vida, la muerte tal vez podría suponer para ellos, si no un mundo mejor (negación de las promesas de la religión), por lo menos ese descanso que persiguen mientras viven. Sin embargo, quedan convertidos en almas en pena que deben seguir vagando sin encontrar reposo.

La dualidad vida-muerte queda reflejada también en el espacio simbólico de Comala. Hay dos ámbitos que la novela presenta claramente: un pueblo bello, hermoso, a través del recuerdo de diversos personajes (Comala edénico: aire, llanuras verdes, lluvia, árboles y hojas, «un puro murmullo de vida»), y un pueblo calcinado, semejante a un infierno, que es el que conoce Juan Preciado (Comala infernal: no hay aire, campos desolados, sequedad, no hay árboles, murmullos de muertos). Pero también existe un tercer espacio, el pueblo de Comala tal como era en tiempos de Pedro Páramo. La imagen final de la novela no es muy optimista, ya que el espacio final es el del pueblo infernal. Siempre queda la posibilidad de un mundo mejor, que como lectores identificamos con el Comala edénico. Independientemente de que ese mundo feliz haya existido en la realidad, para los personajes de la novela se ha convertido en un ideal con el que sueñan: el mundo de Susana San Juan, el de Pedro Páramo, el que busca Juan Preciado. En un plano intermedio entre el pueblo edénico y el pueblo infernal, aparece ese tercer Comala que puede denominarse «real». El proceso de degradación del bien (Comala edénico) al mal (Comala infernal) es lo que Rulfo analiza en el pueblo real. Por eso, es al comienzo de la novela donde se le ofrece al lector la doble visión simbólica de Comala. Una vez que el lector ha captado la significación de ambos (lo bueno y lo malo, a través de una clave sencilla como es la oposición vida-muerte), la presencia del Comala real se irá haciendo más persistente; del carácter fragmentario con que aparece en la primera parte de la novela, pasará a ocupar casi toda la segunda parte. Se pone así de relieve que el Comala real es el verdadero protagonista de la novela, a cuya trasformación asistimos los lectores a medida que transcurre el tiempo y se acerca el momento de la muerte de Pedro Páramo: sus aspectos positivos se van a convertir en negativos.

La novela presenta, en realidad, una síntesis de los elementos que en los cuentos configuraban un mundo de desolación. Las distintas «violencias» que en ellos se pueden encontrar quedan reflejadas en la novela a través de Pedro Páramo, siendo él el causante directo de la destrucción de Comala. Este personaje pertenece a la tipología del cacique, habitual en la narrativa tradicional mexicana, y sobre él realiza Rulfo un trazado psicológico relevante: el débil niño sometido a la madre y a la abuela se contrapone al adulto que domina a los demás por medio de la violencia. Pedro Páramo cierra las posibilidades de que Comala llegue a ser un pueblo próspero. También el tema de la revolución mexicana en la novela se plantea desde la óptica de la salvación de Comala; sin embargo, al igual que en el cuento «El llano en llamas», la revolución se presenta como un desengaño más que sufre el campesino mexicano.

La idea de felicidad asociada al concepto de «vida eterna» que promete la religión es un tema de gran importancia en la novela y en los cuentos. Rulfo adopta planteamientos bastante críticos al respecto. No se trata de una crítica a la religión en cuanto creencia, sino del rechazo a que la religión sirva de falso consuelo, de actitud inhibitoria, ante los problemas que los personajes tienen planteados en vida. Las supersticiones se entremezclan con la doctrina oficial (como ocurre en los cuentos «Talpa» y «Anacleto Morones») y la Iglesia como institución tampoco es capaz de salvar a sus fieles. Eso es lo que se deduce en la novela a través de uno de sus personajes más relevantes, el padre Rentería: él, que tiene poder para otorgar el perdón de esos pecados que obsesionan a los habitantes de Comala, no lo hará. De este modo se le niega al pueblo su salvación espiritual.

Si en los cuentos la angustia del hombre se reflejaba en su vida sobre la tierra, en *Pedro Páramo*, esa angustia traspasa las fronteras del tiempo y se eterniza en la imagen de un pueblo convertido en infierno. Este último espacio determina el fracaso de las diversas ilusiones que han marcado a los principales personajes de la novela. Juan Preciado inicia su viaje con una «ilusión»: «hasta ahora pronto cuando comencé a llenarme de sueños, a darle vuelo a las ilusiones. Y de este modo se me fue formando un mundo alrededor de la esperanza que era aquel señor llamado Pedro Páramo» (frag. 1). Ilusión que constantemente recuerda el personaje a través de la rememoración del mundo idílico de Doloritas. Cuando Juan Preciado llega al final del viaje iniciático y comprende que el mundo que ansiaba no existe, simbólicamente, la pérdida de la ilusión le conduce a la muerte.

Pedro Páramo es otro personaje que tampoco consigue lo que anhela; la ilusión de recuperar a Susana se convierte en la clave de toda su actuación: «Esperé treinta años a que regresaras, Susana. Esperé a tenerlo todo. No solamente algo, sino todo lo que se pudiera conseguir de modo que no nos quedara ningún deseo, solo el tuyo, el deseo de ti» (frag. 44). Al morir Susana, el paraíso al que aspiraba Pedro Páramo desaparece; el mismo paraíso que ya no podrá encontrar Juan Preciado, y en este punto se unen las dos historias: en realidad, tal paraíso no ha sido más que un sueño, una ilusión; Juan Preciado buscando un lugar que no existe y Pedro Páramo en una eterna evocación de un amor irrealizado. Tampoco Susana, refugiada en un mundo de sueños, es un personaje del que pueda decirse que ha conseguido su ilusión, el amor. Marginada voluntariamente de la realidad, sus deseos solo cobran existencia en el marco de la ensoñación. Otro personaje, Dorotea, también alude a la importancia de la ilusión: «¿la ilusión? Eso cuesta caro» (frag. 36). Ella también es una víctima de la ilusión al creer que había tenido un hijo. Su encuentro con Juan Preciado hace que ambos unan sus ilusiones: Juan Preciado, el hijo que busca al padre, y Dorotea, la madre que busca al hijo. Solo que ninguna de esas aspiraciones llegará a cumplirse

En una de tantas dualidades de la novela, se enfrentan la ilusión y la desilusión. La esperanza de los personajes termina por convertirse en desesperanza, y su reflejo se muestra en ese pueblo de Comala presentado como un mundo acabado, sin futuro. La novela termina dando la razón a la desilusión, pero en el fondo sigue latiendo ese estímulo de la ilusión, que tal vez consiga crear un nuevo Comala.

Rulfo nos ha dejado una imagen del hombre acosado por antiguos atavismos, abandonado a su soledad en medio de un mundo hostil. Es la radiografía de unas tierras, las de Jalisco, en las que apenas se vislumbra la esperanza. Es, en definitiva, una proyección de lo difícil que resulta la existencia humana. El paraíso parece inalcanzable, solo queda la nostalgia de haber estado alguna vez cerca de él. Rulfo ha mirado a su alrededor y solo ha podido describir el camino hacia el infierno, el viaje de unos hombres que bajo el peso de una cruz, de la que no son culpables, apenas levantarán la voz para quejarse. Rulfo nos ha mostrado la soledad del hombre.

Historia del texto

La figura de Juan Rulfo, a medida que ha pasado el tiempo, se ha teñido de mitificación. Esa mitificación también ha llegado a la «textualidad» de la novela, debido a dos factores: la existencia de versiones previas a la edición de la novela y las variantes introducidas con posterioridad. Como podrá comprobarse, el complejo entramado textual es tan llamativo que resulta un caso extremadamente raro en una novela contemporánea el constante intento de perfeccionamiento textual; además, ciertos «misterios» textuales dejan de momento abierto el campo a la controversia. Estamos, es cierto, en el ámbito de los lectores «especializados», pero también cualquier lector puede sentirse interesado por la génesis de la novela y sus ulteriores variaciones. La génesis textual de *Pedro Páramo* y su evolución podrían reflejarse en el siguiente esquema:

CU — *Rev.* — *Mecanuscritos* — *1955* — *1964* — *1981.*

Se trata de diversas fases textuales cuya identificación es la siguiente: *CU,* versiones iniciales publicadas en *Los cuadernos de Juan Rulfo; Rev.,* tres fragmentos publicados en revistas mexicanas en 1954; *Mecanuscritos,* los dos originales de la novela, mecanografiados por Rulfo y entregados al Centro Mexicano de Escritores y a la editorial F.C.E.; *1955,* edición *princeps; 1964,* edición con variantes; *1981,* edición última revisada por Rulfo.

Se puede documentar la intervención de Rulfo en las variantes de las ediciones de 1964 y 1981. Otra cuestión muy diferente es conocer hasta dónde llegó esa intervención, qué cambios fueron realizados por él o, simplemente, si aceptó los que pudo proponerle la editorial. Cambios menores —en el plano de la puntuación— aparecen en otras ediciones del F.C.E. (nuevas erratas, pero también correcciones), atribuibles a la propia editorial ya que, en algunos casos, se producen ultracorrecciones que quedan en evidencia al comparar estas ediciones con los mecanuscritos y la primera edición.

Las variantes de «Los cuadernos»

La aparición de *Los cuadernos de Juan Rulfo* en 1994 supuso una interesante novedad que aportaba un buen número de textos, aunque estos mostrasen solo el proceso de la escritura y no obras definitivas. Particularmente significativos son los fragmentos correspondientes a la novela, ya que nos permiten ver las variaciones que se van produciendo en una etapa previa a la escritura del mecanuscrito depositado por Rulfo en el Centro Mexicano de Escritores. La editora, Yvette Jiménez de Báez, expone de manera sucinta los criterios organizativos empleados en la que tuvo que resultar una tarea especialmente difícil, ya que da la impresión de que los textos de Rulfo carecen de anotaciones que permitan fecharlos o, simplemente, relacionarlos muchas veces con determinadas obras publicadas o proyectadas. A pesar de estas dificultades, la agrupación en tres bloques de los textos considerados como versiones iniciales de la novela parece correcta, ya que se observa una lógica evolución. Hubiera sido deseable algún tipo de comentario que permitiese la ubicación de los textos, algo muy difícil sin la presencia de los originales y a la vista solo de la trascripción de los textos, pero probablemente criterios editoriales lo hayan impedido. Años más tarde, la propia editora de *Cuadernos,* realizó un amplio estudio sobre estas versiones iniciales (Jiménez de Báez, 2008).

El conjunto de textos —a los que denominaré fragmentos, en consonancia con la terminología que habitualmente se emplea para señalar las distintas partes de la novela— ocupa un buen número de páginas (47-95), lo que ratifica las afirmaciones de Rulfo sobre las muchas páginas que terminó desechando en el proceso de escritura de la novela. Los textos que se editan bajo el rótulo de *Primera versión* (págs. 47-70)[39] se caracterizan por su alejamiento respecto a la versión definitiva de la novela. Muchos de los fragmentos contienen escenas que no aparecen en la novela y la historia presenta cambios sustanciales en el plano del argumento. Pedro Páramo aparece bajo el nombre de Maurilio Gutiérrez; su hijo Miguel Páramo se llama ahora Pedro, y el padre Rentería es sustituido por el padre Villalpando, hijo también del cacique, y cuyos rasgos psicológicos son muy diferentes a los del padre Rentería, ya que combina un sentimiento de rectitud en la búsqueda de la justicia con una patológica aversión al sexo. En el caso del personaje de Maurilio Gutiérrez, el trazado de las líneas generales sí se corresponde con Pedro Páramo, remarcándose el carácter de patriarca poderoso de una comunidad que depende de sus caprichos. De hecho, se acentúa el simbolismo del poder que él encarna al reiterar que sobrepasa los cien años. Por otro lado, la escena final de la novela, en la que Pedro Páramo aparece sentado a la puerta de su hacienda, ya la encontramos aquí. Sin embargo, son apreciables perspectivas muy diferentes en la concepción global de la novela. Susana San Juan aparece destinada a casarse con el hijo del cacique, lo que supone un cambio sustancial en la creación del personaje de Pedro Páramo en la novela. Si bien la mayoría de los fragmentos fueron eliminados en la novela, hay tres que sí permanecieron. Los dos primeros recrean el episodio de la muerte de Miguel Páramo (Pedro Páramo en estos fragmentos), y

---

[39] Un análisis más detallado de las versiones de *Los cuadernos* puede verse en González Boixo, 2018: 232-245.

otro más, el momento en que Pedro Páramo recibe la noticia de la muerte de su padre. Hay que tener en cuenta, sin embargo, que se trata de relatos tan diferentes que apenas hay coincidencias y, en ningún caso, una correspondencia textual.

La *Segunda versión* agrupa distintos fragmentos (págs. 70-88), la mayoría centrados en el personaje de Susana San Juan. No se aprecia, al igual que en el grupo anterior, una correspondencia directa con la novela, aunque se ofrecen algunos datos interesantes que nos permiten completar la historia narrada en la misma. En los primeros fragmentos se vuelve al tema del matrimonio entre Susana y el hijo del cacique (ahora se llama Esteban Páramo y el cacique ya recibe el nombre de Pedro Páramo). Pero en los siguientes fragmentos se modifica la historia, en la línea de la novela: se presenta la relación amorosa entre Pedro Páramo y Susana, personaje que se va definiendo en sus rasgos oníricos y en su complicada relación con el mundo real. Igualmente, Pedro Páramo ya aparece sumido en un amor que perdura desde la niñez. Algunos fragmentos serían el germen de otros en la novela: los recuerdos de Pedro Páramo de su niñez junto a Susana; la contemplación de Pedro Páramo de Susana, sumida en sus sueños y pesadillas. Otros fragmentos, como en el grupo anterior, no tienen ningún reflejo en la novela. Algunos datos que aportan estos fragmentos son especialmente relevantes, pues ayudan al lector a llenar ciertas lagunas en la información que ofrece la novela. Así, nos enteramos de que Pedro Páramo y Susana tienen la misma edad (un episodio se sitúa a sus trece años); las frases «Mi abuela dice que no sirvo para nada. Quiere que vaya al seminario» (pág. 86), recuerdan la opinión de Lucas Páramo en la novela; la madre de Pedro Páramo menciona algunos aspectos relacionados con Susana, interesantes, y de los que no se informa en la novela: por ejemplo, que su madre en realidad era su madrastra; variaciones, como la muerte de Bartolomé en fechas anteriores a la de su madrastra; nuevos datos, como que Sebastián Villalpando (el equivalente al padre Rentería) muere el 23 de abril de 1927; o ratificaciones, como la coincidencia en la fecha del 8 de diciembre en referencia a la muerte de Susana. Hay que añadir, además, que algunos fragmentos no tienen equivalencia temática con la novela, y otros ofrecen novedades que al final no se tuvieron en cuenta: el caso más significativo es el del fragmento en el que se presenta al padre Villalpando dominado por el deseo erótico que siente hacia Susana, tema que Rulfo no desarrolla en el caso del padre Rentería.

La *Tercera versión* presenta seis fragmentos (págs. 88-95) que, salvo algunas variantes, son idénticos a los de la novela (se corresponden, en todo o en parte, con los fragmentos 16, 17, 31, 36, 37, 40 y 62 de la novela). Es evidente que fueron escritos en fechas muy cercanas a las del mecanuscrito, pudiendo asegurarse su carácter previo, ya que las modificaciones que se observan en ellos, o bien desaparecen a partir del mecanuscrito, o son coincidentes con este, pero ya no se encuentran tampoco al editarse la novela. Las diferencias responden a los criterios habituales empleados por Rulfo siempre que establece variantes sobre textos editados o listos para serlo: cambios estilísticos (palabras distintas, variaciones sintácticas), supresiones de palabras y de frases. Si en el primer caso resulta evidente el afán perfeccionista de Rulfo, en el segundo se muestra uno de los rasgos más personales de su escritura, la contención, fruto de un nivel de exigencia que le lleva a desestimar elementos secundarios y a presentar un texto cada vez más depurado en sus variaciones. A modo de ejemplo, anotaré algunas variantes correspondientes al fragmento 16 de la novela: «Es mi culpa, mi propia culpa; nada más que mi culpa. He traicionado a mis amigos, no solo a mis hermanos, sino a mis amigos; porque ellos me quieren. Me han dado su fe y buscan mi intercesión para con Dios» (pág. 88) / «Mi culpa. He traicionado a aquellos que me quieren y que me han dado su fe y me buscan para que yo interceda por ellos para con Dios»; «...la sangre que la ahogaba. Rompió sus brazos hasta el quebrantamiento por defender su vida. Todavía veo sus muecas» (pág. 89) / «...la sangre que la ahogaba. Todavía veo sus muecas».

Carecemos de datos que permitan la datación de los fragmentos de estas tres versiones. Lo que sí puede apreciarse es una evolución entre las dos primeras versiones que va acercándose a la versión definitiva de la novela. Aun así, algunos fragmentos de la segunda versión no muestran conexión con la novela y desconocemos los motivos de su ubicación. En cambio, los fragmentos de la tercera versión tuvieron que escribirse, como ya se ha indicado, en fechas muy próximas a las del mecanuscrito. La importancia de estas versiones es indudable: pocas veces disponemos de textos tan significativos para apreciar la gestación de una novela, sobre todo en lo que se refiere a versiones tan alejadas de la definitiva.

Fragmentos publicados en revistas

A lo largo del año 1954 Rulfo publicó algunos fragmentos de su novela en revistas mexicanas. Tienen características similares a las que presentan los fragmentos de la tercera versión de *Los cuadernos,* aunque las variantes estilísticas son mucho más numerosas. Al no existir coincidencia entre ambos grupos no pueden establecerse comparaciones directas pero, a simple vista, y a falta de otros datos, podría pensarse que los fragmentos señalados de *Los cuadernos* se escribieron en fechas posteriores a los publicados en las revistas, ya que las variantes son escasas en comparación con las que presentan los fragmentos de las revistas.

Las referencias bibliográficas son las siguientes:

«Un cuento», *Las Letras Patrias,* 1, enero-marzo de 1954, páginas 104-108. Se corresponde con los dos primeros fragmentos de la novela.
«Fragmento de la novela *Los murmullos*», *Revista de la Universidad de México,* 10, junio de 1954, págs. 6-7. Correspondencia con los fragmentos 41 y 42.
«Comala», *Dintel,* 6, septiembre de 1954. Reproduce los fragmentos 67, 68 y 69.

Las variantes de estos fragmentos pueden verse en su totalidad en la edición realizada por Sergio López Mena (1992) y también se anotan en esta edición en el «Registro de variantes» (Apéndice II), con los criterios allí señalados[40].

---

[40] Los tres textos se han publicado en facsímil en *Pedro Páramo en 1954* (Rulfo, I A, 2014, págs., 17-39). También se publican en facsímil tres secciones del mecanuscrito de la novela (págs. 42-64).

Además de los fragmentos manuscritos por Rulfo, publicados en *Los cuadernos,* se ha conservado el texto completo de la novela tal como el propio autor lo mecanografió. En aquella época en la que la inexistencia de ordenadores o fotocopiadoras dificultaba el trabajo material, Rulfo tomó la precaución de obtener una copia al mismo tiempo que escribía la novela. De este modo, se produjeron dos ejemplares de la novela, el que en propiedad debe llamarse «original» —las hojas que recibieron directamente el impacto de las teclas de la máquina— y la «copia», obtenida mediante la utilización de un calco de carbón. Ambos ejemplares son, naturalmente, idénticos, pero Rulfo los corrigió posteriormente a mano (sobre todo uno de ellos). Dado que no se trata de manuscritos sino de textos mecanografiados parece adecuado darles el nombre de «mecanuscritos».

El «original» fue entregado por Rulfo al Fondo de Cultura Económica y la «copia» la depositó en el Centro Mexicano de Escritores. Los términos «original» y «copia» han sido utilizados por la crítica y por el propio autor de manera confusa, refiriéndose de manera indiscriminada a ambos ejemplares. Además, Rulfo corrigió bastante el «original», por lo que en la correcta génesis textual de la novela la «copia» ocupa un lugar anterior al «original», aspecto que también puede inducir a error.

Una cierta dosis de misterio ha rodeado durante bastante tiempo a estos textos. Volek (1990: 37) recuerda, por ejemplo, su visita al Centro Mexicano de Escritores en 1982 para consultar el ejemplar allí guardado, después de que circulara la noticia de que dicho texto añadía «unas cien hojas mecanografiadas más». Pero ya Galaviz (1980) había hecho el estudio comparativo de la «copia» y la novela y, desde que López Mena (1992) realizó su edición crítica de la novela, está al alcance de los lectores la comprobación de las variantes que presentan los mecanuscritos. La Fundación Juan Rulfo, depositaria de ambos ejemplares por deseo de los herederos del escritor, viene realizando una labor de estudio sobre los mismos y ha facilitado el acercamiento a estos legendarios textos: primero, en mayo de 2001, presentando el «original» (devuelto poco antes por el F.C.E. a los herederos de Rulfo, después de una larga serie de desavenencias de estos con la editorial) ante un grupo de especialistas en el Instituto de Investigaciones Filológicas de la UNAM y, luego, colaborando con el Instituto Nacional de Bellas Artes en el magno homenaje tributado a Rulfo en México entre octubre de 2001 y enero de 2002, exponiendo los dos ejemplares.

El «original» del mecanuscrito se encuentra en estos momentos en posesión de la sra. Clara Aparicio de Rulfo. La «copia» al carbón, al desaparecer el Centro Mexicano de Escritores en el 2006, fue entregada por su última administradora, Martha Domínguez, a la Biblioteca Nacional. Fotocopias de ambos documentos se encuentran en la Fundación Juan Rulfo.

La descripción más detallada hasta la fecha de los mecanuscritos puede verse en Jiménez (2014: 94). Anotaré algunas de sus observaciones: a) «Cuando el juego de original y copia debía corregirse esto podía ocurrir todavía en el carro de la máquina misma, antes de retirar las hojas: se borraba algo en ambas hojas y se tecleaban de nuevo las letras correctas»; b) «Ya fuera de la máquina se podía, como hizo Rulfo, corregir a mano, tachando y reescribiendo arriba de la línea intervenida. Rulfo empleó para esto tinta oscura y las ocasiones no fueron muy numerosas»; c) Una vez entregado el mecanuscrito (copia a carbón) al Centro Mexicano de Escritores, «En las semanas siguientes Rulfo procedió a efectuar en el original las correcciones del segundo momento: casi la totalidad de las páginas muestra ahora supresiones, reemplazos o agregados»; d) «otras correcciones —más bien observaciones—, que no llegan a la media docena, aparecen con lápiz rojo y podrían ser de algún empleado de la editorial, e implican el cambio de alguna letra o algo parecido»; e) es interesante la observación de Jiménez de que Rulfo debió apresurarse a entregar la «copia» al Centro Mexicano de Escritores, a la que pone el título de *Los Murmullos* (utilizando otra máquina de escribir distinta), y que «en los días o semanas siguientes» tendría tiempo de retocar convenientemente el «original», hipótesis que parece lógica. Cuando entrega el original, el título varía al de *Pedro Páramo;* f) por último, resulta relevante su observación de que las págs. 112-118 fueron cambiadas por Rulfo (se corresponden con los frags. 62-66), lo que hace suponer que los cambios introducidos fueron de tal magnitud que hicieron necesaria la sustitución de dichas páginas. En el Apéndice II se indican las variantes importantes. Téngase en cuenta que, una vez entregado el mecanuscrito «copia» en el Centro Mexicano de Escritores, Rulfo introdujo en el «original» (mecanuscrito entregado a la editorial F.C.E.) alrededor de 900 variantes.

Análisis de las diversas ediciones del Fondo de Cultura Económica

La edición *princeps* apareció en 1955 en la colección «Letras Mexicanas» (154 páginas). Las ediciones posteriores se publican en esta misma colección con la siguiente periodicidad: 1959 (2.ª ed.), 1961 (3.ª ed.), 1963 (4.ª ed.) y 1964 (5.ª ed.). Esta última edición, que ha disminuido su número de páginas (129 págs.) ya que utiliza un tipo de letra menor, comienza a reproducirse, con las mismas características tipográficas, en la «Colección Popular»: 1964 (6.ª ed.), 1965 (7.ª ed.), 1966 (8.ª ed.), 1967 (9.ª ed.) y 1968 (10.ª ed.). Hasta este momento se numeran como «ediciones» las nuevas impresiones que de manera casi anual siguen apareciendo de la novela. Sin embargo, a partir de la impresión del año 1969 se abandona la denominación de «edición», sustituyéndola por la de «reimpresión». Así, las impresiones que se realizan a partir de 1969 rectifican los datos anteriores, indicándose en la página dedicada a los créditos de la editorial la nueva ordenación: Colección «Letras Mexicanas»: 1955 (1.ª ed.), 1959 (1.ª reimpresión), 1961 (2.ª reimp.), 1963 (3.ª reimp.) y 1964 (4.ª reimp.); «Colección Popular»: 1964 (5.ª reimp.), 1965 (6.ª reimp.) y así, sucesivamente, en las impresiones de los años 1966, 1967, 1968, 1969, 1971, 1973, 1975, 1977 y 1980.

Para complicar más aún la situación hay que tener en cuenta que en el año 1972 se realiza una nueva impresión en la colección «Letras Mexicanas», que aparece como 2.ª edición, con lo que se producía una notoria confusión con la edición de 1959. Pero aún no se había llegado al final de este proceso de equívocos. En 1980 aparece una edición de lujo en la colección «Tezontle», con la indicación de «revisada por el autor» que, con esta misma leyenda, vuelve a publicarse en la «Colección Popular» en 1981. Nueva sorpresa: la impresión de 1981 aparece como 2.ª edición. Por lo tanto, tenemos nada menos que tres ediciones que figuran como 2.ª edición. Las ediciones posteriores a la de 1981, cuya periodicidad es casi anual, se numeran bajo el rótulo de «reimpresiones» de esa 2.ª edición.

Lo señalado hasta aquí no tendría ninguna repercusión si el texto careciese de variantes; simplemente se trataría de una confusa utilización por parte de la editorial de los términos «ediciones» y «reimpresiones». El hecho de que hubiese variaciones en el número de fragmentos en las primeras impresiones, y que el texto fuese revisado en dos ocasiones, otorga a esta cuestión una notoria importancia, ya que dependiendo de la edición utilizada se estará en presencia de una textualidad diferente.

El inicial síntoma de alerta se produce de forma casual al observar el distinto cómputo de fragmentos (entre 63 y 68) que ofrecen los primeros críticos que se ocupan de la estructura de la novela. Costa Ros (1976) indagará al respecto comprobando la división de fragmentos en diversas ediciones (1955, 1959, 1965 y 1972), cuya irregularidad causa una cierta perplejidad. En buena medida, la situación de confusión se debe a la coincidencia de inicio de fragmento y página, lo que hace que no se perciba el nuevo fragmento, pero también resulta evidente en ciertos casos la distinta intencionalidad en la fragmentación textual. Costa Ros anota, pero no se cuestiona, algo más importante como es la variante de una palabra al comienzo de los fragmentos 12 y 55: a partir de ahí hubiera apreciado diferencias de mucha mayor entidad entre las ediciones de 1955 y 1959, por un lado, y las ediciones de 1965 y 1972, por otro. Ya Freeman (1970) había observado variantes entre diversas ediciones, aunque no se plantea su estudio por ser ajeno a su propia investigación. Costa Ros (1976: 122) alude a este dato y señala, sin mayores especificaciones, que «al parecer en la quinta edición, de 1964 —no he podido comprobarlo—, Rulfo introdujo algunos cambios lingüísticos y se efectuó la correcta indicación de los fragmentos». En realidad, sí podía haberlo comprobado, ya que la edición que utiliza, la de 1965, es idéntica a la de 1964. Los cambios sí eran importantes y numerosos y, en efecto, hay que hablar de un antes y un después de la edición de 1964.

Un nuevo paso lo da Galaviz (1980) al comparar el mecanuscrito del Centro Mexicano de Escritores con la edición de 1964 (utiliza la reimpresión de 1966), aunque lo lógico hubiera sido señalar también las variantes de la edición de 1955, por lo que hay que deducir que no se percata de las diferencias que existen entre la edición de 1955 y la de 1964. Por fin, Humberto E. Robles (1982) compara las ediciones de 1955 y 1964, estableciendo las notorias variantes que existen entre ambas ediciones (su artículo debió de ser escrito antes de la aparición de la edición de 1980/1981, ya que no hace referencia a la misma). Señala Robles que la intervención de Rulfo en la ed. de 1964 quedó constatada en el colofón, donde se indica que «la edición estuvo al cuidado del autor y de J. Reuter» (pág. 106). Tal indicación, como es fácil deducir, no es extraño que pase desapercibida dado el lugar donde aparece y, más aún, ante el silencio al respecto tanto de Rulfo como de los editores.

No ocurrió lo mismo con las ediciones de 1980/1981. En edición de lujo se publicaba la novela en la colección «Tezontle», con la leyenda propagandística de «edición revisada por el autor», y lo mismo ocurre en la edición de 1981 correspondiente a la «Colección Popular», que pasa a calificarse de «segunda edición» (dada la difusión de esta colección —ediciones de 100.000 ejemplares— se cita habitualmente por esta edición). En esta ocasión el propio Rulfo habló de la edición, pero su comentario contribuyó, en realidad, a crear una notable confusión. Cuando en 1983 me encontraba preparando la edición de la novela para esta misma editorial —Cátedra— tuve la suerte de entrevistarme con Juan Rulfo (la entrevista se reproduce en el Apéndice III) y a mi pregunta sobre la «revisión», contestó:

> Originalmente el F.C.E., cuando empezó a hacerse la edición de «Letras Mexicanas», me pidió que le diera yo algo para ver si lo podían publicar. Entonces yo les entregué un

borrador que tenía de *Pedro Páramo* —el original estaba en el Centro Mexicano de Escritores, donde yo tuve una beca de la Rockefeller, y ahí se quedó el original y yo me quedé con un borrador— y como ellos no más querían ver qué era o de qué trataba y si convenía publicarlo, pues me pidieron el borrador. Cuando me fui por ella ya la habían editado. Hasta el año 1980 en que el director del F.C.E. encontró el original en el Centro Mexicano de Escritores. Entonces me dijo que si no convendría mejor sacar el original, que estaba allí, en sustitución de este [se refiere a las ediciones anteriores del F.C.E.]. Claro, le dije que era el original. Por eso hay esos cambios.

Hoy es fácil comprobar que, en lo fundamental, las palabras de Rulfo no se ajustaban a la realidad. La edición de López Mena en «Archivos» (1992) anotaba las variantes del mecanuscrito al que Rulfo se refería, observándose que se trataba de un texto previo al de la edición de 1955 y que, en absoluto, la edición de 1981 retomaba. ¿Cómo explicar las palabras de Rulfo? Sorprendente resulta, igualmente, que López Mena acepte, contra toda evidencia, lo dicho por Rulfo: «los editores acudieron al original que guarda el Centro Mexicano de Escritores. A su vez Rulfo se hizo cargo de revisar la edición, como se indica en el libro» (pág. XXXVI). En cambio, Volek (1990: 37) ya había hecho ver la confusión provocada por Rulfo, interpretándolo del siguiente modo: «esta declaración, a quien creyere puede que no sea más que la reticencia y la evasión típica del escritor mexicano, que gustaba borrar pistas y evadir responsabilidades por sus intervenciones en las ediciones de su gran obra». Desde luego, el tono de la larga entrevista no invita a pensar en ese tipo de «reticencias», pero lo cierto es que tampoco encuentro explicación al testimonio de Rulfo.

Como puede apreciarse, la historia textual de *Pedro Páramo* es compleja. No conocemos el alcance de las intervenciones de Rulfo en las distintas ediciones del F.C.E., aunque sí queda documentada —tal como se ha señalado— su participación en las de 1964 y 1981. En buena lógica, es presumible que aquellas variantes que impliquen cambio de una palabra, ningún corrector o empleado de la editorial se atrevería a efectuarlas por su cuenta. Sin embargo, es seguro que la puntuación y ortografía fueron corregidas por la editorial, limpiando el texto de erratas, pero «ultracorrigiendo» en otras ocasiones aparentes defectos que, no obstante, eran modos de expresión popular intencionadamente buscados por Rulfo. Puesto que no tenemos noticia de ninguna intervención de Rulfo sobre el texto después de la edición de 1981, esta edición debería ser considerada como la edición definitiva, aspecto que hay que matizar, tanto por lo señalado anteriormente, como por lo que más adelante se dirá con respecto a la edición de la Fundación Juan Rulfo (FJR). De hecho, en las ediciones posteriores a la edición de 1981 se observan erratas y vacilaciones en la puntuación, impropias de un texto «clásico» como *Pedro Páramo*. Algo que puede comprobarse al comparar la edición de 1987 («Letras Mexicanas»), utilizada por López Mena (1992) como texto base, con la de 1981: en una veintena de ocasiones varían los signos de puntuación, lo que debe interpretarse o bien como errata o como intento de corrección; el resto de los casos, que en mi opinión deben considerarse erratas (aun cuando sean utilizaciones alternativas correctas), son los siguientes (1987/1981): «ecos recientes» / «ecos más recientes» (frag. 24); «a donde» / «adonde» (frag. 31); «después de que» / «después que» (frag. 36); «ella rogó» / «ella me rogó» (frag. 38). El único caso sorprendente es la variante «La gobernadora» / «La capitana» (frag. 3), ya que coincide —exclusivamente además— con la curiosa edición de Planeta (1972), lo que, evidentemente, excluye que se trate de una errata fortuita.

Otras ediciones que introducen variantes

A) Edición de Planeta *(Pedro Páramo* y *El Llano en llamas,* Barcelona, ed. Planeta, Colección Biblioteca Universal, 1972). Constituye un caso anómalo desde la perspectiva textual. En principio, no parece probable la intervención de Rulfo en los cambios que se observan, por lo que habría que considerarla ajena a la génesis textual de la novela. Sin embargo, como podrá comprobarse, esos cambios no pueden considerarse erratas, por lo que el misterio queda sin solucionar. En la entrevista que mantuve con Rulfo en 1983 (Apéndice III), al comentarle, al margen de la grabación, mi extrañeza por las variantes de dicha edición, se limitó a señalar que eran muchas las erratas, cometidas sobre el texto de las ediciones del F.C.E. que se había utilizado. Algo similar refleja Volek (1990: 36): «En una plática con Rulfo, el 5 de agosto de 1977, este nos dijo que había contado unos 370 errores en la primera edición de Planeta.» Si fuese cierto que Rulfo se tomó la molestia de contar las erratas, demostraría, una vez más, su meticulosidad con respecto al texto de la novela (comprobada en los apartados anteriores y aparentemente desmentida por algunas declaraciones del propio Rulfo); en todo caso, ese número de erratas se correspondería al conjunto de la novela y los cuentos, dado que es en estos en los que mayor número de variantes se observan. Es poco probable que lleguemos a conocer cómo se produjeron estas variantes: cuando me encontraba realizando la primera edición de la novela para esta misma editorial —Cátedra— me puse en contacto con Carlos Pujol, director literario de Planeta en aquel tiempo, que me comunicó que él no se ocupaba en el año 1972 de la colección en la que se publicaron las obras de Rulfo, y que le había sido imposible, por la escasa documentación existente en los archivos, conocer a qué se debieron esos cambios.

Al margen de las variantes, hay que señalar que la edición de Planeta siguió fielmente alguna de las ediciones posteriores a la del F.C.E. de 1964, ya que coincide con dicha edición en todos los cambios efectuados con respecto a la edición de 1955 (a modo de ejemplo, cotejándola con la edición de 1975 —es de suponer que ediciones anteriores sean idénticas en la paginación— se observa que comete el error de no separar los fragmentos 64-65, ya que en esa edición, al coincidir la división con el comienzo de página, no resulta fácil darse cuenta del nuevo fragmento). Pero ¿de dónde proceden las variantes —naturalmente, no son erratas la mayoría— que a continuación se señalan? Su entidad las hace muy relevantes y las transcribo en su totalidad para evitar a otros la prolija tarea de su identificación (señalaré entre paréntesis la versión de la edición de 1964):

Fragmento 1.—«aun después que me costó trabajo zafar mis manos de sus manos muertas» («aun después que a mis

77

manos les costó trabajo zafarse de sus manos muertas») / «Hasta ahora pronto cuando (que) comencé».

Fragmento 2.—«Era el (ese) tiempo de la canícula, cuando todo el aire (cuando el aire)» / «Y ahora asómese (voltié) por este otro rumbo».

Fragmento 3.—«Ahora estaba aquí, en este pueblo apagado (sin ruidos). Oía caer mis pasos (pisadas) sobre las piedras redondas con que estaban empedradas las calles. Mis pisadas huecas, repitiendo su sonido en las paredes encaladas, ya casi deslucidas de luz (paredes teñidas por el sol del atardecer).» / «Seguí (Fui) andando por la calle real solitaria (real en esa hora). Miré las casas vacías, las puertas desvencijadas (desportilladas), invadidas de yerba... La gobernadora (capitana).» / «—¡Buenas noches!— dije (me dijo).» / «La seguí con la mirada. Le pregunté (grité)» / «Volví (Volvió) a darle (darme) las buenas noches» / «Llegué a la casa... por el fragor (sonar) del río... Una mujer que estaba allí (Una mujer estaba allí). Me dijo... Yo entré (Y entré).»

Fragmento 4.—«le pedí (pregunté) ya casi a gritos».

Fragmento 5.—«—Soy Eduviges Dyada. Pase por aquí (Pase usted).» / «Parecía haberme (que me hubiera estado) esperando. Tenía todo dispuesto, según ella (según me dijo), invitándome a (haciendo) que la siguiera.»

Fragmento 27.—«Soy la única gente que tiene para hacerle hacer necesidades (hacer sus necesidades).»

Fragmento 30.—«las palabras... no tenían ningún sentido (sonido).»

Fragmento 32.—«Volvía a (Volví a) ver la estrella.»

Fragmento 40.—«—¿De veras (verdad) cree usted.»

Excepto la última variante del frag. 3 y las correspondientes a los fragmentos 27, 30 y 32 que, claramente, son erratas, el resto son variantes. La más curiosa es una que aparece en el frag. 3, «gobernadora / capitana», ya que vuelve a aparecer en la edición del F.C.E. de 1987 *(Obras)*. Es también importante señalar que dichas variantes no guardan relación con la evolución textual de la novela ni antes de la edición de 1964 ni después. No menos curioso es constatar que afectan casi exclusivamente a los primeros fragmentos. Y, por último, constatar que estilísticamente no son reprobables, ya que en algunos casos evitan la repetición de palabras idénticas y demasiado cercanas. ¿Será posible que una mano ajena a Rulfo se atreviese a realizar estas modificaciones?

B) Edición de Archivos *(Toda la obra,* Madrid, ed. CSIC, 1992). La edición realizada por Sergio López Mena sigue el texto del F.C.E. en su edición de 1987. Hay que destacar lo siguiente: la minuciosidad con que anota las variantes, incluidas las de carácter mínimo (comas, por ejemplo), algo que he podido comprobar reiteradamente mediante el cotejo de diversas ediciones. En el Apéndice II se indica la «casi» completa anotación de variantes que registra. La edición facilita al especialista la consulta de variantes, incorporadas directamente en cada página, aunque la anotación, muchas veces necesariamente profusa, hace que se pierda la «limpieza» del texto. Más comprometidas resultan las correcciones realizadas sobre supuestas erratas del texto y que, en no pocos casos, desvirtúan el texto original. Como la variante desechada queda anotada, el lector puede comparar entre la propuesta de López Mena y la de anteriores ediciones, pero debe tener en cuenta que el criterio de corrección gramatical no sirve, ya que Rulfo recoge intencionadamente palabras y giros lingüísticos del habla campesina que son incorrectos.

C) Edición «definitiva» de la Fundación Juan Rulfo. La FJR, constituida en 1996 bajo el amparo de los herederos del escritor, emprendió en el año 2000 la revisión del texto de la novela, corrigiendo las numerosas erratas que, con el paso del tiempo, se habían acumulado en las sucesivas ediciones. También se cotejaron minuciosamente los mecanuscritos, análisis que fue determinante para establecer la «pureza textual» de la que Rulfo dotó a la novela después de múltiples correcciones. Considerada por la FJR como la «edición definitiva», las primeras editoriales en publicar el texto corregido fueron Plaza y Janés en México (2001) y Debate y Cátedra en Madrid (2002). A partir de 2005 diversas ediciones de RM han difundido también el texto corregido que, es de esperar, atendiendo a los derechos de autor de los herederos del escritor, se incorpore en reediciones de otras editoriales y se utilice en las nuevas ediciones.

En cuanto a las características concretas de la «edición definitiva» hay que señalar que se toma como base la edición del F.C.E. de 1981, última sobre la que tenemos constancia de que fue revisada por Rulfo, corrigiéndose erratas y diversas vacilaciones textuales que, en ningún caso, afectan a variantes de palabras. Los cambios que se realizan son los siguientes: se prescinde de identificar el final de cada fragmento mediante un cuadrado situado en su última línea; la primera letra de cada fragmento se destaca en negrita y se emplea un tamaño de letra mayor que el habitual («letra capitular»); las palabras «cielo», «infierno» y otras afines, cuando se utilizan en un contexto religioso, llevan la primera letra en mayúscula (siguiendo las normas ortográficas de la RAE), unificándose así la vacilación que puede observarse en los propios mecanuscritos; no se establece separación entre los fragmentos 11 y 12 (corrección deducible de los mecanuscritos); se regulariza el uso de guiones en los diálogos, de forma que se aplica siempre la misma norma (algo que no ocurría en las ediciones anteriores); igualmente, se normaliza el uso de comillas y se corrigen numerosos casos de puntuación, atribuibles no solo a erratas, sino a malas lecturas.

Es destacable el rigor con que se han realizado estas modificaciones. Se corrigen también algunos errores ortográficos que habían pervivido desde los mecanuscritos, y se restablece la acentuación de algunas palabras que, contrariando la normativa gramatical, fue preferida por Rulfo para destacar características populares del habla de los personajes.

Esta edición

La decimosexta edición (2002) de la editorial Cátedra puso al día las ediciones previas (primera edición, 1983), incorporando el «texto definitivo», una nueva «introducción», cambios en la anotación y varios apéndices. La vigesimoquinta edición (2013) revisó la «introducción», introdujo cambios en la anotación y mantuvo los apéndices. La presente edición sigue ofreciendo el mismo texto de la novela de la edición de 2002 —ya que no hay motivos para variarlo—, amplía notablemente la «introducción», actualiza la bibliografía, corrige la anotación y modifica el «Apéndice I». Tal como se ha señalado en el apartado introductorio «Historia del texto», la Fundación Juan Rulfo estableció el texto definitivo mejorando notablemente la última versión sobre la que Rulfo tuvo alguna intervención (ediciones 1980/1981 del F.C.E.), tomando como referente los mecanuscritos que, en casos dudosos, permiten apreciar —a veces con correcciones a pluma de Rulfo— la versión definitiva. Los problemas de fijación textual quedan anotados en el Apéndice II. No se mencionan, sin embargo, las correcciones que afectan a ortografía y puntuación si se aprecia que se trata de erratas. En cuanto a las notas a pie de página, he de agradecer a la FJR —a Víctor Jiménez y a Juan Francisco Rulfo— su colaboración, citada en algunas notas, pero también presente en otras. Cuando aparecen entrecomilladas y con las siglas FJR se corresponden con las anotaciones léxicas realizadas por Víctor Jiménez en la guía crítica publicada por la Fundación Juan Rulfo (2018). Igualmente, expreso mi agradecimiento a Jorge Zepeda, de El Colegio de México, por su ayuda en la actualización bibliográfica.

Mujeres en la iglesia de Cardonal, 1959. Fotografía de Juan Rulfo.

Bibliografía

I) BIBLIOGRAFÍA DE JUAN RULFO

A) *Textos literarios*

El Llano en llamas (1.ª ed., México, FCE, 1953), ed. de Françoise Perus, Madrid, Cátedra, 2016.

Pedro Páramo (1.ª ed., México, FCE, 1955), Ediciones Cátedra (ed. de José Carlos González Boixo), Madrid, 1983; texto definitivo establecido por la Fundación Juan Rulfo, 2002 (16.ª ed. ampliada); 2013 (25.ª ed. revisada y actualizada).

El gallo de oro (1.ª ed. México, Era, 1980), edición fijada por la Fundación Juan Rulfo (textos introductorios de José Carlos González Boixo y Douglas J. Weatherford. También se edita *La fórmula secreta* a cargo de Dylan Brennan), Barcelona, RM Verlag, 2010 y México, RM, 2010. Nueva edición, 2016.

Toda la obra, Claude Fell (coord.), López Mena (ed.), Colección Archivos, Madrid, CSIC, 1992. Nueva edición ampliada, 1996.

Los cuadernos de Juan Rulfo, Yvette Jiménez de Báez (ed.), México, Era, 1994.

Pedro Páramo en 1954 (facsímiles de los textos publicados en las revistas *Las Letras Patrias, Universidad de México* y *Dintel* (págs. 17-39) y de tres secciones del mecanuscrito (págs. 42-64). Se acompañan ensayos de Jorge Zepeda, Alberto Vital y Víctor Jiménez), México, UNAM/Fundación Juan Rulfo/RM, 2014.

El gallo de oro y otros relatos, México, RM, 2017.

Juan Rulfo. El Llano en llamas. Pedro Páramo. El gallo de oro, México, RM, 2017.

B) *Otros textos*

Dónde quedó nuestra historia. Hipótesis sobre historia regional, Colima, Universidad de Colima, Escuela de Arquitectura, Col. Rajuela, 2, 1984, 2.ª ed. ampliada, 1986 (69 págs.). El texto de Rulfo ocupa las páginas 26-51. También en *Toda la obra* (1996), págs. 421-428 y en *Historiando...* (II, C), págs. 190-199.

«Ensayos, discursos, conferencias y prólogos», en *Toda la obra* (1996), págs. 369-448.

Cartas a Clara, prólogo, edición y notas de Alberto Vital, México, RM/Fundación Juan Rulfo, 2012.

Retales (compilación de Juan Rulfo de diecisiete textos de otros autores, en los que se aprecia un proceso de reescritura, publicados en la revista *El Cuento* entre 1964 y1966. Víctor Jiménez, Alberto Vital y Sonia Peña, editores), México, Terracota, 2008 (124 págs.).

Textos sobre José Guadalupe de Anda, Rafael F. Muñoz y Mariano Azuela, Aguascalientes, Fundación Juan Rulfo-Universidad Autónoma de Aguascalientes, 2011 (51 págs.).

C) *Fotografía*

Inframundo. El México de Juan Rulfo (1.ª ed. México, INBA/SEP, 1980, con el título *Juan Rulfo. Homenaje Nacional*), 2.ª ed., Hanover, Ediciones del Norte, 1983. Contiene 96 fotografías y estudios.

Juan Rulfo, fotógrafo, (prólogo de Jorge Alberto Naranjo), Medellín, Taller El Ángel Editor, 1995. Contiene 41 fotografías.

México: Juan Rulfo, fotógrafo, Barcelona, Lunwerg, 2001. Catálogo de la exposición, recoge 187 fotografías y estudios.

Letras e imágenes (ed. de Víctor Jiménez), México, RM, 2002. Se reproducen 116 fotografías de tema arquitectónico y 16 textos relativos a esta cuestión. Incluye el texto literario «Castillo de Teayo» (págs. 47-55).

Juan Rulfo, fotógrafo, México, Conaculta, 2005. Selección de 31 fotografías y texto de Andrew Dempsey.

Juan Rulfo: Oaxaca, México, RM/Fundación Juan Rulfo, 2009. 50 fotografías seleccionadas por Andrew Dempsey y Francisco Toledo.

100 fotografías de Juan Rulfo, México, RM y Barcelona, RM Verlag, 2010. Selección y textos de Andrew Dempsey, Daniele de Luigi y Víctor Jiménez.

En los ferrocarriles, México, RM/Fundación Juan Rulfo/UNAM, 2014. Contiene 80 fotografías y varios estudios.

El fotógrafo Juan Rulfo, México, RM y Barcelona, RM Verlag, 2017 (cuidado de la edición: Fundación Juan Rulfo, Jorge Zepeda; 200 fotografías y estudios).

II) Bibliografía sobre Juan Rulfo

A) *Repertorios bibliográficos*

Ramírez, Arthur, «Hacia una bibliografía de y sobre Juan Rulfo», *Revista Iberoamericana*, XL, 86 (enero-marzo, 1974), págs. 135-171.

Kent Lioret, E., «Continuación de una bibliografía de y sobre Juan Rulfo», *Revista Iberoamericana*, XL, 89 (octubre-diciembre, 1974), págs. 693-705.

González Boixo, José Carlos, «Bibliografía de Juan Rulfo», *Cuadernos Hispanoamericanos*, 421-423 (julio-septiembre, 1985), págs. 469-490.

— «Bibliografía de Juan Rulfo: nuevas aportaciones», *Revista Iberoamericana*, 137 (octubre-diciembre, 1986), págs. 1051-1062.

Ocampo, Aurora M., «Una contribución a la bibliografía de y sobre Juan Rulfo», en *Toda la obra* (1992) (I), págs. 891-943.

— «Rulfo, Juan», *Diccionario de escritores mexicanos* (t. VII), México, UNAM, 2004, págs. 468-503.

Cesco, Andrea, «Un inventario tentativo de la bibliohemerografía de y sobre Juan Rulfo», en *Fragmentos* (2004) (II, C), págs. 93-132.

Zepeda, Jorge, «Cronología de la crítica a *Pedro Páramo*: 1955-1963» y «Bibliografía», en Zepeda (2005) (II, B), págs. 358-378.

B) *Monografías*

Abruzzo, María y Francesconi, Armando, *Il Messico di Juan Rulfo. Un ritmo lento e violento*, Chiete (Italia), Solfanelli, 2018 (168 págs.).

Alfonzo-Guzmán, Rafael J., *El laberinto y la pena: ensayo sobre la cuentística rulfiana*, Mérida (Venezuela), Universidad de los Andes, 1992 (150 págs.).

Aliberti, Antonio, *Juan Rulfo: la naturaleza hostil*. Buenos Aires, Ediciones Ocruxaves, 1996 (63 págs.).

Álvarez, Nicolás Emilio, *Análisis arquetípico, mítico y simbólico de Pedro Páramo*, Miami, Ediciones Universal, 1983 (140 págs.).

Antolín, Francisco, *Los espacios en Juan Rulfo*, Miami, Ediciones Universal, 1991 (148 págs.).

ARENAS SAAVEDRA, Anita, *Juan Rulfo, el eterno: caminos para una interpretación*, Maracaibo, Universidad del Zulia y Astro Data, 1997 (151 págs.).

BÁRCENAS, Ramón, *El mundo sombrío de Luvina y Comala*, Guanajuato, Universidad de Guanajuato, 2015 (103 págs.).

BASTOS, Hermenegildo, *Reliquias de la casa nueva. La narrativa latinoamericana: el eje Graciliano-Rulfo*, México, Centro Coordinador y Difusor de Estudios Latinoamericanos (UNAM), 2005 (165 págs.).

BLANCAS BLANCAS, Noé, *Pedro Páramo: novela aural*, Puebla, Benemérita Universidad Autónoma de Puebla, 2015 (398 págs.).

BOLDY, Steven, *A Companion to Juan Rulfo*, Rochester (NY), Tamesis, 2016 (217 págs.).

BRADU, Fabienne, *Ecos de Páramo*, México, F.C.E., 1989 (69 págs.).

CHOUBEY, Chandra Bhushan, *Juan Rulfo. El Llano sigue en llamas y las ánimas en pena*, México, Miguel Ángel Porrúa/Tecnológico de Monterrey, 2011 (216 págs.).

CUSATO, Doménico Antonio, *Dentro del laberinto. Estudios sobre la estructura de Pedro Páramo*, Roma, Bulzoni, 1993 (118 págs.).

ESPINOSA-JÁCOME, José T., *La focalización incosciente en «Pedro Páramo»*, Madrid, Pliegos, 1996 (174 págs.).

ESTRADA, Julio, *El sonido en Rulfo: el ruido ese,* México, UNAM, 2008 (254 págs.).

ESTRADA CÁRDENAS, Alba Sovietina, *Estructura y discurso de género en Pedro Páramo de Juan Rulfo*, México, Eón, 2005 (135 págs.).

EZQUERRO, Milagros, *Juan Rulfo*, París, L'Harmattan, 1986 (147 págs.).

— *Lecturas rulfianas*, Guadalajara, Universidad de Guadalajara, 2006 (138 págs.).

— *Juan Rulfo: Trente ans après*, París, L'Harmattan, 2016 (175 págs.).

FARES, Gustavo, *Imaginar Comala. El espacio en la obra de Juan Rulfo*, Nueva York, Peter Lang, 1991 (212 págs.).

— *Juan Rulfo, la lengua, el tiempo y el espacio*, Buenos Aires, Almagesto, 1994 (109 págs.).

— *Ensayos sobre la obra de Juan Rulfo*, Nueva York, Peter Lang, 1998 (143 págs.).

FERNÁNDEZ ARIZA, Guadalupe, *El arte de Juan Rulfo: lecturas de Pedro Páramo*, Málaga, Libros Pórtico, 2018 (188 págs.).

FERRER CHIVITE, Manuel, *El laberinto mexicano en/de Juan Rulfo*, México, Novaro, 1972 (149 págs.).

FIALLEGA, Cristina, *«Pedro Páramo»: Un pleito del alma*, Roma, Bulzoni, 1989 (265 págs.).

FORGUES, Roland, *Rulfo, la palabra redentora*, Barcelona, Puvill, 1987 (144 págs.).

GARCÍA PÉREZ, David, *Morir en Comala: mitocrítica de la muerte en la narrativa de Juan Rulfo*, México, Ediciones Coyoacán, 2004 (113 págs.).

GONZÁLEZ BOIXO, José Carlos, *Claves narrativas de Juan Rulfo*, León (España), Colegio Universitario de León, 1980 (334 págs.); 2.ª ed. revisada, León, Universidad de León, 1984 (281 págs.). Disponible en la web «Academia.edu».

— *Juan Rulfo. Estudios sobre literatura, fotografía y cine*, Madrid, Cátedra, 2018 (389 págs.).

GONZÁLEZ CASILLAS, Magdalena, *La sociedad en la obra de Juan Rulfo*, Guadalajara (México), Secretaría de Cultura, Gobierno de Jalisco, 1998 (166 págs.).

GORDON, Donald, *Los cuentos de Juan Rulfo*, Madrid, Playor, 1976 (196 págs.).

GUTIÉRREZ MARRONE, Nila, *El estilo de Juan Rulfo: estudio lingüístico*, Nueva York, Bilingual Press, 1978 (176 págs.).

IBARRA, Abel, *Rulfo y el dios de la memoria*, Caracas, Academia Nacional de la Historia, 1991 (83 págs.).

JIMÉNEZ, Víctor, *Ladridos, astros, agonías. Rilke y Broch en el lector Rulfo*, México, RM, 2017 (71 págs.).

JIMÉNEZ DE BÁEZ, Yvette, *Juan Rulfo, del páramo a la esperanza. Una lectura crítica de su obra*, México, El Colegio de México/FCE, 1990 (294 págs.).

JURADO VALENCIA, Fabio, *Voces escritas en la obra de Juan Rulfo*, Bogotá, Uniediciones, 2018 (224 págs.).

LEAL, Luis, *Juan Rulfo*, Boston, Twayne, 1983 (132 págs.).

LÓPEZ MENA, Sergio, *Los caminos de la creación en Juan Rulfo*, México, UNAM, 1993 (138 págs.).

— *Diccionario de la obra de Juan Rulfo*, México, UNAM, 2007 (251 págs.).

LORENTE MURPHY, Silvia, *Juan Rulfo: Realidad y mito de la Revolución Mexicana*, Madrid, Pliegos, 1988 (134 págs.).

MARTÍNEZ, Gustavo, *Juan Rulfo: perspectiva mítica y técnica narrativa en «Pedro Páramo»*, Montevideo, Rebeca Linke Editoras, 2008 (123 págs.).

— *Juan Rulfo. El Llano en llamas o la fatalidad hecha tierra*, Montevideo, Rebeca Linke Editoras, 2010 (132 págs.).

MINC, Rose S., *Lo fantástico y lo real en la narrativa de Juan Rulfo y Guadalupe Dueñas*, Nueva York, Senda Nueva de Ediciones, 1977 (175 págs.).

MOREIRA, Paulo, *Localismo Modernista das Américas: os contos de Faulkner, Guimarães Rosa e Rulfo*, Belo Horizonte, UFMG Editora, 2012 (344 págs.).

MUNGUÍA CÁRDENAS, Federico, *Juan Rulfo antecedentes y datos biográficos*. Guadalajara, Gobierno de Jalisco, Secretaría General, Unidad Editorial, 1987 (55 págs.). También en *La ficción de la memoria: Juan Rulfo ante la crítica*, págs. 465-484 y en *Historiando...*, págs. 41-58.

ORTEGA, María Luisa, *Mito y poesía en la obra de Juan Rulfo*, Mérida (Venezuela), Universidad de los Andes, 2004 (132 págs.).

ORTEGA GALINDO, Luis, *Expresión y Sentido de Juan Rulfo*, Madrid, José Porrúa Turanzas, 1984 (386 págs.).

PALACIOS, Eduardo, *La imagen poética en la obra narrativa de Juan Rulfo*, Armenia (Colombia), Quingráficas, 1984 (216 págs.).

PALAISI-ROBERT, Marie Agnès, *Juan Rulfo, l'incertain*, París, L'Harmattan, 2003 (365 págs.).

PASCUAL BUXÓ, José, *Construcción y sentido de la realidad simbólica. Cervantes, Rulfo y García Márquez*, México, UNAM/DGE Equilibrista, 2015 (Rulfo, págs. 145-210), ed. digital Biblioteca Virtual Miguel de Cervantes, 2016.

PEAVLER, Terry J., *El texto en llamas. El arte narrativo de Juan Rulfo*, Nueva York, Peter Lang, 1988 (188 págs.).

PERALTA, Violeta y BEFUMO BOSCHI, Liliana, *Rulfo. La soledad creadora*, Buenos Aires, Fernando García Cambeiro, 1975 (245 págs.).

PÉREZ, César Augusto, *Análisis de Pedro Páramo, Juan Rulfo*, Bogotá, Terranova Ediciones, 2003 (95 págs.).

PERUS, Françoise, *Juan Rulfo, el arte de narrar*, México, RM/Fundación Juan Rulfo, 2012 (248 págs.).

POLPOVIC KARIC, Pol, *En pos de Juan Rulfo*, México, Porrúa/Instituto Tecnológico de Monterrey, 2015, 272 págs.

PORTAL, Marta, *Análisis semiológico de Pedro Páramo*, Madrid, Narcea, 1981 (198 págs.).

— *Rulfo: Dinámica de la violencia*, Madrid, Cultura Hispánica, 1984 (314 págs.).

RAMOS DÍAZ, Martín, *La palabra artística en la novela de Juan Rulfo*, Toluca, Universidad Autónoma del Estado de México, 1991 (288 págs.).

RIVADENEIRA PRADA, Raúl, *Rulfo en llamas: un análisis comunicacional de «El Llano en llamas» y «Pedro Páramo»*, La Paz, Editorial Difusión, 1982 (136 págs.)

RIVEIRO ESPASANDÍN, José, *Pedro Páramo de Juan Rulfo*, Barcelona, Laia, 1984 (100 págs.).

RIVERO, Eduardo, *Juan Rulfo, el escritor fotógrafo*, Mérida (Venezuela), Universidad de los Andes, 1999 (137 págs.).

RODRÍGUEZ-ALCALÁ, Hugo, *El arte de Juan Rulfo*, México, INBA, 1965 (214 págs.).

ROWE, William, *Rulfo. «El Llano en llamas»*, Londres, Grant and Cutler, 1987 (84 págs.).

RUBÍ BARQUERO, José Alberto, *Juan Rulfo*, Bloomington (IN), Palibrio, 2012 (91 págs.).

RUIZ, Fabiola, *De Sayula al Olimpo. La construcción intermedial del escritor Juan Rulfo como icono de la cultura nacional mexicana: aportes de Daisy Ascher, José Luis Cuevas y Francisco Rodón*, Berlín, Wissenschaftlicher Verlag, 2005 (399 págs.).

SÁNCHEZ MAC GREGOR, Joaquín, *Rulfo y Barthes. Análisis de un cuento*, México, Domes, 1982 (126 págs.).

SERNA MAYTORENA, Manuel A., *Aproximaciones y reintegros a la cuentística de Rulfo*, Guadalajara (México), Unidad Editorial Gobierno de Jalisco, 1981 (105 págs.).

SHUJIU, Zheng, *La búsqueda constante del Paraíso en Pedro Páramo de Juan Rulfo*, Beijing, Universidad de Estudios Extranjeros de Beijing, 2015 (283 págs.).

SOMMERS, Joseph, *Yáñez, Rulfo, Fuentes. La novela mexicana moderna*, Caracas, Monte Ávila, 1970 (Juan Rulfo, págs. 93-236).

TATARD, Béatrice, *Juan Rulfo photographe. Esthétique du royaume des âmes*, París, L'Harmattan, 1994 (172 págs.).

THAKKAR, Amit, *The fiction of Juan Rulfo: Irony, Revolution and Postcolonialism*, Woodbridge (Suffolk, UK); Rochester (NY), Tamesis, 2012 (181 págs.).

VALENCIA SOLANILLA, César, *Rumor de voces: la identidad cultural en Juan Rulfo*, Bogotá, Educar, 1993 (323 págs.).

VÁZQUEZ PALACIOS, Felipe, *Rulfo y Arreola: desde los márgenes del texto*, México, Universidad Autónoma de la Ciudad de México, 2010 (293 págs.).

VEAS MERCADO, Luis Fernando, *Los modos narrativos en los cuentos en primera persona de Juan Rulfo*, México, UNAM, 1984 (109 págs.).

VERDUGO, Íber H., *Un estudio de la narrativa de Juan Rulfo*, México, UNAM, 1982 (380 págs.).

VITAL, Alberto, *Lenguaje y poder en «Pedro Páramo»*, México, Conaculta, 1993 (128 págs.).

— *El arriero en el Danubio. Recepción de Rulfo en el ámbito de la lengua alemana*, México, UNAM, 1994 (248 págs.).

— *Juan Rulfo*, México, Conaculta, 1998 (63 págs.).

— *Noticias sobre Juan Rulfo. 1784-2003*, México, RM, 2004 (212 págs.). Segunda edición con el título *Noticias sobre Juan Rulfo. La biografía. 1762-2016*, Barcelona, RM, 2017 (412 págs.).

— *Rilke, Rulfo*, México, Samsara, 2012 (134 págs.).

— *Los argumentos de los asesinos. Mecanismos de justificación en la obra de Juan Rulfo*, México, UNAM, 2017 (136 págs.).

VOGT, Wolfgang, *Juan Rulfo y el sur de Jalisco: aspectos de su vida y obra*, Zapopan, El Colegio de Jalisco/Instituto Nacional de Antropología e Historia, 1992 (120 págs); 2.ª ed., Guadalajara, Ágata, 1994 (90 págs.).

YANES GÓMEZ, Gabriela, *Juan Rulfo y el cine*, Guadalajara, Universidad de Guadalajara, Instituto Mexicano de Cinematografía, Universidad de Colima, 1996 (83 págs.).

ZENTENO BÓRQUEZ, Genaro Eduardo, *«Luvina»: geografía de la desesperanza, encuentro con la desilusión*, Colima, Universidad de Colima, 2000 (207 págs.).

ZEPEDA, Jorge, *La recepción inicial de «Pedro Páramo» (1955-1963)*, México, Fundación Juan Rulfo/RM, 2005 (378 págs.).

C) *Libros recopilatorios de artículos*

60 años de «El Llano en llamas». Reflexiones académicas (coords. Alberto Vital; María Esther Guzmán y Stella Cuellar), México, UNAM, 2015 (425 págs.).

Alrededor de Juan Rulfo, Bruselas, ed. Institut National Mexicain de Beaux-Arts, 1997 (83 págs.).

Cincuenta años de «Pedro Páramo», en *Casa del Tiempo*, vol.VII, época III, núm. 82, 2005, págs. 45-73.

Comalas de Jaliscolimán: centenario de Juan Rulfo (1917-2017), José Fernando González Castolo y Enrique Ceballos Ramos, coordinadores, 2017, Colima, Tierra de Letras (319 págs.).

Cómo traducir la obra de Juan Rulfo (ed. Sergio López Mena), México, Praxis, 2000 (75 págs.).

Ecos críticos de Rulfo: Actas de las Jornadas del Cincuentenario de «Pedro Páramo». París, Limoges, Toulouse, (Milagros Ezquerro y Eduardo Ramos-Izquierdo, eds.), México, Rilma 2 / ADELH, 2006 (181 págs.).

Ecos y murmullos en la obra de Rulfo (coords. Julio Moguel y Enrique Sainz), México, Juan Pablos Editor, 2007 (120 págs.); 2.ª ed., México, Juan Pablos Editor, 2008 (183 págs.).

El camino de Rulfo (1917- 2017), monográfico coordinado por Vicente Cervera para la revista *Monteagudo*, 3ª época, núm. 22, 2017, págs. 13-171.

«El Llano en llamas», «Pedro Páramo» y otras obras. (En el centenario de su autor), Pedro Ángel Palou y Francisco Ramírez Santacruz, eds., Madrid/Frankfurt, Iberoamericana/Vervuert, 2017 (347 págs.).

En memoria de Juan Rulfo (1986-2016), en *La Palabra y el Hombre*, Revista de la Universidad Veracruzana, núm. 35, enero-marzo, 2016, págs..4-29 y 49-66.

Ficción de la memoria. Juan Rulfo ante la crítica (La) (ed. de F. Campbell), México, Era-UNAM, 2003 (522 págs.).

Fragmentos, núm. 27, julio-diciembre de 2004 (132 págs.). Homenaje a Rulfo en la revista de la Universidad de Santa Catarina, coordinado por Rafael Camorlinga Alcaraz y Sergio López Mena.

FUNDACIÓN JUAN RULFO (Víctor Jiménez y Jorge Zepeda, coords.), *Juan Rulfo y su obra. Una guía crítica*, México, RM/Fundación Juan Rulfo, 2018 (399 págs.).

Hebras humanas: lecturas psicoanalíticas de Pedro Páramo, novela de Juan Rulfo (ed. Raquel Lubartowski Nogara), Montevideo, Nordan Comunidad, 1989 (79 págs.).

Historiando a Rulfo (Raymundo Padilla Lozoya y Enrique Ceballos Ramos, coords.), Santiago de Chile, Cuadernos de Sofía, 2018 (204 págs.).

Homenaje a Juan Rulfo (ed. de F. Giacoman), Madrid, ed. Anaya-Las Américas, 1975 (394 págs.).

Homenaje a Juan Rulfo (ed. Dante Medina), Guadalajara, Universidad de Guadalajara, 1989 (364 págs.).

Inframundo. El México de Juan Rulfo, *op. cit.* en (I) (2.ª ed.), 1983, págs. 3-52.

Juan Rulfo, en *Cuadernos Hispanoamericanos*, 421-423 (julio-septiembre, 1985) (498 págs.).

Juan Rulfo entre lo tradicional y lo moderno (ed. de Gastón Lillo y José Leandro Urbina), en *Revista Canadiense de Estudios Hispánicos*, XXII, 2 (invierno, 1998) (413 págs.).

Juan Rulfo: estudios críticos (Martha Elia Arizmendi, Jesús Humberto Florencia, Gerado Meza García y Luis María Quintana), Toluca, Instituto Mexiquenze de Cultura, 2007 (83 págs.).

Juan Rulfo, los caminos de la fama pública (comp. Leonardo Martínez Carrizales), México, F.C.E., 1998 (165 págs.).

Juan Rulfo: otras miradas (eds. Víctor Jiménez, Julio Moguel y Jorge Zepeda), México, Juan Pablos/Fundación Juan Rulfo/Secretaría de Educación de Michoacán/Secretaría de Turismo de Michoacán/Ayuntamiento de Morelia (1.ª ed., 2010, 485 págs.), 2.ª ed., corregida y aumentada, 2011 (501 págs.).

Juan Rulfo: perspectivas críticas. Ensayos inéditos (coord. Pol Popovic y Fidel Chávez), México, Siglo XXI, 2007 (260 págs.).

Juan Rulfo. Toda la obra, en *op. cit* (I) (1992). Los artículos ocupan más de 550 págs.

Juan Rulfo: un mosaico crítico (comp. Ed. Valadés), México, UNAM/Universidad de Guadalajara/INBA, 1988 (204 págs.).

Juan Rulfo-Jorge Luis Borges: a 30 años de ausencia (Alberto Vital y Alfredo Barrios, coords.), México, UNAM, 2018 (149 págs.).

México Indígena. Número extraordinario: Juan Rulfo, INI, 1986 (88 págs.).

Miedzy pieklem a niebem.Twórczosc Juana Sulfa w perspektywie porów-nawczej (traducido: *Entre el infierno y el cielo. La obra de Juan Rulfo desde la perspectiva comparada*), coord. Magdalena Bak, número monográfico de la revista *Bez Porównania. Czasopismo kompa-ratystyczne*, núm. 3 (10), 2010 (236 págs.).

Mundos de Juan Rulfo (Los) (eds. Mirilla Servidio y Marcelo Coddou), en *INTI, Revista de Literatura Hispánica*, 13-14 (primavera-otoño, 1981) (152 págs.).

Murmullos. Boletín de la Fundación Juan Rulfo (Los), 1999, núm. 1, pri-mer semestre (56 págs.); núm. 2, segundo semestre (88 págs.).

Narrativa de Juan Rulfo. Interpretaciones críticas (La) (ed. de J. Sommers), México, Sep-setentas, 1974 (166 págs.).

Nuevos indicios sobre Juan Rulfo: genealogía, estudios, testimonios (coord. Jorge Zepeda), México, Fundación Juan Rulfo/Juan Pablos Edi-tor, 2010 (259 págs.).

Omaggio a Juan Rulfo (comp. Luigi Croveto y Ernesto Franco), en *Studi di Letteratura Ispanoamericana*, núm. 20 (Milán, Cisalpino-Goliar-dica), 1988 (177 págs.).

Pedro Páramo: diálogos en contrapunto (1955-2005) (ed. de Yvette Jimé-nez de Báez y Luzelena Gutiérrez de Velasco), México, El Cole-gio de México, 2008 (410 págs.).

Pedro Páramo: 60 años (2015) (coord. Víctor Jiménez), México, Fun-dación Juan Rulfo/RM, 2015 (206 págs.).

Pour Rulfo: les rencontres de Fontevraud: colloque littéraire (Philippe Ollé-Laprune, ed.), París, MEET, 2013 (140 págs.).

Recopilación de textos sobre Juan Rulfo, La Habana, Casa de las Améri-cas, 1969 (169 págs.).

Rethinking Juan Rulfo's Creative World: Prose, Photography, Film, edited by Dylan Brennan and Nuala Finnegan, London, Modern Hu-manities Research Association and Routledge, Col. Legenda. Studies in Hispanic and Lusophone Cultures, 14, 2016 (214 págs.).

Revisión crítica de la obra de Juan Rulfo (ed. de Sergio López Mena), México, Praxis, 1998 (172 págs.).

Rulfo en llamas, México, Universidad de Guadalajara-Revista *Proceso*, 1988 (229 págs.).

Tras los murmullos. Lecturas mexicanas y escandinavas de «Pedro Páramo» (coord. Anne Marie Ejdesgaard Jeppesen), Copenhague, Museum Tusculanum Press, 2010 (233 págs.).

Tríptico para Juan Rulfo: poesía, fotografía, crítica (coords. Víctor Jimé-nez, Alberto Vital y Jorge Zepeda), México, Fundación Juan Rul-fo/RM, 2006 (530 págs.).

D) *Artículos*

Salvo excepciones, no se recogen los artículos publicados en las colecciones recopilatorias (sección anterior).

ALATORRE, Antonio, «La persona de Juan Rulfo», *Revista Canadiense* (1998) (II,C), págs. 165-178.

ARIAS, Ángel, «Juan Rulfo: los Cristeros de Comala», en *Entre la cruz y la sospecha: los Cristeros de Revueltas, Yáñez y Rulfo* (ed. de Ángel Arias), Madrid, Iberoamericana/Vervuert, 2005, págs. 159-205.

ARIZMENDI, Aralia, «Alrededor de *Pedro Páramo*», *Cuadernos Americanos*, XXX, vol. CLXXV, núm. 2 (marzo-abril, 1971), págs. 184-196.

BASTOS, M.ª Luisa, y Silvia Molloy, «El personaje de Susana San Juan: Clave de enunciación y de enunciados en *Pedro Páramo*», *Hispamérica*, VII, núm. 20 (1978), págs. 3-24.

BELLINI, Giuseppe, «Realtà e irrealtà in *Pedro Páramo*», en su *Il Laberinto Magico, Studi sul «nuovo romanzo» ispanoamericano*, Milán, Cisalpino-Goliardica, 1973, págs. 17-52.

— «Función del silencio en *Pedro Páramo*», *Quaderni di letterature iberiche e iberoamericane*, 4 (1986), págs. 75-81.

BENEDETTI, Mario, «Juan Rulfo y su purgatorio a ras de suelo», en su *Letras del continente mestizo*, Montevideo, Arca, 1967, págs. 125-134.

BLANCO AGUINAGA, Carlos, «Realidad y estilo en Juan Rulfo», *Revista Mexicana de Literatura*, I, 1 (septiembre-octubre, 1955), págs. 59-86. También en *Nueva Novela Latinoamericana* (ed. de J. Lafforgue), Buenos Aires, Paidós, 1969, págs. 88-116.

CALLAU GONZALVO, Sergio, «La doble memoria de la loca: una reflexión sobre el tiempo en *Los recuerdos del porvenir* y *Pedro Páramo*», *Revista de Crítica Literaria Latinoamericana*, XXVII, 54, 2.º semestre de 2001, págs. 129-147.

CAMAYD-FREIXAS, Eric, «Arte y realidad en el *Pedro Páramo* de Rulfo», en su *Realismo mágico y primitivismo. Relecturas de Carpentier, Asturias, Rulfo y García Márquez*, New York-Oxford, University Press of América, 1998, págs. 201-248.

CANFIELD, Marta L., «Dos enfoques de *Pedro Páramo*», *Revista Iberoamericana*, 55 (1989), págs. 965-988.

CANTÚ, Roberto, «De nuevo el arte de Juan Rulfo: *Pedro Páramo* reestructura(n)do», en *Juan Rulfo* (1985) (II, C), págs. 305-354.

CASTAÑOS, Fernando, «Locos, muertos y ánimas en *Pedro Páramo*: los lugares de sus voces como rasgos de identidad», *Discurso, Teoría y Análisis* [Instituto de Investigaciones Sociales, UNAM, México], 25, primavera de 2004, págs. 43-63.

CHASE, Cida S., «Heat, Water, and Stars in *Pedro Páramo*», en Janet Pérez y Wendell Aycock (eds.), *Climate and Literature: Reflections of Environment*, Lubbock, Texas Tech University Press, 1995 (Studies in Comparative Literature, 25), págs. 89-97.

CODDOU, Marcelo, «Fundamentos para la valoración de la obra de Juan Rulfo», *Nueva Narrativa Hispanoamericana*, I, 2 (septiembre, 1971), págs. 139-158.

COHN, Debora, «A Wrinkle in Time: Time as Structure and Meaning in *Pedro Páramo*», *Revista Hispánica Moderna*, XLIX, 2 (diciembre, 1996), págs. 256-266.

— «Paradise Lost and Regained: The Old Order and Memory in Katherine Anne Porter's Miranda Stories and Juan Rulfo's *Pedro Páramo*», *Hispanófila: Literatura-Ensayos*, 42, 1, 124 (septiembre, 1998), págs. 65-86.

COSTA ROS, Narciso, «Estructura de *Pedro Páramo*», *Revista Chilena de Literatura*, núm. 7 (diciembre, 1976), págs. 117-142.

— «El mundo novelesco de *Pedro Páramo*», *Revista Chilena de Literatura*, núm. 11 (abril, 1978), págs. 23-84.

DORFMANN, Ariel, «En torno a *Pedro Páramo,* de Juan Rulfo», en su *Imaginación y violencia en América,* Santiago de Chile, Editorial Universitaria, 1970, págs. 181-192.

DURÁN, Manuel, «Juan Rulfo, cuentista: la verdad casi sospechosa», *Nueva Narrativa Hispanoamericana*, I, 2 (septiembre, 1971), páginas 167-174. Con el título «Los cuentos de Juan Rulfo o la realidad trascendida», en *El cuento hispanoamericano ante la crítica*, Madrid, Castalia, 1973, págs. 195-215.

EMBEITA, M.ª J., «Tema y estructura de *Pedro Páramo*», *Cuadernos Americanos*, XXVI, vol. CLI, núm. 2 (marzo-abril, 1967), págs. 218-233.

FERRO, Roberto, «*Pedro Páramo*. El grado cero del palimpsesto», en su libro *El lector apócrifo*, Buenos Aires, Ediciones de la Flor, 1998, págs. 59-72.

FLORES, Miguel Ángel, «*Pedro Páramo*: una conversación con los difuntos», *Revista Casa del Tiempo* (Universidad Autónoma Metropolitana), VII, III, 73 (febrero, 2005), págs. 2-16.

FRANCO, Jean, «El viaje al país de los muertos», en *Narrativa de...* (II, C), págs. 117-140.

FREEMAN, George Ronald, *Paradise and Fall in Rulfo's Pedro Páramo: Archetype and Structural Unity*, Cuernavaca (Morelos), CIDOC, Cuaderno núm. 47, 1970. También en «La caída de la gracia: clave arquetípica de *Pedro Páramo*» en *Narrativa de...* (II, C), págs. 67-75.

— «La escatología de *Pedro Páramo*», en *Homenaje...* (1975) (II, C), págs. 257-281.

FRENK, Mariana, «La novela contemporánea en México», *Letras Potosinas*, XVII, 132-133 (abril-septiembre, 1959), págs. 8-12. Se trata de la versión completa del artículo *«Pedro Páramo»*, publicado en *Universidad de México* (1961) y *Casa de las Américas*, II, 13-14 (julio-octubre, 1962), págs. 88-96.

FUENTES, Carlos, «Mugido, muerte y misterio: el mito de Rulfo», *Revista Iberoamericana*, XLVII, 116-117 (julio-diciembre, 1981), págs. 11-21.

GALAVIZ, Juan Manuel, «De *Los murmullos* a *Pedro Páramo*», *Texto crítico*, 16-17 (1980), págs. 40-65.

GONZÁLEZ-ALLENDE, Iker, «Rulfo en Donoso: Comala y El Olivo como espacios infernales», *Hispanófila: Literatura-Ensayos*, 148 (2006), págs. 13-30.

GONZÁLEZ-ALONSO, Javier, *«Pedro Páramo* o la negación de la lógica cartesiana», *Discurso: Revista de Estudios Iberoamericanos*, 7, 2 (1990), págs. 355-364.

GONZÁLEZ BOIXO, José Carlos, «El factor religioso en la obra de Rulfo», *Juan Rulfo... CH* (1985) (II, C), págs. 165-177.

— *«El gallo de oro* y otros textos marginados de Juan Rulfo», *Revista Iberoamericana*, 135-136 (abril-septiembre, 1986), págs. 489-505.

— «The underlying currents of "caciquismo" in the narratives of Juan Rulfo», en *Structures of Power. Essays on Twentieth-Century Spanish-American Fiction* (edited Terry Peavler and Peter Standish), New York, State University of New York Press, 1996, págs. 107-124.

— «La estética del ruralismo en la obra de Juan Rulfo», en *Alrededor de Juan Rulfo* (II, C), 1997, págs. 25-41.

— «Historia textual de *Pedro Páramo*», en *Juan Rulfo: perspectivas* (2007) (II C), págs. 77-94.

— «El realismo mágico y *Pedro Páramo*: una asociación paradójica», en *Pedro Páramo: 60 años* (2015) (II C), págs. 47-57.

GYURKO, Lanin A., «Rulfo's Aesthetic Nihilism: Narrative Antecedents of *Pedro Páramo*», *Hispanic Review*, XL, 4 (otoño, 1971), págs. 451-466.

HABRA, Hedy, «Recuperación de la imagen materna a la luz de elementos fantásticos en *Pedro Páramo*», *Chasqui: Revista de Literatura Latinoamericana*, XXXIII, 2 (noviembre, 2004), págs. 90-103.

HANNAN, Annika, «A Subject of Desire: Sexuality, Creation, and the (Maternal) Individual in Juan Rulfo's *Pedro Páramo*», *Revista de Estudios Hispánicos* [Washington University in St. Louis, Missouri], XXXIII, 3 (octubre, 1999), págs. 441-471.

HARSS, Luis, «Juan Rulfo o la pena sin nombre», en su libro *Los nuestros* (en colaboración con Barbara Dohmann), Buenos Aires, Sudamericana, 1966, págs. 301-337. Reedición en Madrid, Alfaguara, 2012, págs. 261-292.

HERNÁNDEZ ECHÁVARRI, Ricardo, «Las huellas de oralidad en *Pedro Páramo*», *Actual: Revista de la Dirección de Cultura de la Universidad de los Andes* [Mérida, Venezuela], 40 (mayo-julio, 1999), págs. 163-180.

HERNÁNDEZ-RODRÍGUEZ, Rafael, «El fin de la modernidad: *Pedro Páramo* y la desintegración de la comunidad», *Bulletin of Hispanic Studies* [University of Glasgow], LXXVIII, 5 (diciembre, 2001), págs. 619-634.

JAÉN, Didier T., «La evocación lírica en *Pedro Páramo*», *Revista Hispánica Moderna*, XXXIII, 3-4 (julio-octubre, 1967), págs. 224-231.

JIMÉNEZ, Víctor, «Editar a Rulfo», *AlterTexto* (Universidad Iberoamericana), núm. 3, vol. 2 (enero-junio, 2004), págs. 85-96.

— *«Pedro Páramo* en 1954», en Rulfo, I A, 2014, págs. 65-97.

— «Cronología de la obra y la vida de Juan Rulfo», en Fundación Juan Rulfo (2018) (II C), págs. 25-47.

JIMÉNEZ DE BÁEZ, Yvette, «Génesis y escritura en *Pedro Páramo*, en *Pedro Páramo...* (2008) (II, C), págs. 25-45.

JOSET, Jacques, «De coincidentia oppositorum: *Pedro Páramo* y el surrealismo», en su *Historias cruzadas de novelas hispanoamericanas*, Frankfurt/Madrid, Vervuert/Iberoamericana, 1995, págs. 14-26.

LANGOWSKI, Gerald J., «El automatismo controlado (Juan Rulfo, *Pedro Páramo)*», en su *El surrealismo en la ficción hispanoamericana*, Madrid, Gredos, 1982, págs. 153-167.

LEAL, Luis, «Juan Rulfo», en *Narrativa y crítica de nuestra América* (ed. de Joaquín Roy), Madrid, Castalia, 1978, págs. 258-286.

— «La estructura de *Pedro Páramo*», *Anuario de Letras*, IV, 1964, págs. 287-294. También en *Homenaje...* (1975) (II, C), págs. 13-22.

LLARENA, Alicia, «El narrador del realismo mágico: *Pedro Páramo* o los indicios de la naturalidad», en su *Realismo Mágico y Lo Real Maravilloso: una cuestión de verosimilitud*, Gaithersburg (Md), Hispamérica, 1997, págs. 103-124.

— «El espacio imaginario: la construcción de "Comala" en *Pedro Páramo*», en Llerena (1997) (II, D), págs. 224-245.

LÓPEZ PARADA, Esperanza, «El lenguaje de la muerte: los fragmentos de *Pedro Páramo*», en su libro *Una mirada al sesgo: literatura hispanoamericana desde los márgenes*, Madrid/Frankfurt, Iberoamericana/Vervuert, 1999, págs. 151-159.

LURASCHI, Ilse Adriana, «Narradores en la obra de Juan Rulfo: Estudio de sus funciones y efectos», *Cuadernos Hispanoamericanos*, núm. 308 (febrero, 1976), págs. 5-29.

MARTIN, G., «Vista panorámica: la obra de Juan Rulfo en el tiempo y en el espacio», en *Toda la obra* (1992) (I), págs. 471-545.

MARTÍN, Marina, «Espacio y metáfora en Juan Rulfo», en K. M. Sibbald, R. de la Fuente y J. Díaz (eds.), *Ciudades vivas/ciudades muertas: espacios urbanos en la literatura y el folklore hispánicos*, Valladolid, Universitas Castellae, 2000, págs. 199-216.

MARTÍNEZ, Pilar, «Técnica del "testigo-oyente" en los monólogos de Rulfo», *Anales de Literatura Hispanoamericana*, II, 2-3 (1973-1974), págs. 555-568.

MASOLIVER RÓDENAS, Juan Antonio, «*Pedro Páramo:* amor en tiempos de cólera», *Revista de Crítica Literaria Latinoamericana*, XXXII, 63-64 (1.º-2.º semestres de 2006), págs. 265-274.

MIRAMONTES, Ana, «Rulfo lector de Bombal», *Revista Iberoamericana*, LXX, 207 (abril-junio, 2004), págs. 491-520. Disponible en web.

MIRÓ, Emilio, «Juan Rulfo», *Cuadernos Hispanoamericanos*, núm. 246 (1970), págs. 600-637.

MORALES LADRÓN, Marisol, «Vida, muerte y parálisis en *Pedro Páramo* de Juan Rulfo, y "The Dead", de James Joyce», *Exemplaria* [Universidad de Huelva], 3 (1999), págs. 1-15.

MURILLO MEDRANO, Jorge, «Susana San Juan: un tríptico hierofánico», *Káñina. Revista de Artes y Letras de la Universidad de Costa Rica*, XV, 1-2 (enero-diciembre, 1991), págs. 107-120.

— «La homogeneidad simbólica del universo femenino en la novela *Pedro Páramo*, de Juan Rulfo», *Revista de Filología y Lingüística de la Universidad de Costa Rica*, XXVIII, 2 (julio-diciembre, 2002), págs. 63-73.

OAKLEY, Helen, «Disrupting the Boundaries: Faulkner's *Absalom, Absalom!* and Juan Rulfo's *Pedro Páramo*», capítulo 5 de su libro *The Recontextualization of William Faulkner in Latin American Fiction and Culture*, Lewiston, The Edwin Mellen Press, 2002 (Studies in Comparative Literature, 51), págs. 90-103.

ORTEGA, José, «Estructura temporal y temporalidad en *Pedro Páramo* de Juan Rulfo», en su *Letras Hispanoamericanas de nuestro tiempo*, Madrid, Porrúa Turanzas, 1976, págs. 9-24.

ORTEGA, Julio, «*Pedro Páramo*», en su *La contemplación y la fiesta: Notas sobre la novela latinoamericana actual*, Caracas, Monte Ávila, 1969, págs. 17-30.

PALAISI, Marie-Agnès, «La palabra infernal. Estudio comparativo de *Pedro Páramo* de Juan Rulfo y de *Inferno* de Dante Alighieri», en Daniel Meyran (dir.), *Italie, Amerique Latine. Influences reciproques (art, culture, societé)*, Colloque International 15 et 16 mai 1998, Milán, Bulzoni Editore/Consiglio Nazionale delle Ricerche-Université de Montpellier III/Université de Perpignan, págs. 51-63.

— «Le Monologue intérieur dans l'oeuvre de Juan Rulfo: une tromperie cathartique», *Cahier de Narratologie*, 2, 10 (2001), págs. 331-340.

— «Apports de l'étude du manuscrit inédit de *Pedro Páramo* de Juan Rulfo», en *La Question de l'auteur. Actes du XXXᵉ Congrès de la Societé des Hispanistes Français*, Brest, Université de Bretagne Occidentale, 2002, págs. 425-436.

PATRON, Sylvie, «The Death of the Narrator and the Interpretation of the Novel. The Example of *Pedro Páramo* by Juan Rulfo», *Journal of Literary Theory*, 4, 2 (2010), págs. 253-272.

PIMENTEL, Luz Aurora, «Los caminos de la eternidad. El valor simbólico del espacio en *Pedro Páramo*», en su *El espacio en la ficción. Ficciones espaciales*, México, Universidad Nacional Autónoma de México/Siglo XXI, 2001, págs. 135-164.

POLITO, Francesca, «Las voces de la muerte en *Pedro Páramo*», *Núcleo: Revista de la Escuela de Idiomas Modernos* [Universidad Central de Venezuela, Caracas], 15 (1998), págs. 23-41.

— «El tiempo lento y roto de *Pedro Páramo*, *Núcleo: Revista de la Escuela de Idiomas Modernos*, 16 (1999), págs. 197-213.

POVEDA, Hernán, «Mito y realidad en *Pedro Páramo*: otro acercamiento», *Revista de Extensión Cultural* [Universidad Nacional de Colombia], 45 (junio, 2002), págs. 57-64.

PUPO-WALKER, C. Enrique, «Personajes y ambientes en *Pedro Páramo*», *Cuadernos Americanos*, 28, 167 (noviembre, 1969), páginas 194-204.

ROBLES, Humberto E. «Variantes en *Pedro Páramo*», *Nueva Revista de Filología Hispánica*, 31, 1 (1982), págs. 106-116.

RODRÍGUEZ ALCALÁ, Hugo, *Narrativa Hispanoamericana. Güiraldes-Carpentier-Roa Bastos-Rulfo*, Madrid, Gredos, 1973. Contiene cuatro artículos sobre Rulfo, págs. 85-171.

RODRÍGUEZ MONEGAL, Emir, «Relectura de *Pedro Páramo*», en su *Narrativa de esta América*, II, Buenos Aires, Alfa, 1974, págs. 174-191.

RODRÍGUEZ-LUIS, Julio, «Algunas observaciones sobre el simbolismo de la relación entre Susana San Juan y Pedro Páramo», *Cuadernos Hispanoamericanos*, 270 (diciembre, 1972), págs. 584-594.

RUFFINELLI, Jorge, *El lugar de Rulfo y otros ensayos*, Xalapa (Veracruz), ed. Universidad Veracruzana, 1980. Contiene tres artículos sobre Rulfo, págs. 9-65.

— «La leyenda de Rulfo: cómo se construye el escritor desde el momento en que deja de serlo», en *Toda la* obra (1992) (I), páginas 447-470.

SACOTO SALAMEA, Antonio, «El personaje y las máscaras en *Pedro Páramo* de Juan Rulfo», en *Homenaje...* (1975) (II, C), págs. 375-383.

— «Las técnicas narrativas», en *Homenaje...* (1975) (II, C), págs. 387-394.

SÁNCHEZ, Elizabeth, «The Fractal Structure of *Pedro Páramo:* Comala, When Will You Rest?», *Hispania*, 86, 2 (mayo, 2003), páginas 231-236. Disponible en web.

SCHNEIDER, Luis Mario, «*Pedro Páramo* en la novela mexicana: ubicación y bosquejo», en *La novela hispanoamericana actual* (eds. Ángel Flores y R. Silva Cáceres), Nueva York, Las Américas, 1971, págs. 121-145.

SIEBER, Sharon Lynn, «Fantastic Interpretations of Time in Juan Rulfo's *Pedro Páramo*, Julio Cortázar's *Rayuela* and José Lezama Lima's *Paradiso:* A Modern Continuity of the Baroque», *Hispania*, 91, 2 (mayo, 2008), págs. 331-341.

SOLER SERRANO, J.: «Entrevista con Juan Rulfo». Programa de TVE *A fondo*, 17 de abril de 1977. Disponible en la web.

STANTON, A., «Estructuras antropológicas en *Pedro Páramo*», *Nueva Revista de Filología Hispánica*, 36 (1988), págs. 567-606.

TAGGART, Kenneth M., «El tema de la muerte en *Pedro Páramo*», en su *Yáñez, Rulfo y Fuentes: el tema de la muerte en tres novelas mexicanas*, Madrid, Playor, 1983, págs. 127-191.

THAKKAR, Amir, «One Rainy Market Day: "Integration" and the Indigenous Community in the Fiction and Thought of Juan Rulfo», en Victoria Carpenter (ed.), *(Re)Collecting the Past. History and Collective Memory in Latin American Narrative*, Berna, Peter Lang, 2010, págs. 191-216.

TORO, Fernando de, «Borges and Rulfo: the Paradigms of Modernity and Post-Modernity», en Alfonso de Toro, Fernando de Toro y René Ceballos (eds.), *El siglo de Borges. I: Retrospectiva-presente-futuro*, Frankfurt/Madrid, Vervuert/Iberoamericana, 1999, págs. 261-271.

UZQUIZA González, José Ignacio, «Simbolismo e historia en Juan Rulfo», *Revista Iberoamericana*, LVIII, 159 (abril-junio, 1992), págs. 639-655. Disponible en web.

VALENCIA, Norman, «"No se te olvide el don": *Pedro Páramo*, tótem y tabú comalense», en su *Retóricas del poder y nombres del padre en la literatura latinoamericana: paternalismo, política y forma literaria en Graciliano Ramos, Juan Rulfo, João Guimarães Rosa y José Lezama Lima*, Madrid, Iberoamericana/Vervuert, 2017, págs. 123-170.

VALENCIA SOLANILLA, César, «Función de las interpolaciones en "Pedro Páramo" de Juan Rulfo», *Revista de Extensión Cultural* [Universidad Nacional de Colombia], 13-14 (diciembre, 1982), págs. 101-107.

VARELA JÁCOME, Benito, «Estructuras profundas en *Pedro Páramo*», *Cuadernos para la Investigación de la Literatura Hispánica*, 2-3 (1980), págs. 383-407.

VITAL, Alberto, «¿Quién mató a Pedro Páramo? Las variantes de los mecanuscritos de *Pedro Páramo*», en *Tras los murmullos* (2010) (II, C), págs. 31-51.

— «Nombres en la vida y en la obra de Juan Rulfo», en Alberto Vital y Alfredo Barrios (coords.), *Manual de onomástica de la literatura*, México, UNAM, 2017, págs. 199-220.

VOLEK, Emil, «*Pedro Páramo* de Juan Rulfo: Una obra aleatoria en busca de su texto y del género literario», *Revista iberoamericana*, 150 (enero-marzo, 1990), págs. 35-47.

ZERLANG, Martin, «Ruinas y recuerdos: sobre Juan Rulfo como arquitecto literario», *Revista de Filología y Lingüística de la Universidad de Costa Rica*, XXVII, 2 (julio-diciembre, 2001), págs. 83-94.

Pedro Páramo

Cruz de mezquite, *circa* 1950.

Vine a Comala porque me dijeron que acá vivía mi padre, un tal Pedro Páramo. Mi madre me lo dijo. Y yo le prometí que vendría a verlo en cuanto ella muriera. Le apreté sus manos en señal de que lo haría, pues ella estaba por morirse y yo en un plan de prometerlo todo. «No dejes de ir a visitarlo —me recomendó—. Se llama de este modo y de este otro. Estoy segura de que le dará gusto conocerte.» Entonces no pude hacer otra cosa sino decirle que así lo haría, y de tanto decírselo se lo seguí diciendo aun después que a mis manos les costó trabajo zafarse de sus manos muertas.

Todavía antes me había dicho:

—No vayas a pedirle nada. Exígele lo nuestro. Lo que estuvo obligado a darme y nunca me dio... El olvido en que nos tuvo, mi hijo, cóbraselo caro.

—Así lo haré, madre.

Pero no pensé cumplir mi promesa. Hasta que ahora pronto comencé a llenarme de sueños, a darle vuelo a las ilusiones. Y de este modo se me fue formando un mundo alrededor de la esperanza que era aquel señor llamado Pedro Páramo, el marido de mi madre. Por eso vine a Comala.

2 Era ese tiempo de la canícula, cuando el aire de agosto sopla caliente, envenenado por el olor podrido de las saponarias[1].

El camino subía y bajaba: «*Sube o baja según se va o se viene. Para el que va, sube; para el que viene, baja.*»

—¿Cómo dice usted que se llama el pueblo que se ve allá abajo?

—Comala, señor.

—¿Está seguro de que ya es Comala?

—Seguro, señor.

—¿Y por qué se ve esto tan triste?

—Son los tiempos, señor.

Yo imaginaba ver aquello a través de los recuerdos de mi madre; de su nostalgia, entre retazos de suspiros. Siempre vivió ella suspirando por Comala, por el retorno; pero jamás volvió. Ahora yo vengo en su lugar. Traigo los ojos con que ella miró estas cosas, porque me dio sus ojos para ver: «*Hay allí, pasando el puerto de Los Colimotes, la vista muy hermosa de una llanura verde, algo amarilla por el maíz maduro. Desde ese lugar se ve Comala, blanqueando la tierra, iluminándola durante la noche.*» Y su voz era secreta, casi apagada, como si hablara consigo misma... Mi madre.

—¿Y a qué va usted a Comala, si se puede saber? —oí que me preguntaban.

—Voy a ver a mi padre —contesté.

—¡Ah! —dijo él.

Y volvimos al silencio.

Caminábamos cuesta abajo, oyendo el trote rebotado de los burros. Los ojos reventados por el sopor del sueño, en la canícula de agosto.

—Bonita fiesta le va a armar —volví a oír la voz del que iba allí a mi lado—. Se pondrá contento de ver a alguien después de tantos años que nadie viene por aquí.

---

[1] *saponarias:* plantas de flores grandes, olorosas, de color blanco rosado.

Luego añadió:

—Sea usted quien sea, se alegrará de verlo.

En la reverberación del sol, la llanura parecía una laguna transparente, deshecha en vapores por donde se traslucía un horizonte gris. Y más allá, una línea de montañas. Y todavía más allá, la más remota lejanía.

—¿Y qué trazas tiene su padre, si se puede saber?

—No lo conozco —le dije—. Sólo sé que se llama Pedro Páramo.

—¡Ah!, vaya.

—Sí, así me dijeron que se llamaba.

Oí otra vez el «¡ah!» del arriero.

Me había topado con él en Los Encuentros, donde se cruzaban varios caminos. Me estuve allí esperando, hasta que al fin apareció este hombre.

—¿Adónde va usted? —le pregunté.

—Voy para abajo, señor.

—¿Conoce un lugar llamado Comala?

—Para allá mismo voy.

Y lo seguí. Fui tras él tratando de emparejarme a su paso, hasta que pareció darse cuenta de que lo seguía y disminuyó la prisa de su carrera. Después los dos íbamos tan pegados que casi nos tocábamos los hombros.

—Yo también soy hijo de Pedro Páramo —me dijo.

Una bandada de cuervos pasó cruzando el cielo vacío, haciendo cuar, cuar, cuar.

Después de trastumbar los cerros, bajamos cada vez más. Habíamos dejado el aire caliente allá arriba y nos íbamos hundiendo en el puro calor sin aire. Todo parecía estar como en espera de algo.

—Hace calor aquí —dije.

—Sí, y esto no es nada —me contestó el otro—. Cálmese. Ya lo sentirá más fuerte cuando lleguemos a Comala. Aquello está sobre las brasas de la tierra, en la mera boca del Infierno. Con decirle que muchos de los que allí se mueren, al llegar al Infierno regresan por su cobija[2].

---

[2] *cobija:* manta para abrigarse que se usa sobre todo en la cama.

—¿Conoce usted a Pedro Páramo? —le pregunté.

Me atreví a hacerlo porque vi en sus ojos una gota de confianza.

—¿Quién es? —volví a preguntar.

—Un rencor vivo —me contestó él.

Y dio un pajuelazo[3] contra los burros, sin necesidad, ya que los burros iban mucho más adelante de nosotros, encarrerados por la bajada.

Sentí el retrato de mi madre guardado en la bolsa de la camisa, calentándome el corazón, como si ella también sudara. Era un retrato viejo, carcomido en los bordes; pero fue el único que conocí de ella. Me lo había encontrado en el armario de la cocina, dentro de una cazuela llena de yerbas: hojas de toronjil, flores de Castilla, ramas de ruda[4]. Desde entonces lo guardé. Era el único. Mi madre siempre fue enemiga de retratarse. Decía que los retratos eran cosa de brujería. Y así parecía ser; porque el suyo estaba lleno de agujeros como de aguja, y en dirección del corazón tenía uno muy grande donde bien podía caber el dedo del corazón.

Es el mismo que traigo aquí, pensando que podría dar buen resultado para que mi padre me reconociera.

—Mire usted —me dice el arriero, deteniéndose—. ¿Ve aquella loma que parece vejiga de puerco? Pues detrasito de ella está la Media Luna. Ahora voltié[5] para allá. ¿Ve la ceja de aquel cerro? Véala. Y ahora voltié para este otro rumbo. ¿Ve la otra ceja que casi no se ve de lo lejos que está? Bueno, pues eso es la Media Luna de punta a cabo. Como quien dice, toda la tierra que se puede abarcar con la mirada. Y es de él todo ese terrenal. El caso es que nuestras madres nos malparieron en un petate[6] aunque éramos hijos de Pedro Páramo. Y lo más

---

[3] *pajuelazo:* latigazo. Deriva de *pajuela,* punta del cordel entretejido del látigo usado por los arrieros.

[4] *toronjil:* plantas aromáticas y medicinales. Se emplean como antiespasmódicos. *Flores de Castilla:* género de plantas arbóreas originarias de Cuba y América Central. *Ruda:* planta herbácea con aplicaciones medicinales.

[5] *voltié:* forma popular de pronunciar *voltee,* imperativo de *voltear.* Dar la vuelta.

[6] *petate* (del náhuatl *petlatl):* estera, generalmente de hoja de palma.

chistoso es que él nos llevó a bautizar. Con usted debe haber pasado lo mismo, ¿no?

—No me acuerdo.

—¡Váyase mucho al carajo!

—¿Qué dice usted?

—Que ya estamos llegando, señor.

—Sí, ya lo veo. ¿Qué pasó por aquí?

—Un correcaminos[7], señor. Así les nombran a esos pájaros.

—No, yo preguntaba por el pueblo, que se ve tan solo, como si estuviera abandonado. Parece que no lo habitara nadie.

—No es que lo parezca. Así es. Aquí no vive nadie.

—¿Y Pedro Páramo?

—Pedro Páramo murió hace muchos años.

Era la hora en que los niños juegan en las calles de todos los pueblos, llenando con sus gritos la tarde. Cuando aún las paredes negras reflejan la luz amarilla del sol.

Al menos eso había visto en Sayula[8], todavía ayer, a esta misma hora. Y había visto también el vuelo de las palomas rompiendo el aire quieto, sacudiendo sus alas como si se desprendieran del día. Volaban y caían sobre los tejados, mientras los gritos de los niños revoloteaban y parecían teñirse de azul en el cielo del atardecer.

Ahora estaba aquí, en este pueblo sin ruidos. Oía caer mis pisadas sobre las piedras redondas con que estaban empedradas las calles. Mis pisadas huecas, repitiendo su sonido en el eco de las paredes teñidas por el sol del atardecer.

Fui andando por la calle real en esa hora. Miré las casas vacías; las puertas desportilladas, invadidas de yerba. ¿Cómo

---

[7] *correcaminos:* ave no volátil, del tamaño de un faisán pequeño, que se desplaza muy rápido. Se encuentra en las zonas desérticas del norte de México, pero no en Jalisco (FJR).

[8] *Sayula:* ciudad de México, en el estado de Jalisco, al sur de la capital del estado; en el censo de 1910 contaba con una población de 10.000 habitantes. Lugar de nacimiento de Rulfo, aunque serían Apulco y San Gabriel las localidades de ese espacio geográfico que estarían más ligadas a su infancia.

me dijo aquel fulano que se llamaba esta yerba? «La capitana[9], señor. Una plaga que nomás[10] espera que se vaya la gente para invadir las casas. Así las verá usted.»

Al cruzar una bocacalle vi una señora envuelta en su rebozo[11] que desapareció como si no existiera. Después volvieron a moverse mis pasos y mis ojos siguieron asomándose al agujero de las puertas. Hasta que nuevamente la mujer del rebozo se cruzó frente a mí.

—¡Buenas noches! —me dijo.

La seguí con la mirada. Le grité:

—¿Dónde vive doña Eduviges?

Y ella señaló con el dedo:

—Allá. La casa que está junto al puente.

Me di cuenta que su voz estaba hecha de hebras humanas, que su boca tenía dientes y una lengua que se trababa y destrababa al hablar, y que sus ojos eran como todos los ojos de la gente que vive sobre la tierra.

Había oscurecido.

Volvió a darme las buenas noches. Y aunque no había niños jugando, ni palomas, ni tejados azules, sentí que el pueblo vivía. Y que si yo escuchaba solamente el silencio, era porque aún no estaba acostumbrado al silencio; tal vez porque mi cabeza venía llena de ruidos y de voces.

De voces, sí. Y aquí, donde el aire era escaso, se oían mejor. Se quedaban dentro de uno, pesadas. Me acordé de lo que me había dicho mi madre: «*Allá me oirás mejor. Estaré más cerca de ti. Encontrarás más cercana la voz de mis recuerdos que la de mi muerte, si es que alguna vez la muerte ha tenido alguna voz.*» Mi madre... la viva.

Hubiera querido decirle: «Te equivocaste de domicilio. Me diste una dirección mal dada. Me mandaste al "¿dónde es esto y dónde es aquello?". A un pueblo solitario. Buscando a alguien que no existe.»

---

[9] *capitana:* planta silvestre, de carácter medicinal.
[10] *nomás:* se utiliza comúnmente en México con el significado de «solamente».
[11] *rebozo:* prenda de vestir femenina, especie de chal largo, con el que se suele tapar la cabeza y la parte inferior del rostro. Popular en México.

Llegué a la casa del puente orientándome por el sonar del río. Toqué la puerta; pero en falso. Mi mano se sacudió en el aire como si el aire la hubiera abierto. Una mujer estaba allí. Me dijo:

—Pase usted.

Y entré.

Me había quedado en Comala. El arriero, que se siguió de filo[12], me informó todavía antes de despedirse:

—Yo voy más allá, donde se ve la trabazón de los cerros. Allá tengo mi casa. Si usted quiere venir, será bienvenido. Ahora que si quiere quedarse aquí, ahi se lo haiga[13]; aunque no estaría por demás que le echara una ojeada al pueblo, tal vez encuentre algún vecino viviente.

Y me quedé. A eso venía.

—¿Dónde podré encontrar alojamiento? —le pregunté ya casi a gritos.

—Busque a doña Eduviges, si es que todavía vive. Dígale que va de mi parte.

—¿Y cómo se llama usted?

—Abundio —me contestó. Pero ya no alcancé a oír el apellido.

—Soy Eduviges Dyada. Pase usted.

Parecía que me hubiera estado esperando. Tenía todo dispuesto, según me dijo, haciendo que la siguiera por una larga serie de cuartos oscuros, al parecer desolados. Pero no; porque, en cuanto me acostumbré a la oscuridad y al delgado

---

[12] *se siguió de filo: de filo* se usa en México para indicar una trayectoria recta y, en el aspecto temporal, la no interrupción de algo. La expresión parecida *de refilón* es distinta, ya que sugiere algo incidental. El uso del pronombre reflexivo *se*, frecuente en los siglos XVI y XVII, ha pervivido en la lengua popular.

[13] *ahi se lo haiga: ahi*, sin acento gráfico, aparece en la novela habitualmente para identificar el habla popular. *Haiga*, forma popular por *haya*. Su formación se debe a una analogía con otros presentes que toman *g*, «valga». Común en el habla popular de México.

hilo de luz que nos seguía, vi crecer sombras a ambos lados y sentí que íbamos caminando a través de un angosto pasillo abierto entre bultos.

—¿Qué es lo que hay aquí? —pregunté.

—Tiliches[14] —me dijo ella—. Tengo la casa toda entilichada. La escogieron para guardar sus muebles los que se fueron, y nadie ha regresado por ellos. Pero el cuarto que le he reservado está al fondo. Lo tengo siempre descombrado por si alguien viene. ¿De modo que usted es hijo de ella?

—¿De quién? —respondí.

—De Doloritas.

—Sí, ¿pero cómo lo sabe?

—Ella me avisó que usted vendría. Y hoy precisamente. Que llegaría hoy.

—¿Quién? ¿Mi madre?

—Sí. Ella.

Yo no supe qué pensar. Ni ella me dejó en qué pensar:

—Éste es su cuarto —me dijo.

No tenía puertas, solamente aquella por donde habíamos entrado. Encendió la vela y lo vi vacío.

—Aquí no hay dónde acostarse —le dije.

—No se preocupe por eso. Usted ha de venir cansado y el sueño es muy buen colchón para el cansancio. Ya mañana le arreglaré su cama. Como usted sabe, no es fácil ajuarear[15] las cosas en un dos por tres. Para eso hay que estar prevenido, y la madre de usted no me avisó sino hasta ahora.

—Mi madre —dije—, mi madre ya murió.

—Entonces ésa fue la causa de que su voz se oyera tan débil, como si hubiera tenido que atravesar una distancia muy larga para llegar hasta aquí. Ahora lo entiendo. ¿Y cuánto hace que murió?

—Hace ya siete días.

—Pobre de ella. Se ha de haber sentido abandonada. Nos hicimos la promesa de morir juntas. De irnos las dos para dar-

---

[14] *tiliche:* cachivache, trasto; mueble o utensilio que no sirve para nada.
[15] *ajuarear:* ajuarar, proveer de ajuar a una vivienda.

nos ánimo una a la otra en el otro viaje, por si se necesitara, por si acaso encontráramos alguna dificultad. Éramos muy amigas. ¿Nunca le habló de mí?

—No, nunca.

—Me parece raro. Claro que entonces éramos unas chiquillas. Y ella estaba apenas recién casada. Pero nos queríamos mucho. Tu madre era tan bonita, tan, digamos, tan tierna, que daba gusto quererla. Daban ganas de quererla. ¿De modo que me lleva ventaja, no? Pero ten la seguridad de que la alcanzaré. Sólo yo entiendo lo lejos que está el Cielo de nosotros; pero conozco cómo acortar las veredas. Todo consiste en morir, Dios mediante, cuando uno quiera y no cuando Él lo disponga. O, si tú quieres, forzarlo a disponer antes de tiempo. Perdóname que te hable de tú; lo hago porque te considero como mi hijo. Sí, muchas veces dije: «El hijo de Dolores debió haber sido mío.» Después te diré por qué. Lo único que quiero decirte ahora es que alcanzaré a tu madre en alguno de los caminos de la eternidad.

Yo creía que aquella mujer estaba loca. Luego ya no creí nada. Me sentí en un mundo lejano y me dejé arrastrar. Mi cuerpo, que parecía aflojarse, se doblaba ante todo, había soltado sus amarras y cualquiera podía jugar con él como si fuera de trapo.

—Estoy cansado —le dije.

—Ven a tomar antes algún bocado. Algo de algo. Cualquier cosa.

—Iré. Iré después.

El agua que goteaba de las tejas hacía un agujero en la arena del patio. Sonaba: plas plas y luego otra vez plas, en mitad de una hoja de laurel que daba vueltas y rebotes metida en la hendidura de los ladrillos. Ya se había ido la tormenta. Ahora de vez en cuando la brisa sacudía las ramas del granado[16] haciéndolas chorrear una lluvia espesa, estampando la

---

[16] *granado:* árbol de cinco o seis metros, cuyo fruto es la granada.

tierra con gotas brillantes que luego se empañaban. Las gallinas, engarruñadas como si durmieran, sacudían de pronto sus alas y salían al patio, picoteando de prisa, atrapando las lombrices desenterradas por la lluvia. Al recorrerse las nubes, el sol sacaba luz a las piedras, irisaba todo de colores, se bebía el agua de la tierra, jugaba con el aire dándole brillo a las hojas con que jugaba el aire.

—¿Qué tanto haces en el excusado, muchacho?

—Nada, mamá.

—Si sigues allí va a salir una culebra y te va a morder.

—Sí, mamá.

«Pensaba en ti, Susana. En las lomas verdes. Cuando volábamos papalotes[17] en la época del aire. Oíamos allá abajo el rumor viviente del pueblo mientras estábamos encima de él, arriba de la loma, en tanto se nos iba el hilo de cáñamo arrastrado por el viento. "Ayúdame, Susana." Y unas manos suaves se apretaban a nuestras manos. "Suelta más hilo."

»El aire nos hacía reír; juntaba la mirada de nuestros ojos, mientras el hilo corría entre los dedos detrás del viento, hasta que se rompía con un leve crujido como si hubiera sido trozado por las alas de algún pájaro. Y allá arriba, el pájaro de papel caía en maromas[18] arrastrando su cola de hilacho, perdiéndose en el verdor de la tierra.

»Tus labios estaban mojados como si los hubiera besado el rocío.»

—Te he dicho que te salgas del excusado, muchacho.

—Sí, mamá. Ya voy.

«De ti me acordaba. Cuando tú estabas allí mirándome con tus ojos de aguamarina»[19].

Alzó la vista y miró a su madre en la puerta.

—¿Por qué tardas tanto en salir? ¿Qué haces aquí?

—Estoy pensando.

---

[17] *papalotes* (del náhuatl *papalotl,* mariposa): cometa.

[18] *en maromas:* dando vueltas sobre su propio eje, haciendo rizos. Es una imagen que tiene como base el trenzado de las cuerdas que componen una *maroma* y, al mismo tiempo, los americanismos *maroma,* función de cometas, y *maromear,* bailar la cometa en una *maroma*.

[19] *aguamarina:* piedra preciosa, transparente, de tonalidad azul.

112

—¿Y no puedes hacerlo en otra parte? Es dañoso estar mucho tiempo en el excusado. Además, debías de ocuparte en algo. ¿Por qué no vas con tu abuela a desgranar maíz?

—Ya voy, mamá. Ya voy.

Abuela, vengo a ayudarle a desgranar maíz.

—Ya terminamos; pero vamos a hacer chocolate. ¿Dónde te habías metido? Todo el rato que duró la tormenta te anduvimos buscando.

—Estaba en el otro patio.

—¿Y qué estabas haciendo? ¿Rezando?

—No, abuela, solamente estaba viendo llover.

La abuela lo miró con aquellos ojos medio grises, medio amarillos, que ella tenía y que parecían adivinar lo que había dentro de uno.

—Vete, pues, a limpiar el molino.

«A centenares de metros, encima de todas las nubes, más, mucho más allá de todo, estás escondida tú, Susana. Escondida en la inmensidad de Dios, detrás de su Divina Providencia, donde yo no puedo alcanzarte ni verte y adonde no llegan mis palabras.»

—Abuela, el molino no sirve, tiene el gusano[20] roto.

—Esa Micaela ha de haber molido molcates[21] en él. No se le quita esa mala costumbre; pero en fin, ya no tiene remedio.

—¿Por qué no compramos otro? Éste ya de tan viejo ni servía.

—Dices bien. Aunque con los gastos que hicimos para enterrar a tu abuelo y los diezmos que le hemos pagado a la Iglesia nos hemos quedado sin un centavo. Sin embargo, haremos un sacrificio y compraremos otro. Sería bueno que fueras a ver a doña Inés Villalpando y le pidieras que nos lo fiara para octubre. Se lo pagaremos en las cosechas.

---

[20] *gusano:* tornillo sin fin (invento atribuido a Arquímedes), pieza común en los molinos de metal.

[21] *molcates* (del náhuatl *molquitl*)*:* mazorcas del maíz que no alcanzan un desarrollo completo. En la cosecha, el maíz se clasifica en *grande, molcate* (mediano) y *xolate* (el más pequeño).

—Sí, abuela.

—Y de paso, para que hagas el mandado completo, dile que nos empreste un cernidor y una podadera; con lo crecidas que están las matas ya mero se nos meten en las trasijaderas. Si yo tuviera mi casa grande, con aquellos grandes corrales que tenía, no me estaría quejando. Pero tu abuelo le jerró[22] con venirse aquí. Todo sea por Dios: nunca han de salir las cosas como uno quiere. Dile a doña Inés que le pagaremos en las cosechas todo lo que le debemos.

—Sí, abuela.

Había chuparrosas[23]. Era la época. Se oía el zumbido de sus alas entre las flores del jazmín que se caía de flores.

Se dio una vuelta por la repisa del Sagrado Corazón y encontró veinticuatro centavos. Dejó los cuatro centavos y tomó el veinte.

Antes de salir, su madre lo detuvo:

—¿Adónde vas?

—Con doña Inés Villalpando por un molino nuevo. El que teníamos se quebró.

—Dile que te dé un metro de tafeta[24] negra, como ésta —y le dio la muestra—. Que lo cargue en nuestra cuenta.

—Muy bien, mamá.

—A tu regreso cómprame unas cafiaspirinas. En la maceta del pasillo encontrarás dinero.

Encontró un peso. Dejó el veinte y agarró el peso.

«Ahora me sobrará dinero para lo que se ofrezca», pensó.

—¡Pedro! —le gritaron—. ¡Pedro!

Pero él ya no oyó. Iba muy lejos.

---

[22] *cernidor;* cernedor, criba, cedazo; *mero:* casi (muy usual en México, tiene también otros significados, como adjetivo o adverbio: preciso, mismo, exacto); *trasijaderas:* referente al trasero, a las nalgas, «eufemismo malicioso por las partes del cuerpo que se callan por pudor» (FJR); *jerró:* erró, se equivocó.

[23] *chuparrosa:* colibrí, también denominado chupaflor o chupamiel.

[24] *tafeta:* tafetán, tela de seda.

Por la noche volvió a llover. Se estuvo oyendo el borbotar del agua durante largo rato; luego se ha de haber dormido, porque cuando despertó sólo se oía una llovizna callada. Los vidrios de la ventana estaban opacos, y del otro lado las gotas resbalaban en hilos gruesos como de lágrimas. «Miraba caer las gotas iluminadas por los relámpagos, y cada que[25] respiraba suspiraba, y cada vez que pensaba, pensaba en ti, Susana.»

La lluvia se convertía en brisa. Oyó: «El perdón de los pecados y la resurrección de la carne. Amén.» Eso era acá adentro, donde unas mujeres rezaban el final del rosario. Se levantaban; encerraban los pájaros; atrancaban la puerta; apagaban la luz.

Sólo quedaba la luz de la noche, el siseo de la lluvia como un murmullo de grillos...

—¿Por qué no has ido a rezar el rosario? Estamos en el novenario de tu abuelo.

Allí estaba su madre en el umbral de la puerta, con una vela en la mano. Su sombra descorrida hacia el techo, larga, desdoblada. Y las vigas del techo la devolvían en pedazos, despedazada.

—Me siento triste —dijo.

Entonces ella se dio vuelta. Apagó la llama de la vela. Cerró la puerta y abrió sus sollozos, que se siguieron oyendo confundidos con la lluvia.

El reloj de la iglesia dio las horas, una tras otra, una tras otra, como si se hubiera encogido el tiempo.

---

[25] La conjunción temporal *cada que* en vez de *cada vez que* fue corriente en el siglo XIV. Durante el siglo XVI se fue convirtiendo en forma popular. Ha sobrevivido en el habla popular de España y, especialmente, en numerosas regiones de Hispanoamérica.

—Pues sí, yo estuve a punto de ser tu madre. ¿Nunca te platicó[26] ella nada de esto?

—No. Sólo me contaba cosas buenas. De usted vine a saber por el arriero que me trajo hasta aquí, un tal Abundio.

—El bueno de Abundio. ¿Así que todavía me recuerda? Yo le daba sus propinas por cada pasajero que encaminara a mi casa. Y a los dos nos iba bien. Ahora, desventuradamente, los tiempos han cambiado, pues desde que esto está empobrecido ya nadie se comunica con nosotros. ¿De modo que él te recomendó que vinieras a verme?

—Me encargó que la buscara.

—No puedo menos que agradecérselo. Fue buen hombre y muy cumplido. Era quien nos acarreaba el correo, y lo siguió haciendo todavía después que se quedó sordo. Me acuerdo del desventurado día que le sucedió su desgracia. Todos nos conmovimos, porque todos lo queríamos. Nos llevaba y traía cartas. Nos contaba cómo andaban las cosas allá del otro lado del mundo, y seguramente a ellos les contaba cómo andábamos nosotros. Era un gran platicador. Después ya no. Dejó de hablar. Decía que no tenía sentido ponerse a decir cosas que él no oía, que no le sonaban a nada, a las que no les encontraba ningún sabor. Todo sucedió a raíz de que le tronó muy cerca de la cabeza uno de esos cohetones que usamos aquí para espantar las culebras de agua[27]. Desde entonces enmudeció, aunque no era mudo; pero, eso sí, no se le acabó lo buena gente.

—Este de que le hablo oía bien.

—No debe ser él. Además, Abundio ya murió. Debe haber muerto seguramente. ¿Te das cuenta? Así que no puede ser él.

—Estoy de acuerdo con usted.

---

[26] *platicar:* hablar, decir, conversar. Al contrario que en España, donde no se utiliza, en México es expresión totalmente habitual.

[27] *cohetones:* cohetes mucho más grandes y ruidosos que los normales; *culebras de agua:* especie de tornados delgados que pueden ser muy destructivos.

—Bueno, volviendo a tu madre, te iba diciendo...

Sin dejar de oírla, me puse a mirar a la mujer que tenía frente a mí. Pensé que debía haber pasado por años difíciles. Su cara se transparentaba como si no tuviera sangre, y sus manos estaban marchitas; marchitas y apretadas de arrugas. No se le veían los ojos. Llevaba un vestido blanco muy antiguo, recargado de holanes[28], y del cuello, enhilada en un cordón, le colgaba una María Santísima del Refugio con un letrero que decía: «Refugio de pecadores.»

—...Ese sujeto de que estoy hablando trabajaba como «amansador» en la Media Luna; decía llamarse Inocencio Osorio. Aunque todos lo conocíamos por el mal nombre del *Saltaperico* por ser muy liviano y ágil para los brincos. Mi compadre Pedro decía que estaba que ni mandado a hacer para amansar potrillos; pero lo cierto es que él tenía otro oficio: el de «provocador». Era provocador de sueños. Eso es lo que era verdaderamente. Y a tu madre la enredó como lo hacía con muchas. Entre otras, conmigo. Una vez que me sentí enferma se presentó y me dijo: "Te vengo a pulsear para que te alivies." Y todo aquello consistía en que se soltaba sobándola a una, primero en las yemas de los dedos, luego restregando las manos; después los brazos, y acababa metiéndose con las piernas de una, en frío, así que aquello al cabo de un rato producía calentura. Y, mientras maniobraba, te hablaba de tu futuro. Se ponía en trance, remolineaba los ojos invocando y maldiciendo; llenándote de escupitajos como hacen los gitanos. A veces se quedaba en cueros porque decía que ése era nuestro deseo. Y a veces le atinaba; picaba por tantos lados que con alguno tenía que dar.

»La cosa es que el tal Osorio le pronosticó a tu madre, cuando fue a verlo, que "esa noche no debía repegarse a ningún hombre porque estaba brava la luna".

»Dolores fue a decirme toda apurada que no podía. Que simplemente se le hacía imposible acostarse esa noche con Pedro Páramo. Era su noche de bodas. Y ahí me tienes a mí tra-

---

[28] *holanes:* volantes de adorno que se ponen en los vestidos de las mujeres.

tando de convencerla de que no se creyera del Osorio, que por otra parte era un embaucador embustero.

»—No puedo —me dijo—. Anda tú por mí. No lo notará.

»Claro que yo era mucho más joven que ella. Y un poco menos morena; pero esto ni se nota en lo oscuro.

»—No puede ser, Dolores, tienes que ir tú.

»—Hazme ese favor. Te lo pagaré con otros.

»Tu madre en ese tiempo era una muchachita de ojos humildes. Si algo tenía bonito tu madre, eran los ojos. Y sabían convencer.

»—Ve tú en mi lugar —me decía.

»Y fui.

»Me valí de la oscuridad y de otra cosa que ella no sabía: y es que a mí también me gustaba Pedro Páramo.

»Me acosté con él, con gusto, con ganas. Me atrinchilé[29] a su cuerpo; pero el jolgorio del día anterior lo había dejado rendido, así que se pasó la noche roncando. Todo lo que hizo fue entreverar sus piernas entre mis piernas.

»Antes que amaneciera me levanté y fui a ver a Dolores. Le dije:

»—Ahora anda tú. Éste es ya otro día.

»—¿Qué te hizo? —me preguntó.

»—Todavía no lo sé —le contesté.

»Al año siguiente naciste tú; pero no de mí, aunque estuvo en un pelo que así fuera.

»Quizá tu madre no te contó esto por vergüenza.

«...*Llanuras verdes. Ver subir y bajar el horizonte con el viento que mueve las espigas, el rizar de la tarde con una lluvia de triples rizos. El color de la tierra, el olor de la alfalfa y del pan. Un pueblo que huele a miel derramada...*»

»Ella siempre odió a Pedro Páramo. "¡Doloritas! ¿Ya ordenó que me preparen el desayuno?" Y tu madre se levantaba antes del amanecer. Prendía el nixtenco[30]. Los gatos se despertaban con el olor de la lumbre. Y ella iba de aquí para allá, seguida por el rondín de gatos. "¡Doña Doloritas!"

---

[29] *atrinchilar:* arrinconar a alguien, generalmente con los brazos.
[30] *nixtenco* (del náhuatl *nextli*, ceniza, y *co*, lugar): fogón, sitio con cenizas calientes.

»¿Cuántas veces oyó tu madre aquel llamado? "Doña Doloritas, esto está frío. Esto no sirve." ¿Cuántas veces? Y aunque estaba acostumbrada a pasar lo peor, sus ojos humildes se endurecieron.

«...*No sentir otro sabor sino el del azahar de los naranjos en la tibieza del tiempo.*»

»Entonces comenzó a suspirar.

»—¿Por qué suspira usted, Doloritas?

»Yo los había acompañado esa tarde. Estábamos en mitad del campo mirando pasar las parvadas de los tordos. Un zopilote[31] solitario se mecía en el cielo.

»—¿Por qué suspira usted, Doloritas?

»—Quisiera ser zopilote para volar adonde vive mi hermana.

»—No faltaba más, doña Doloritas. Ahora mismo irá usted a ver a su hermana. Regresemos. Que le preparen sus maletas. No faltaba más.

»Y tu madre se fue:

»—Hasta luego, don Pedro.

»—¡Adiós!, Doloritas.

»Se fue de la Media Luna para siempre. Yo le pregunté muchos meses después a Pedro Páramo por ella.

»—Quería más a su hermana que a mí. Allá debe estar a gusto. Además ya me tenía enfadado. No pienso inquirir por ella, si es eso lo que te preocupa.

»—¿Pero de qué vivirán?

»—Que Dios los asista.

«...*El abandono en que nos tuvo, mi hijo, cóbraselo caro.*»

»Y así hasta ahora que ella me avisó que vendrías a verme, no volvimos a saber más de ella.»

—La de cosas que han pasado —le dije—. Vivíamos en Colima arrimados a la tía Gertrudis que nos echaba en cara nuestra carga. "¿Por qué no regresas con tu marido?", le decía a mi madre.

---

[31] *zopilote* (del náhuatl *tzopilot*, de *tzotl*, suciedad, y *piloa*, colgar): ave carroñera más grande que una gallina y de alas enormes, emparentada con el buitre, puede volar muy alto.

»—¿Acaso él ha enviado por mí? No me voy si él no me llama. Vine porque te quería ver. Porque te quería, por eso vine.

»—Lo comprendo. Pero ya va siendo hora de que te vayas.

»—Si consistiera en mí.

Pensé que aquella mujer me estaba oyendo; pero noté que tenía borneada la cabeza como si escuchara algún rumor lejano. Luego dijo:

—¿Cuándo descansarás?

«El día que te fuiste entendí que no te volvería a ver. Ibas teñida de rojo por el sol de la tarde, por el crepúsculo ensangrentado del cielo. Sonreías. Dejabas atrás un pueblo del que muchas veces me dijiste: "Lo quiero por ti; pero lo odio por todo lo demás, hasta por haber nacido en él." Pensé: "No regresará jamás; no volverá nunca."»

—¿Qué haces aquí a estas horas? ¿No estás trabajando?

—No, abuela. Rogelio quiere que le cuide al niño. Me paso paseándolo. Cuesta trabajo atender las dos cosas: al niño y el telégrafo, mientras que él se vive tomando cervezas en el billar. Además no me paga nada.

—No estás allí para ganar dinero, sino para aprender; cuando ya sepas algo, entonces podrás ser exigente. Por ahora eres sólo un aprendiz; quizá mañana o pasado llegues a ser tú el jefe. Pero para eso se necesita paciencia y, más que nada, humildad. Si te ponen a pasear al niño, hazlo, por el amor de Dios. Es necesario que te resignes.

—Que se resignen otros, abuela, yo no estoy para resignaciones.

—¡Tú y tus rarezas! Siento que te va a ir mal, Pedro Páramo.

—¿Qué es lo que pasa, doña Eduviges?

Ella sacudió la cabeza como si despertara de un sueño.

—Es el caballo de Miguel Páramo, que galopa por el camino de la Media Luna.

—¿Entonces vive alguien en la Media Luna?

—No, allí no vive nadie.

—¿Entonces?

—Solamente es el caballo que va y viene. Ellos eran inseparables. Corre por todas partes buscándolo y siempre regresa a estas horas. Quizá el pobre no puede con su remordimiento. ¿Cómo hasta los animales se dan cuenta de cuando cometen un crimen, no?

—No entiendo. Ni he oído ningún ruido de ningún caballo.

—¿No?

—No.

—Entonces es cosa de mi sexto sentido. Un don que Dios me dio; o tal vez sea una maldición. Sólo yo sé lo que he sufrido a causa de esto.

Guardó silencio un rato y luego añadió:

—Todo comenzó con Miguel Páramo. Sólo yo supe lo que le había pasado la noche que murió. Estaba ya acostada cuando oí regresar su caballo rumbo a la Media Luna. Me extrañó porque nunca volvía a esas horas. Siempre lo hacía entrada la madrugada. Iba a platicar con su novia a un pueblo llamado Contla[32], algo lejos de aquí. Salía temprano y tardaba en volver. Pero esa noche no regresó... ¿Lo oyes ahora? Está claro que se oye. Viene de regreso.

—No oigo nada.

—Entonces es cosa mía. Bueno, como te estaba diciendo, eso de que no regresó es un puro decir. No había acabado de pasar su caballo cuando sentí que me tocaban por la ventana. Ve tú a saber si fue ilusión mía. Lo cierto es que algo me obligó a ir a ver quién era. Y era él, Miguel Páramo. No me extrañó verlo, pues hubo un tiempo que se pasaba las noches en mi casa durmiendo conmigo, hasta que encontró esa muchacha que le sorbió los sesos.

»—¿Qué pasó? —le dije a Miguel Páramo—. ¿Te dieron calabazas?

---

[32] *Contla:* diversas poblaciones de México reciben este nombre.

»—No. Ella me sigue queriendo —me dijo—. Lo que sucede es que yo no pude dar con ella. Se me perdió el pueblo. Había mucha neblina o humo o no sé qué; pero sí sé que Contla no existe. Fui más allá, según mis cálculos, y no encontré nada. Vengo a contártelo a ti, porque tú me comprendes. Si se lo dijera a los demás de Comala dirían que estoy loco, como siempre han dicho que lo estoy.

»—No. Loco no, Miguel. Debes estar muerto. Acuérdate que te dijeron que ese caballo te iba a matar algún día. Acuérdate, Miguel Páramo. Tal vez te pusiste a hacer locuras y eso ya es otra cosa.

»—Sólo brinqué el lienzo de piedra que últimamente mandó poner mi padre. Hice que el *Colorado* lo brincara para no ir a dar ese rodeo tan largo que hay que hacer ahora para encontrar el camino. Sé que lo brinqué y después seguí corriendo; pero, como te digo, no había más que humo y humo y humo.

»—Mañana tu padre se torcerá de dolor —le dije—. Lo siento por él. Ahora vete y descansa en paz, Miguel. Te agradezco que hayas venido a despedirte de mí.

»Y cerré la ventana.

»Antes de que amaneciera un mozo de la Media Luna vino a decir:

»—El patrón don Pedro le suplica. El niño Miguel ha muerto. Le suplica su compañía.

»—Ya lo sé —le dije—. ¿Te pidieron que lloraras?

»—Sí, don Fulgor me dijo que se lo dijera llorando.

»—Está bien. Dile a don Pedro que allá iré. ¿Hace mucho que lo trajeron?

»—No hace ni media hora. De ser antes, tal vez se hubiera salvado. Aunque, según el doctor que lo palpó, ya estaba frío desde tiempo atrás. Lo supimos porque el *Colorado* volvió solo y se puso tan inquieto que no dejó dormir a nadie. Usted sabe cómo se querían él y el caballo, y hasta estoy por creer que el animal sufre más que don Pedro. No ha comido ni dormido y nomás se vuelve un puro corretear. Como que sabe, ¿sabe usted? Como que se siente despedazado y carcomido por dentro.

»—No se te olvide cerrar la puerta cuando te vayas.

»Y el mozo de la Media Luna se fue.

»¿Has oído alguna vez el quejido de un muerto?» —me preguntó a mí.

—No, doña Eduviges.

—Más te vale.

En el hidrante[33] las gotas caen una tras otra. Uno oye, salida de la piedra, el agua clara caer sobre el cántaro. Uno oye. Oye rumores; pies que raspan el suelo, que caminan, que van y vienen. Las gotas siguen cayendo sin cesar. El cántaro se desborda haciendo rodar el agua sobre un suelo mojado.

«¡Despierta!», le dicen.

Reconoce el sonido de la voz. Trata de adivinar quién es; pero el cuerpo se afloja y cae adormecido, aplastado por el peso del sueño. Unas manos estiran las cobijas prendiéndose de ellas, y debajo de su calor el cuerpo se esconde buscando la paz.

«¡Despiértate!», vuelven a decir.

La voz sacude los hombros. Hace enderezar el cuerpo. Entreabre los ojos. Se oyen las gotas de agua que caen del hidrante sobre el cántaro raso. Se oyen pasos que se arrastran... Y el llanto.

Entonces oyó el llanto. Eso lo despertó: un llanto suave, delgado, que quizá por delgado pudo traspasar la maraña del sueño, llegando hasta el lugar donde anidan los sobresaltos.

Se levantó despacio y vio la cara de una mujer recostada contra el marco de la puerta, oscurecida todavía por la noche, sollozando.

—¿Por qué lloras, mamá? —preguntó; pues en cuanto puso los pies en el suelo reconoció el rostro de su madre.

—Tu padre ha muerto —le dijo.

---

[33] *hidrante*: «En muchos pueblos de Jalisco es común potabilizar el agua filtrándola a través de una vasija gruesa de cantera. De esta vasija cae gota a gota el agua en un recipiente. Se conoce como hidrante el juego de las tres piezas: la estructura que sostiene las vasijas y estas mismas» (Rulfo, *Toda la obra*, 1992: 305; nota de López Mena).

Y luego, como si se le hubieran soltado los resortes de su pena, se dio vuelta sobre sí misma una y otra vez, una y otra vez, hasta que unas manos llegaron hasta sus hombros y lograron detener el rebullir de su cuerpo.

Por la puerta se veía el amanecer en el cielo. No había estrellas. Sólo un cielo plomizo, gris, aún no aclarado por la luminosidad del sol. Una luz parda, como si no fuera a comenzar el día, sino como si apenas estuviera llegando el principio de la noche.

Afuera en el patio, los pasos, como de gente que ronda. Ruidos callados. Y aquí, aquella mujer, de pie en el umbral; su cuerpo impidiendo la llegada del día; dejando asomar, a través de sus brazos, retazos de cielo, y debajo de sus pies regueros de luz; una luz asperjada como si el suelo debajo de ella estuviera anegado en lágrimas. Y después el sollozo. Otra vez el llanto suave pero agudo, y la pena haciendo retorcer su cuerpo.

—Han matado a tu padre.

—¿Y a ti quién te mató, madre?

«Hay aire y sol, hay nubes. Allá arriba un cielo azul y detrás de él tal vez haya canciones; tal vez mejores voces... Hay esperanza, en suma. Hay esperanza para nosotros, contra nuestro pesar.

»Pero no para ti, Miguel Páramo, que has muerto sin perdón y no alcanzarás ninguna gracia.»

El padre Rentería dio vuelta al cuerpo y entregó la misa al pasado. Se dio prisa por terminar pronto y salió sin dar la bendición final a aquella gente que llenaba la iglesia.

—¡Padre, queremos que nos lo bendiga!

—¡No! —dijo moviendo negativamente la cabeza—. No lo haré. Fue un mal hombre y no entrará al Reino de los Cielos. Dios me tomará a mal que interceda por él.

Lo decía, mientras trataba de retener sus manos para que no enseñaran su temblor. Pero fue.

Aquel cadáver pesaba mucho en el ánimo de todos. Estaba sobre una tarima, en medio de la iglesia, rodeado de cirios nuevos, de flores, de un padre que estaba detrás de él, solo, esperando que terminara la velación.

El padre Rentería pasó junto a Pedro Páramo procurando no rozarle los hombros. Levantó el hisopo con ademanes suaves y roció el agua bendita de arriba abajo, mientras salía de su boca un murmullo, que podía ser de oraciones. Después se arrodilló y todo el mundo se arrodilló con él:

—Ten piedad de tu siervo, Señor.

—Que descanse en paz, amén —contestaron las voces.

Y cuando empezaba a llenarse nuevamente de cólera, vio que todos abandonaban la iglesia llevándose el cadáver de Miguel Páramo.

Pedro Páramo se acercó, arrodillándose a su lado:

—Yo sé que usted lo odiaba, padre. Y con razón. El asesinato de su hermano, que según rumores fue cometido por mi hijo; el caso de su sobrina Ana, violada por él según el juicio de usted; las ofensas y falta de respeto que le tuvo en ocasiones, son motivos que cualquiera puede admitir. Pero olvídese ahora, padre. Considérelo y perdónelo como quizá Dios lo haya perdonado.

Puso sobre el reclinatorio un puño de monedas de oro y se levantó:

—Reciba eso como una limosna para su iglesia.

La iglesia estaba ya vacía. Dos hombres esperaban en la puerta a Pedro Páramo, quien se juntó con ellos, y juntos siguieron el féretro que aguardaba descansando sobre los hombros de cuatro caporales[34] de la Media Luna.

El padre Rentería recogió las monedas una por una y se acercó al altar.

—Son tuyas —dijo—. Él puede comprar la salvación. Tú sabes si éste es el precio. En cuanto a mí, Señor, me pongo ante tus plantas para pedirte lo justo o lo injusto, que todo nos es dado pedir... Por mí, condénalo, Señor.

Y cerró el sagrario.

Entró en la sacristía, se echó en un rincón, y allí lloró de pena y de tristeza hasta agotar sus lágrimas.

—Está bien, Señor, tú ganas —dijo después.

---

[34] *caporales:* capataces de una hacienda o finca.

Durante la cena tomó su chocolate como todas las noches. Se sentía tranquilo.

—Oye, Anita. ¿Sabes a quién enterraron hoy?

—No, tío.

—¿Te acuerdas de Miguel Páramo?

—Sí, tío.

—Pues a él.

Ana agachó la cabeza.

—Estás segura de que él fue, ¿verdad?

—Segura no, tío. No le vi la cara. Me agarró de noche y en lo oscuro.

—¿Entonces cómo supiste que era Miguel Páramo?

—Porque él me lo dijo: «Soy Miguel Páramo, Ana. No te asustes.» Eso me dijo.

—¿Pero sabías que era el autor de la muerte de tu padre, no?

—Sí, tío.

—¿Entonces qué hiciste para alejarlo?

—No hice nada.

Los dos guardaron silencio por un rato. Se oía el aire tibio entre las hojas del arrayán[35].

—Me dijo que precisamente a eso venía: a pedirme disculpas y a que yo lo perdonara. Sin moverme de la cama le avisé: «La ventana está abierta.» Y él entró. Llegó abrazándome, como si ésa fuera la forma de disculparse por lo que había hecho. Y yo le sonreí. Pensé en lo que usted me había enseñado: que nunca hay que odiar a nadie. Le sonreí para decírselo; pero después pensé que él no pudo ver mi sonrisa, porque yo no lo veía a él, por lo negra que estaba la noche. Solamen-

---

[35] *arrayán:* árbol que puede llegar a una altura de ocho metros, oloroso, con ramas flexibles, hojas pequeñas y duras de color verde vivo. Produce frutos agridulces muy apreciados, por lo que es frecuente encontrarlo en los patios y huertas de las casas de los pueblos de Jalisco y lugares cercanos (FJR).

126

te lo sentí encima de mí y que comenzaba a hacer cosas malas conmigo.

»Creí que me iba a matar. Eso fue lo que creí, tío. Y hasta dejé de pensar para morirme antes de que él me matara. Pero seguramente no se atrevió a hacerlo.

»Lo supe cuando abrí los ojos y vi la luz de la mañana que entraba por la ventana abierta. Antes de esa hora, sentí que había dejado de existir.»

—Pero debes tener alguna seguridad. La voz. ¿No lo conociste por su voz?

—No lo conocía por nada. Sólo sabía que había matado a mi padre. Nunca lo había visto y después no lo llegué a ver. No hubiera podido, tío.

—Pero sabías quién era.

—Sí. Y qué cosa era. Sé que ahora debe estar en lo mero hondo del Infierno; porque así se lo he pedido a todos los santos con todo mi fervor.

—No estés tan convencida de eso, hija. ¡Quién sabe cuántos estén rezando ahora por él! Tú estás sola. Un ruego contra miles de ruegos. Y entre ellos, algunos mucho más hondos que el tuyo, como es el de su padre.

Iba a decirle: «Además, yo le he dado el perdón.» Pero sólo lo pensó. No quiso maltratar el alma medio quebrada de aquella muchacha. Antes, por el contrario, la tomó del brazo y le dijo:

—Démosle gracias a Dios Nuestro Señor porque se lo ha llevado de esta tierra donde causó tanto mal, no importa que ahora lo tenga en su Cielo.

Un caballo pasó al galope donde se cruza la calle real con el camino de Contla. Nadie lo vio. Sin embargo, una mujer que esperaba en las afueras del pueblo contó que había visto el caballo corriendo con las piernas dobladas como si se fuera a ir de bruces. Reconoció el alazán de Miguel Páramo. Y hasta pensó: «Ese animal se va a romper la cabeza.» Luego vio cuando enderezaba el cuerpo y, sin aflojar la carrera, caminaba con el pescuezo echado hacia atrás como si viniera asustado por algo que había dejado allá atrás.

Esos chismes llegaron a la Media Luna la noche del entierro, mientras los hombres descansaban de la larga caminata que habían hecho hasta el panteón.

Platicaban, como se platica en todas partes, antes de ir a dormir.

—A mí me dolió mucho ese muerto —dijo Terencio Lubianes—. Todavía traigo adoloridos los hombros.

—Y a mí —dijo su hermano Ubillado—. Hasta se me agrandaron los juanetes. Con eso de que el patrón quiso que todos fuéramos de zapatos. Ni que hubiera sido día de fiesta, ¿verdad, Toribio?

—Yo qué quieren que les diga. Pienso que se murió muy a tiempo.

Al rato llegaron más chismes de Contla. Los trajo la última carreta.

—Dicen que por allá anda el ánima. Lo han visto tocando la ventana de fulanita. Igualito a él. De chaparreras[36] y todo.

—¿Y usted cree que don Pedro, con el genio que se carga, iba a permitir que su hijo siga traficando viejas? Ya me lo imagino si lo supiera: «—Bueno —le diría—. Tú ya estás muerto. Estáte quieto en tu sepultura. Déjanos el negocio a nosotros.» Y de verlo por ahi, casi me las apuesto que lo mandaría de nuevo al camposanto.

—Tienes razón, Isaías. Ese viejo no se anda con cosas.

El carretero siguió su camino: «Como la supe, se las endoso.»

Había estrellas fugaces. Caían como si el cielo estuviera lloviznando lumbre.

—Miren nomás —dijo Terencio— el borlote[37] que se traen allá arriba.

—Es que le están celebrando su función al Miguelito —terció Jesús.

—¿No será mala señal?

—¿Para quién?

—Quizá tu hermana esté nostálgica por su regreso.

---

[36] *chaparreras:* piezas de piel que los jinetes llevan sobre los pantalones, a modo de protección, y que se sujetan a la cintura con unas correas.
[37] *borlote:* baile, tumulto, algazara.

—¿A quién le hablas?

—A ti.

—Mejor vámonos, muchachos. Hemos trafagueado[38] mucho y mañana hay que madrugar.

Y se disolvieron como sombras.

Había estrellas fugaces. Las luces en Comala se apagaron.

Entonces el cielo se adueñó de la noche.

El padre Rentería se revolcaba en su cama sin poder dormir: «Todo esto que sucede es por mi culpa —se dijo—. El temor de ofender a quienes me sostienen. Porque ésta es la verdad; ellos me dan mi mantenimiento. De los pobres no consigo nada; las oraciones no llenan el estómago. Así ha sido hasta ahora. Y éstas son las consecuencias. Mi culpa. He traicionado a aquellos que me quieren y que me han dado su fe y me buscan para que yo interceda por ellos para con Dios. ¿Pero qué han logrado con su fe? ¿La ganancia del Cielo? ¿O la purificación de sus almas? Y para qué purifican su alma, si en el último momento... Todavía tengo frente a mis ojos la mirada de María Dyada, que vino a pedirme salvara a su hermana Eduviges:

»—Ella sirvió siempre a sus semejantes. Les dio todo lo que tuvo. Hasta les dio un hijo, a todos. Y se los[39] puso enfrente para que alguien lo reconociera como suyo; pero nadie lo quiso hacer. Entonces les dijo: "En ese caso yo soy también su padre, aunque por casualidad haya sido su madre." Abusaron de su hospitalidad por esa bondad suya de no querer ofenderlos ni de malquistarse con ninguno.

»—Pero ella se suicidó. Obró contra la mano de Dios.

---

[38] *trafaguear:* trafagar, trajinar, moverse de un lado para otro.

[39] *se los:* se lo; solecismo muy arraigado en el habla popular de numerosas regiones de Hispanoamérica. Trata de evitar la ambigüedad del *lo* indicando la pluralidad del complemento indirecto *se* añadiendo una *s* al complemento directo *lo,* aun cuando es singular.

»—No le quedaba otro camino. Se resolvió a eso también por bondad.

»—Falló a última hora —eso es lo que le dije—. En el último momento. ¡Tantos bienes acumulados para su salvación, y perderlos así de pronto!

»—Pero si no los perdió. Murió con muchos dolores. Y el dolor... Usted nos ha dicho algo acerca del dolor que ya no recuerdo. Ella se fue por ese dolor. Murió retorcida por la sangre que la ahogaba. Todavía veo sus muecas, y sus muecas eran los más tristes gestos que ha hecho un ser humano.

»—Tal vez rezando mucho.

»—Vamos rezando mucho, padre.

»—Digo tal vez, si acaso, con las misas gregorianas[40]; pero para eso necesitamos pedir ayuda, mandar traer sacerdotes. Y eso cuesta dinero.

»Allí estaba frente a mis ojos la mirada de María Dyada, una pobre mujer llena de hijos.

»—No tengo dinero. Eso usted lo sabe, padre.

»—Dejemos las cosas como están. Esperemos en Dios.

»—Sí, padre.»

¿Por qué aquella mirada se volvía valiente ante la resignación? Qué le costaba a él perdonar, cuando era tan fácil decir una palabra o dos, o cien palabras si éstas fueran necesarias para salvar el alma. ¿Qué sabía él del Cielo y del Infierno? Y sin embargo, él, perdido en un pueblo sin nombre, sabía los que habían merecido el Cielo. Había un catálogo. Comenzó a recorrer los santos del panteón católico comenzando por los del día: «Santa Nunilona, virgen y mártir; Anercio, obispo; Santas Salomé viuda, Alodia o Elodia y Nulina, vírgenes; Córdula y Donato.» Y siguió. Ya iba siendo dominado por el sueño cuando se sentó en la cama: «Estoy repasando una hilera de santos como si estuviera viendo saltar cabras.»

Salió fuera y miró el cielo. Llovían estrellas. Lamentó aquello porque hubiera querido ver un cielo quieto. Oyó el canto

---

[40] *misas gregorianas:* en sufragio de los difuntos, y celebradas durante treinta días seguidos. Llamadas así por haber sido el papa Gregorio IX quien concedió indulgencias especiales para estos casos.

130

de los gallos. Sintió la envoltura de la noche cubriendo la tierra. La tierra, «este valle de lágrimas».

—Más te vale, hijo. Más te vale —me dijo Eduviges Dyada.

Ya estaba alta la noche. La lámpara que ardía en un rincón comenzó a languidecer; luego parpadeó y terminó apagándose.

Sentí que la mujer se levantaba y pensé que iría por una nueva luz. Oí sus pasos cada vez más lejanos. Me quedé esperando.

Pasado un rato y al ver que no volvía, me levanté yo también. Fui caminando a pasos cortos, tentaleando[41] en la oscuridad, hasta que llegué a mi cuarto. Allí me senté en el suelo a esperar el sueño.

Dormí a pausas.

En una de esas pausas fue cuando oí el grito. Era un grito arrastrado como el alarido de algún borracho: «¡Ay vida, no me mereces!»

Me enderecé de prisa porque casi lo oí junto a mis orejas; pudo haber sido en la calle; pero yo lo oí aquí, untado a las paredes de mi cuarto. Al despertar, todo estaba en silencio; sólo el caer de la polilla y el rumor del silencio.

No, no era posible calcular la hondura del silencio que produjo aquel grito. Como si la tierra se hubiera vaciado de su aire. Ningún sonido; ni el del resuello, ni el del latir del corazón; como si se detuviera el mismo ruido de la conciencia. Y cuando terminó la pausa y volví a tranquilizarme, retornó el grito y se siguió oyendo por un largo rato: «¡Déjenme aunque sea el derecho de pataleo que tienen los ahorcados!»

Entonces abrieron de par en par la puerta.

—¿Es usted, doña Eduviges? —pregunté—. ¿Qué es lo que está sucediendo? ¿Tuvo usted miedo?

—No me llamo Eduviges. Soy Damiana. Supe que estabas aquí y vine a verte. Quiero invitarte a dormir a mi casa. Allí tendrás dónde descansar.

---

[41] *tentalear:* reconocer a tientas una cosa.

—¿Damiana Cisneros? ¿No es usted de las que vivieron en la Media Luna?

—Allá vivo. Por eso he tardado en venir.

—Mi madre me habló de una tal Damiana que me había cuidado cuando nací. ¿De modo que usted...?

—Sí, yo soy. Te conozco desde que abriste los ojos.

—Iré con usted. Aquí no me han dejado en paz los gritos. ¿No oyó lo que estaba pasando? Como que estaban asesinando a alguien. ¿No acaba usted de oír?

—Tal vez sea algún eco que está aquí encerrado. En este cuarto ahorcaron a Toribio Aldrete hace mucho tiempo. Luego condenaron la puerta, hasta que él se secara; para que su cuerpo no encontrara reposo. No sé cómo has podido entrar, cuando no existe llave para abrir esta puerta.

—Fue doña Eduviges quien abrió. Me dijo que era el único cuarto que tenía disponible.

—¿Eduviges Dyada?

—Ella.

—Pobre Eduviges. Debe de andar penando todavía.

«Fulgor Sedano, hombre de 54 años, soltero, de oficio administrador, apto para entablar y seguir pleitos, por poder y por mi propio derecho, reclamo y alego lo siguiente...»

Eso había dicho cuando levantó el acta contra actos de Toribio Aldrete. Y terminó: «Que conste mi acusación por usufruto.»

—A usted ni quien le quite lo hombre, don Fulgor. Sé que usted las puede[42]. Y no por el poder que tiene atrás, sino por usted mismo.

Se acordaba. Fue lo primero que le dijo el Aldrete, después que se habían estado emborrachando juntos, dizque[43] para celebrar el acta:

---

[42] *poderlas:* tener influencia suma cerca de una persona, administración, etc. El pronombre complemento *las* con valor de indefinido y con antecedente no expreso se ha extendido a muchas expresiones populares.

[43] *dizque:* dice que. Forma antigua que sigue utilizándose en Hispanoamérica, básicamente en el lenguaje popular. En este caso tiene un tono irónico.

—Con ese papel nos vamos a limpiar usted y yo, don Fulgor, porque no va a servir para otra cosa. Y eso usted lo sabe. En fin, por lo que a usted respecta, ya cumplió con lo que le mandaron, y a mí me quitó de apuraciones; porque me tenía usted preocupado, lo que sea de cada quien. Ahora ya sé de qué se trata y me da risa. Dizque «usufruto». Vergüenza debía darle a su patrón ser tan ignorante.

Se acordaba. Estaban en la fonda de Eduviges. Y hasta él le había preguntado:

—Oye, Viges, ¿me puedes prestar el cuarto del rincón?

—Los que usted quiera, don Fulgor; si quiere, ocúpelos todos. ¿Se van a quedar a dormir aquí sus hombres?

—No, nada más uno. Despreocúpate de nosotros y vete a dormir. Nomás déjanos la llave.

—Pues ya le digo, don Fulgor —le dijo Toribio Aldrete—. A usted ni quien le menoscabe lo hombre que es; pero me lleva la rejodida con ese hijo de la rechintola[44] de su patrón.

Se acordaba. Fue lo último que le oyó decir en sus cinco sentidos. Después se había comportado como un collón[45], dando de gritos. «Dizque la fuerza que yo tenía atrás. ¡Vaya!»

^aTocó con el mango del chicote[46] la puerta de la casa de Pedro Páramo. Pensó en la primera vez que lo había hecho, dos semanas atrás. Esperó un buen rato del mismo modo que tuvo que esperar aquella vez. Miró también, como lo hizo la otra vez, el moño negro que colgaba del dintel de la puerta. Pero no comentó consigo mismo: «¡Vaya! Los han encimado. El primero está ya descolorido, el último relumbra como si fuera de seda; aunque no es más que un trapo teñido.»

---

[44] *rejodida:* expresión vulgar cuya base semántica está en el término *jodido,* que, en actitud pasiva, equivale a deprimido, fastidiado. *Rechintola:* insulto, palabra formada a partir de *chingar,* término que en México es especialmente utilizado en expresiones soeces.
[45] *collón:* cobarde.
[46] *chicote:* látigo.

La primera vez se estuvo esperando hasta llenarse con la idea de que quizá la casa estuviera deshabitada. Y ya se iba cuando apareció la figura de Pedro Páramo.

—Pasa, Fulgor.

Era la segunda ocasión que se veían. La primera nada más él lo vio; porque el Pedrito estaba recién nacido. Y ésta. Casi se podía decir que era la primera vez. Y le resultó que le hablaba como a un igual. ¡Vaya! Lo siguió a grandes trancos, chicoteándose las piernas: «Sabrá pronto que yo soy el que sabe. Lo sabrá. Y a lo que vengo.»

—Siéntate, Fulgor. Aquí hablaremos con más calma.

Estaban en el corral. Pedro Páramo se arrellanó en un pesebre y esperó:

—¿Por qué no te sientas?

—Prefiero estar de pie, Pedro.

—Como tú quieras. Pero no se te olvide el «don».

¿Quién era aquel muchacho para hablarle así? Ni su padre don Lucas Páramo se había atrevido a hacerlo. Y de pronto éste, que jamás se había parado en la Media Luna, ni conocía de oídas el trabajo, le hablaba como a un gañán. ¡Vaya, pues!

—¿Cómo anda aquello?

Sintió que llegaba su oportunidad. «Ahora me toca a mí», pensó.

—Mal. No queda nada. Hemos vendido el último ganado.

Comenzó a sacar los papeles para informarle a cuánto ascendía todavía el adeudo. Y ya iba a decir: «Debemos tanto», cuando oyó:

—¿A quién le debemos? No me importa cuánto, sino a quién.

Le repasó una lista de nombres. Y terminó:

—No hay de dónde sacar para pagar. Ése es el asunto.

—¿Y por qué?

—Porque la familia de usted lo absorbió todo. Pedían y pedían, sin devolver nada. Eso se paga caro. Ya lo decía yo: «A la larga acabarán con todo.» Bueno, pues acabaron. Aunque hay por allí quien se interese en comprar los terrenos. Y pagan bien. Se podrían cubrir las libranzas pendientes y todavía quedaría algo; aunque, eso sí, algo mermado.

—¿No serás tú?

—¡Cómo se pone a creer que yo!

—Yo creo hasta el bendito[47]. Mañana comenzaremos a arreglar nuestros asuntos. Empezaremos por las Preciados. ¿Dices que a ellas les debemos más?

—Sí. Y a las que les hemos pagado menos. El padre de usted siempre las pospuso para lo último. Tengo entendido que una de ellas, Matilde, se fue a vivir a la ciudad. No sé si a Guadalajara o a Colima. Y la Lola, quiero decir, doña Dolores, ha quedado como dueña de todo. Usted sabe: el rancho de Enmedio. Y es a ella a la que le tenemos que pagar.

—Mañana vas a pedir la mano de la Lola.

—Pero cómo quiere usted que me quiera, si ya estoy viejo.

—La pedirás para mí. Después de todo tiene alguna gracia. Le dirás que estoy muy enamorado de ella. Y que si lo tiene a bien. De pasada, dile al padre Rentería que nos arregle el trato. ¿Con cuánto dinero cuentas?

—Con ninguno, don Pedro.

—Pues prométeselo. Dile que en teniendo se le pagará. Casi estoy seguro de que no pondrá dificultades. Haz eso mañana mismo.

—¿Y lo del Aldrete?

—¿Qué se trae el Aldrete? Tú me mencionaste a las Preciados y a los Fregosos y a los Guzmanes. ¿Con qué sale ahora el Aldrete?

—Cuestión de límites. Él ya mandó cercar y ahora pide que echemos el lienzo que falta para hacer la división.

—Eso déjalo para después. No te preocupen los lienzos. No habrá lienzos. La tierra no tiene divisiones. Piénsalo, Fulgor, aunque no se lo des a entender. Arregla por de pronto lo de la Lola. ¿No quieres sentarte?

—Me sentaré, don Pedro. Palabra que me está gustando tratar con usted.

—Le dirás a la Lola esto y lo otro y que la quiero. Eso es importante. De cierto, Sedano, la quiero. Por sus ojos, ¿sabes?

---

[47] *el bendito:* «Alguien crédulo: creer en una oración que comienza con "bendito y alabado"» (FJR). Hay muchas oraciones que emplean el término «bendito».

Eso harás mañana tempranito. Te reduzco tu tarea de administrador. Olvídate de la Media Luna.

«¿De dónde diablos habrá sacado esas mañas el muchacho? —pensó Fulgor Sedano mientras regresaba a la Media Luna—. Yo no esperaba de él nada. "Es un inútil", decía de él mi difunto patrón don Lucas. "Un flojo de marca." Yo le daba la razón. "Cuando me muera váyase buscando otro trabajo, Fulgor." "Sí, don Lucas." "Con decirle, Fulgor, que he intentado mandarlo al seminario para ver si al menos eso le da para comer y mantener a su madre cuando yo les falte; pero ni a eso se decide." "Usted no se merece eso, don Lucas." "No se cuenta con él para nada, ni para que me sirva de bordón[48] servirá cuando yo esté viejo. Se me malogró, qué quiere usted, Fulgor." "Es una verdadera lástima, don Lucas."»

Y ahora esto. De no haber sido porque estaba tan encariñado con la Media Luna, ni lo hubiera venido a ver. Se habría largado sin avisarle. Pero le tenía aprecio a aquella tierra; a esas lomas pelonas tan trabajadas y que todavía seguían aguantando el surco, dando cada vez más de sí... La querida Media Luna... Y sus agregados: «Vente para acá, tierrita de Enmedio.» La veía venir. Como que aquí estaba ya. Lo que significa una mujer después de todo. «¡Vaya que sí!», dijo. Y chicoteó sus piernas al trasponer la puerta grande de la hacienda.

Fue muy fácil encampanarse a la Dolores. Si hasta le relumbraron los ojos y se le descompuso la cara.

—Perdóneme que me ponga colorada, don Fulgor. No creí que don Pedro se fijara en mí.

—No duerme, pensando en usted.

—Pero si él tiene de dónde escoger. Abundan tantas muchachas bonitas en Comala. ¿Qué dirán ellas cuando lo sepan?

---

[48] *bordón:* bastón más alto que un hombre; es decir, apoyo.

—Él sólo piensa en usted, Dolores. De ahi en más, en nadie.

—Me hace usted que me den escalofríos, don Fulgor. Ni siquiera me lo imaginaba.

—Es que es un hombre tan reservado. Don Lucas Páramo, que en paz descanse, le llegó a decir que usted no era digna de él. Y se calló la boca por pura obediencia. Ahora que él ya no existe, no hay ningún impedimento. Fue su primera decisión; aunque yo había tardado en cumplirla por mis muchos quehaceres. Pongamos por fecha de la boda pasado mañana. ¿Qué opina usted?

—¿No es muy pronto? No tengo nada preparado. Necesito encargar los ajuares. Le escribiré a mi hermana. O no, mejor le voy a mandar un propio[49]; pero de cualquier manera no estaré lista antes del 8 de abril. Hoy estamos a 1. Sí, apenas para el 8. Dígale que espere unos diyitas.

—Él quisiera que fuera ahora mismo. Si es por los ajuares, nosotros se los proporcionamos. La difunta madre de don Pedro espera que usted vista sus ropas. En la familia existe esa costumbre.

—Pero además hay algo para estos días. Cosas de mujeres, sabe usted. ¡Oh!, cuánta vergüenza me da decirle esto, don Fulgor. Me hace usted que se me vayan los colores. Me toca la luna. ¡Oh!, qué vergüenza.

—¿Y qué? El matrimonio no es asunto de si haya o no haya luna. Es cosa de quererse. Y, en habiendo esto, todo lo demás sale sobrando.

—Pero es que usted no me entiende, don Fulgor.

—Entiendo. La boda será pasado mañana.

Y la dejó con los brazos extendidos pidiendo ocho días, nada más ocho días.

«Que no se me olvide decirle a don Pedro —¡vaya muchacho listo ese Pedro!—, decirle que no se le olvide decirle al juez que los bienes son mancomunados. "Acuérdate, Fulgor, de decírselo mañana mismo."»

La Dolores, en cambio, corrió a la cocina con un aguamanil para poner agua caliente: «Voy a hacer que esto baje más

---

[49] *un propio:* persona que se envía con una carta o recado.

pronto. Que baje esta misma noche. Pero de todas maneras me durará mis tres días. No tendrá remedio. ¡Qué felicidad! ¡Oh, qué felicidad! Gracias, Dios mío, por darme a don Pedro.» Y añadió: «Aunque después me aborrezca.»

—Ya está pedida y muy de acuerdo. El padre cura quiere sesenta pesos por pasar por alto lo de las amonestaciones. Le dije que se le darían a su debido tiempo. Él dice que le hace falta componer el altar y que la mesa de su comedor está toda desconchinflada. Le prometí que le mandaríamos una mesa nueva. Dice que usted nunca va a misa. Le prometí que iría. Y desde que murió su abuela ya no le han dado los diezmos. Le dije que no se preocupara. Está conforme.

—¿No le pediste algo adelantado a la Dolores?

—No, patrón. No me atreví. Ésa es la verdad. Estaba tan contenta que no quise estropearle su entusiasmo.

—Eres un niño.

«¡Vaya! Yo un niño. Con 55 años encima. Él apenas comenzando a vivir y yo a pocos pasos de la muerte.»

—No quise quebrarle su contento.

—A pesar de todo, eres un niño.

—Está bien, patrón.

—La semana venidera irás con el Aldrete. Y le dices que recorra el lienzo. Ha invadido tierras de la Media Luna.

—Él hizo bien sus mediciones. A mí me consta.

—Pues dile que se equivocó. Que estuvo mal calculado. Derrumba los lienzos si es preciso.

—¿Y las leyes?

—¿Cuáles leyes, Fulgor? La ley de ahora en adelante la vamos a hacer nosotros. ¿Tienes trabajando en la Media Luna a algún atravesado?

—Sí, hay uno que otro.

—Pues mándalos en comisión con el Aldrete. Le levantas un acta acusándolo de «usufruto» o de lo que a ti se te ocurra. Y recuérdale que Lucas Páramo ya murió. Que conmigo hay que hacer nuevos tratos.

138

El cielo era todavía azul. Había pocas nubes. El aire soplaba allá arriba, aunque aquí abajo se convertía en calor.

23 Tocó nuevamente con el mango del chicote, nada más por insistir, ya que sabía que no abrirían hasta que se le antojara a Pedro Páramo. Dijo mirando hacia el dintel de la puerta: «Se ven bonitos esos moños negros, lo que sea de cada quien.»

En ese momento abrieron y él entró.

—Pasa, Fulgor. ¿Está arreglado el asunto de Toribio Aldrete?

—Está liquidado, patrón.

—Nos queda la cuestión de los Fregosos. Deja eso pendiente. Ahorita estoy muy ocupado con mi «luna de miel».

24 —Este pueblo está lleno de ecos. Tal parece que estuvieran encerrados en el hueco de las paredes o debajo de las piedras. Cuando caminas, sientes que te van pisando los pasos. Oyes crujidos. Risas. Unas risas ya muy viejas, como cansadas de reír. Y voces ya desgastadas por el uso. Todo eso oyes. Pienso que llegará el día en que estos sonidos se apaguen.

Eso me venía diciendo Damiana Cisneros mientras cruzábamos el pueblo.

—Hubo un tiempo que estuve oyendo durante muchas noches el rumor de una fiesta. Me llegaban los ruidos hasta la Media Luna. Me acerqué para ver el mitote[50] aquel y vi esto: lo que estamos viendo ahora. Nada. Nadie. Las calles tan solas como ahora.

»Luego dejé de oírla. Y es que la alegría cansa. Por eso no me extrañó que aquello terminara.

»Sí —volvió a decir Damiana Cisneros—. Este pueblo está lleno de ecos. Yo ya no me espanto. Oigo el aullido de

---

[50] *mitote* (del náhuatl *mitotl*): alboroto, fiesta. Su significado original hace referencia a un baile azteca.

los perros y dejo que aúllen. Y en días de aire se ve al viento arrastrando hojas de árboles, cuando aquí, como tú ves, no hay árboles. Los hubo en algún tiempo, porque si no ¿de dónde saldrían esas hojas?

»Y lo peor de todo es cuando oyes platicar a la gente, como si las voces salieran de alguna hendidura y, sin embargo, tan claras que las reconoces. Ni más ni menos, ahora que venía, encontré un velorio. Me detuve a rezar un Padre nuestro. En esto estaba, cuando una mujer se apartó de las demás y vino a decirme:

»—¡Damiana! ¡Ruega a Dios por mí, Damiana!

»Soltó el rebozo y reconocí la cara de mi hermana Sixtina.

»—¿Qué andas haciendo aquí? —le pregunté.

»Entonces ella corrió a esconderse entre las demás mujeres.

»Mi hermana Sixtina, por si no lo sabes, murió cuando yo tenía 12 años. Era la mayor. Y en mi casa fuimos dieciséis de familia, así que hazte el cálculo del tiempo que lleva muerta. Y mírala ahora, todavía vagando por este mundo. Así que no te asustes si oyes ecos más recientes, Juan Preciado»[51].

—¿También a usted le avisó mi madre que yo vendría? —le pregunté.

—No. Y a propósito, ¿qué es de tu madre?

—Murió —dije.

—¿Ya murió? ¿Y de qué?

—No supe de qué. Tal vez de tristeza. Suspiraba mucho.

—Eso es malo. Cada suspiro es como un sorbo de vida del que uno se deshace. ¿De modo que murió?

—Sí. Quizá usted debió saberlo.

—¿Y por qué iba a saberlo? Hace muchos años que no sé nada.

—Entonces ¿cómo es que dio usted conmigo?

—...

—¿Está usted viva, Damiana? ¡Dígame, Damiana!

---

[51] Hasta ahora no conocíamos el nombre del personaje narrador del nivel *A*.

Y me encontré de pronto solo en aquellas calles vacías. Las ventanas de las casas abiertas al cielo, dejando asomar las varas correosas de la yerba. Bardas descarapeladas[52] que enseñaban sus adobes revenidos.

—¡Damiana! —grité—. ¡Damiana Cisneros!

Me contestó el eco: «¡...ana ...neros! ¡...ana ...neros!»

Oí que ladraban los perros, como si yo los hubiera despertado.

Vi un hombre cruzar la calle:

—¡Ey, tú! —llamé.

—¡Ey, tú! —me respondió mi propia voz.

Y como si estuvieran a la vuelta de la esquina, alcancé a oír a unas mujeres que platicaban:

—Mira quién viene por allí. ¿No es Filoteo Aréchiga?

—Es él. Pon la cara de disimulo.

—Mejor vámonos. Si se va detrás de nosotras es que de verdad quiere a una de las dos. ¿A quién crees tú que sigue?

—Seguramente a ti.

—A mí se me figura que a ti.

—Deja ya de correr. Se ha quedado parado en aquella esquina.

—Entonces a ninguna de las dos, ¿ya ves?

—Pero qué tal si hubiera resultado que a ti o a mí. ¿Qué tal?

—No te hagas ilusiones.

—Después de todo estuvo hasta mejor. Dicen por ahi los díceres que es él el que se encarga de conchabarle[53] muchachas a don Pedro. De la que nos escapamos.

—¿Ah, sí? Con ese viejo no quiero tener nada que ver.

—Mejor vámonos.

—Dices bien. Vámonos de aquí.

---

[52] *bardas:* paredes, tapias; *descarapelar:* vulgarismo, por escarapelar. En algunas zonas de América significa desconchar, resquebrajar.

[53] *conchabar: Amer.,* conseguir, poner a alguien de nuestra parte.

La noche. Mucho más allá de la medianoche. Y las voces:

—...Te digo que si el maíz de este año se da bien, tendré con qué pagarte. Ahora que si se me echa a perder, pues te aguantas.

—No te exijo. Ya sabes que he sido consecuente contigo. Pero la tierra no es tuya. Te has puesto a trabajar en terreno ajeno. ¿De dónde vas a conseguir para pagarme?

—¿Y quién dice que la tierra no es mía?

—Se afirma que se la has vendido a Pedro Páramo.

—Yo ni me le he acercado a ese señor. La tierra sigue siendo mía.

—Eso dices tú. Pero por ahi dicen que todo es de él.

—Que me lo vengan a decir a mí.

—Mira, Galileo, yo a ti, aquí en confianza, te aprecio. Por algo eres el marido de mi hermana. Y de que la tratas bien, ni quien lo dude. Pero a mí no me vas a negar que vendiste las tierras.

—Te digo que a nadie se las he vendido.

—Pues son de Pedro Páramo. Seguramente él así lo ha dispuesto. ¿No te ha venido a ver don Fulgor?

—No.

—Seguramente mañana lo verás venir. Y si no mañana, cualquier otro día.

—Pues me mata o se muere; pero no se saldrá con la suya.

—Requiescat in paz, amén, cuñado. Por si las dudas[54].

—Me volverás a ver, ya lo verás. Por mí no tengas cuidado. Por algo mi madre me curtió bien el pellejo para que se me pusiera correoso.

—Entonces hasta mañana. Dile a Felícitas que esta noche no voy a cenar. No me gustaría contar después: «Yo estuve con él la víspera.»

---

[54] *por si las dudas:* versión de la expresión popular *por las dudas,* común en algunas regiones hispanoamericanas, y que equivale a *por si acaso.* En España una frase similar es *por si las moscas.*

—Te guardaremos algo por si te animas a última hora.

Se oyó el trastazo de los pasos que se iban entre un ruido de espuelas.

27
—...Mañana, en amaneciendo, te irás conmigo, Chona. Ya tengo aparejadas las bestias.

—¿Y si mi padre se muere de la rabia? Con lo viejo que está... Nunca me perdonaría que por mi causa le pasara algo. Soy la única gente que tiene para hacerle hacer sus necesidades. Y no hay nadie más. ¿Qué prisa corres para robarme? Aguántate un poquito. Él no tardará en morirse.

—Lo mismo me dijiste hace un año. Y hasta me echaste en cara mi falta de arriesgue, ya que tú estabas, según eso, harta de todo. He aprontado las mulas y están listas. ¿Te vas conmigo?

—Déjamelo pensar.

—¡Chona! No sabes cuánto me gustas. Ya no puedo aguantar las ganas, Chona. Así que te vas conmigo o te vas conmigo.

—Déjamelo pensar. Entiende. Tenemos que esperar a que él se muera. Le falta poquito. Entonces me iré contigo y no necesitarás robarme.

—Eso me dijiste también hace un año.

—¿Y qué?

—Pues que he tenido que alquilar las mulas. Ya las tengo. Nomás te están esperando. ¡Deja que él se las avenga solo! Tú estás bonita. Eres joven. No faltará cualquier vieja que venga a cuidarlo. Aquí sobran almas caritativas.

—No puedo.

—Que sí puedes.

—No puedo. Me da pena, ¿sabes? Por algo es mi padre.

—Entonces ni hablar. Iré a ver a la Juliana, que se desvive por mí.

—Está bien. Yo no te digo nada.

—¿No me quieres ver mañana?

—No. No quiero verte más.

143

28 Ruidos. Voces. Rumores. Canciones lejanas:

> *Mi novia me dio un pañuelo*
> *con orillas de llorar...*

En falsete. Como si fueran mujeres las que cantaran.

29 Vi pasar las carretas. Los bueyes moviéndose despacio. El crujir de las piedras bajo las ruedas. Los hombres como si vinieran dormidos.

«*...Todas las madrugadas el pueblo tiembla con el paso de las carretas. Llegan de todas partes, copeteadas de salitre, de mazorcas, de yerba de pará*[55]. *Rechinan sus ruedas haciendo vibrar las ventanas, despertando a la gente. Es la misma hora en que se abren los hornos y huele a pan recién horneado. Y de pronto puede tronar el cielo. Caer la lluvia. Puede venir la primavera. Allá te acostumbrarás a los "derrepentes", mi hijo.*»

Carretas vacías, remoliendo el silencio de las calles. Perdiéndose en el oscuro camino de la noche. Y las sombras. El eco de las sombras.

Pensé regresar. Sentí allá arriba la huella por donde había venido, como una herida abierta entre la negrura de los cerros.

Entonces alguien me tocó los hombros.

—¿Qué hace usted aquí?

—Vine a buscar... —y ya iba a decir a quién, cuando me detuve—: vine a buscar a mi padre.

—¿Y por qué no entra?

Entré. Era una casa con la mitad del techo caída. Las tejas en el suelo. El techo en el suelo. Y en la otra mitad un hombre y una mujer.

---

[55] *pará:* gramínea forrajera de engorde.

144

—¿No están ustedes muertos? —les pregunté.

Y la mujer sonrió. El hombre me miró seriamente.

—Está borracho —dijo el hombre.

—Solamente está asustado —dijo la mujer.

Había un aparato de petróleo. Había una cama de otate, y un equipal[56] en que estaban las ropas de ella. Porque ella estaba en cueros, como Dios la echó al mundo. Y él también.

—Oímos que alguien se quejaba y daba de cabezazos contra nuestra puerta. Y allí estaba usted. ¿Qué es lo que le ha pasado?

—Me han pasado tantas cosas, que mejor quisiera dormir.

—Nosotros ya estábamos dormidos.

—Durmamos, pues.

30

La madrugada fue apagando mis recuerdos.

Oía de vez en cuando el sonido de las palabras, y notaba la diferencia. Porque las palabras que había oído hasta entonces, hasta entonces lo supe[57], no tenían ningún sonido, no sonaban; se sentían; pero sin sonido, como las que se oyen durante los sueños.

—¿Quién será? —preguntaba la mujer.

—Quién sabe —contestaba el hombre.

—¿Cómo vendría a dar aquí?

—Quién sabe.

—Como que le oí decir algo de su padre.

—Yo también le oí decir eso.

—¿No andará perdido? Acuérdate cuando cayeron por aquí aquellos que dijeron andar perdidos. Buscaban un lugar llamado Los Confines y tú les dijiste que no sabías dónde quedaba eso.

---

[56] *otate* (del náhuatl *otlatl):* cañas de carrizo. Aquí se refiere a los haces de varas que unidos en forma de plancha sirven de cama. *Equipal* (del náhuatl *icpalli):* silla de carrizo o bejuco, a manera de canasta invertida, con el asiento y el respaldo de cuero o de palma tejida.

[57] *hasta entonces lo supe:* en contra del uso normal, la omisión de *no* en el empleo de *hasta* + una expresión temporal con verbo es un fenómeno corriente en diversas regiones de América. Equivale a *hasta entonces no lo supe*.

—Sí, me acuerdo; pero déjame dormir. Todavía no amanece.

—Falta poco. Si por algo te estoy hablando es para que despiertes. Me encomendaste que te recordara antes del amanecer. Por eso lo hago. ¡Levántate!

—¿Y para qué quieres que me levante?

—No sé para qué. Me dijiste anoche que te despertara. No me aclaraste para qué.

—En ese caso, déjame dormir. ¿No oíste lo que dijo ése cuando llegó? Que lo dejáramos dormir. Fue lo único que dijo.

Como que se van las voces. Como que se pierde su ruido. Como que se ahogan. Ya nadie dice nada. Es el sueño.

Y al rato otra vez:

—Acaba de moverse. Si se ofrece, ya va a despertar. Y si nos mira aquí nos preguntará cosas.

—¿Qué preguntas puede hacernos?

—Bueno. Algo tendrá que decir, ¿no?

—Déjalo. Debe estar muy cansado.

—¿Crees tú?

—Ya cállate, mujer.

—Mira, se mueve. ¿Te fijas cómo se revuelca? Igual que si lo zangolotearan[58] por dentro. Lo sé porque a mí me ha sucedido.

—¿Qué te ha sucedido a ti?

—Aquello.

—No sé de qué hablas.

—No hablaría si no me acordara al ver a ése, rebulléndose, de lo que me sucedió a mí la primera vez que lo hiciste. Y de cómo me dolió y de lo mucho que me arrepentí de eso.

—¿De cuál eso?

—De cómo me sentía apenas me hiciste aquello, que aunque tú no quieras yo supe que estaba mal hecho.

—¿Y hasta ahora vienes con ese cuento? ¿Por qué no te duermes y me dejas dormir?

—Me pediste que te recordara. Eso estoy haciendo. Por Dios que estoy haciendo lo que me pediste que hiciera. ¡Ándale! Ya va siendo hora de que te levantes.

---

[58] *zangolotear:* sacudir, mover.

—Déjame en paz, mujer.

El hombre pareció dormir. La mujer siguió rezongando; pero con voz muy queda:

—Ya debe haber amanecido, porque hay luz. Puedo ver a ese hombre desde aquí, y si lo veo es porque hay luz bastante para verlo. No tardará en salir el sol. Claro, eso ni se pregunta. Si se ofrece, el tal es algún malvado. Y le hemos dado cobijo. No le hace[59] que nomás haya sido por esta noche; pero lo escondimos. Y eso nos traerá el mal a la larga... Míralo cómo se mueve, como que no encuentra acomodo. Si se ofrece ya no puede con su alma.

Aclaraba el día. El día desbarata las sombras. Las deshace. El cuarto donde estaba se sentía caliente con el calor de los cuerpos dormidos. A través de los párpados me llegaba el albor del amanecer. Sentía la luz. Oía:

—Se rebulle sobre sí mismo como un condenado. Y tiene todas las trazas de un mal hombre. ¡Levántate, Donis! Míralo. Se restriega contra el suelo, retorciéndose. Babea. Ha de ser alguien que debe muchas muertes. Y tú ni lo reconociste.

—Debe ser un pobre hombre. ¡Duérmete y déjanos dormir!

—¿Y por qué me voy a dormir, si yo no tengo sueño?

—¡Levántate y lárgate adonde no des guerra!

—Eso haré. Iré a prender la lumbre. Y de paso le diré a ese fulano que venga a acostarse aquí contigo, en el lugar que yo voy a dejarle.

—Díselo.

—No podré. Me dará miedo.

—Entonces vete a hacer tu quehacer y déjanos en paz.

—Eso haré.

—¿Y qué esperas?

—Ya voy.

Sentí que la mujer bajaba de la cama. Sus pies descalzos taconeaban el suelo y pasaban por encima de mi cabeza. Abrí y cerré los ojos.

---

[59] *no le hace:* no importa. Locución verbal muy popular en México, sobre todo en el habla rústica, cuyo uso también está extendido a otras zonas de América.

Cuando desperté, había un sol de mediodía. Junto a mí, un jarro de café. Intenté beber aquello. Le di unos sorbos.

—No tenemos más. Perdone lo poco. Estamos tan escasos de todo, tan escasos...

Era una voz de mujer.

—No se preocupe por mí —le dije—. Por mí no se preocupe. Estoy acostumbrado. ¿Cómo se va uno de aquí?

—¿Para dónde?

—Para donde sea.

—Hay multitud de caminos. Hay uno que va para Contla; otro que viene de allá. Otro más que enfila derecho a la sierra. Ese que se mira desde aquí, que no sé para dónde irá —y me señaló con sus dedos el hueco del tejado, allí donde el techo estaba roto—. Este otro de por acá, que pasa por la Media Luna. Y hay otro más, que atraviesa toda la tierra y es el que va más lejos.

—Quizá por ése fue por donde vine.

—¿Para dónde va?

—Va para Sayula.

—Imagínese usted. Yo que creía que Sayula quedaba de este lado. Siempre me ilusionó conocerlo. Dicen que por allá hay mucha gente, ¿no?

—La que hay en todas partes.

—Figúrese usted. Y nosotros aquí tan solos. Desviviéndonos por conocer aunque sea tantito de la vida.

—¿Adónde fue su marido?

—No es mi marido. Es mi hermano; aunque él no quiere que se sepa. ¿Que adónde fue? De seguro a buscar un becerro cimarrón que anda por ahí desbalagado[60]. Al menos eso me dijo.

—¿Cuánto hace que están ustedes aquí?

—Desde siempre. Aquí nacimos.

—Debieron conocer a Dolores Preciado.

—Tal vez él, Donis. Yo sé tan poco de la gente. Nunca salgo. Aquí donde me ve, aquí he estado sempiternamente... Bueno, ni tan siempre. Sólo desde que él me hizo su mujer.

---

[60] *desbalagado:* extraviado, suelto.

Desde entonces me la paso encerrada, porque tengo miedo de que me vean. Él no quiere creerlo, pero, ¿verdad que estoy para dar miedo? —y se acercó adonde le daba el sol—. ¡Míreme la cara!

Era una cara común y corriente.

—¿Qué es lo que quiere que le mire?

—¿No me ve el pecado? ¿No ve esas manchas moradas como de jiote[61] que me llenan de arriba abajo? Y eso es sólo por fuera; por dentro estoy hecha un mar de lodo.

—¿Y quién la puede ver si aquí no hay nadie? He recorrido el pueblo y no he visto a nadie.

—Eso cree usted; pero todavía hay algunos. ¿Dígame si Filomeno no vive, si Dorotea, si Melquiades, si Prudencio el viejo, si Sóstenes y todos ésos no viven? Lo que acontece es que se la pasan encerrados. De día no sé qué harán; pero las noches se las pasan en su encierro. Aquí esas horas están llenas de espantos. Si usted viera el gentío de ánimas que andan sueltas por la calle. En cuanto oscurece comienzan a salir. Y a nadie le gusta verlas. Son tantas, y nosotros tan poquitos, que ya ni la lucha le hacemos para rezar porque salgan de sus penas. No ajustarían nuestras oraciones para todos. Si acaso les tocaría un pedazo de Padre nuestro. Y eso no les puede servir de nada. Luego están nuestros pecados de por medio. Ninguno de los que todavía vivimos está en gracia de Dios. Nadie podrá alzar sus ojos al Cielo sin sentirlos sucios de vergüenza. Y la vergüenza no cura. Al menos eso me dijo el obispo que pasó por aquí hace algún tiempo dando confirmaciones. Yo me le puse enfrente y le confesé todo:

»—Eso no se perdona —me dijo.

»—Estoy avergonzada.

»—No es el remedio.

»—¡Cásenos usted!

»—¡Apártense!

»Yo le quise decir que la vida nos había juntado, acorralándonos y puesto uno junto al otro. Estábamos tan solos aquí,

---

[61] *jiote* (del náhuatl *xiotl):* enfermedad cutánea que suele ir acompañada de escozor; produce manchas grandes y escamosas.

149

que los únicos éramos nosotros. Y de algún modo había que poblar el pueblo. Tal vez tenga ya a quién confirmar cuando regrese.

»—Sepárense. Eso es todo lo que se puede hacer.

»—Pero ¿cómo viviremos?

»—Como viven los hombres.

»Y se fue, montado en su macho, la cara dura, sin mirar hacia atrás, como si hubiera dejado aquí la imagen de la perdición. Nunca ha vuelto. Y ésa es la cosa por la que esto está lleno de ánimas; un puro vagabundear de gente que murió sin perdón y que no lo conseguirá de ningún modo, mucho menos valiéndose de nosotros. Ya viene. ¿Lo oye usted?»

—Sí, lo oigo.

—Es él.

Se abrió la puerta.

—¿Qué pasó con el becerro? —preguntó ella.

—Se le ocurrió no venir ahora; pero fui siguiendo su rastro y casi estoy por saber dónde asiste. Hoy en la noche lo agarraré.

—¿Me vas a dejar sola a la noche?

—Puede ser que sí.

—No podré soportarlo. Necesito tenerte conmigo. Es la única hora que me siento tranquila. La hora de la noche.

—Esta noche iré por el becerro.

—Acabo de saber —intervine yo— que son ustedes hermanos.

—¿Lo acaba de saber? Yo lo sé mucho antes que usted. Así que mejor no intervenga. No nos gusta que se hable de nosotros.

—Yo lo decía en un plan de entendimiento. No por otra cosa.

—¿Qué entiende usted?

Ella se puso a su lado, apoyándose en sus hombros y diciendo también:

—¿Qué entiende usted?

—Nada —dije—. Cada vez entiendo menos —y añadí—: Quisiera volver al lugar de donde vine. Aprovecharé la poca luz que queda del día.

—Es mejor que espere —me dijo él—. Aguarde hasta mañana. No tarda en oscurecer y todos los caminos están enma-

rañados de breñas. Puede usted perderse. Mañana yo lo enca-
minaré.

—Está bien.

³¹Por el techo abierto al cielo vi pasar parvadas de tordos, esos
pájaros que vuelan al atardecer antes que la oscuridad les
cierre los caminos. Luego, unas cuantas nubes ya desmenuzadas por el viento que viene a llevarse el día.

Después salió la estrella de la tarde, y más tarde la luna.

El hombre y la mujer no estaban conmigo. Salieron por la
puerta que daba al patio y cuando regresaron ya era de noche.
Así que ellos no supieron lo que había sucedido mientras andaban afuera.

Y esto fue lo que sucedió:

Viniendo de la calle, entró una mujer en el cuarto. Era vieja de muchos años, y flaca como si le hubieran achicado el
cuero. Entró y paseó sus ojos redondos por el cuarto. Tal vez
hasta me vio. Tal vez creyó que yo dormía. Se fue derecho
adonde estaba la cama y sacó de debajo de ella una petaca. La
esculcó[62]. Puso unas sábanas debajo de su brazo y se fue andando de puntitas como para no despertarme.

Yo me quedé tieso, aguantando la respiración, buscando
mirar hacia otra parte. Hasta que al fin logré torcer la cabeza
y ver hacia allá, donde la estrella de la tarde se había juntado
con la luna.

—¡Tome esto! —oí.

No me atrevía a volver la cabeza.

—¡Tómelo! Le hará bien. Es agua de azahar[63]. Sé que está
asustado porque tiembla. Con esto se le bajará el miedo.

Reconocí aquellas manos y al alzar los ojos reconocí la
cara. El hombre, que estaba detrás de ella, preguntó:

---

[62] *petaca* (del náhuatl *petlacalli*): en México, maleta. *Esculcar:* registrar en busca de algo.

[63] *agua de azahar:* bebida preparada con flor de naranjo que se emplea
como sedante.

—¿Se siente usted enfermo?

—No sé. Veo cosas y gente donde quizá ustedes no vean nada. Acaba de estar aquí una señora. Ustedes tuvieron que verla salir.

—Vente —le dijo él a la mujer—. Déjalo solo. Debe ser un místico.

—Debemos acostarlo en la cama. Mira cómo tiembla, de seguro tiene fiebre.

—No le hagas caso. Estos sujetos se ponen en ese estado para llamar la atención. Conocí a uno en la Media Luna que se decía adivino. Lo que nunca adivinó fue que se iba a morir en cuanto el patrón le adivinó lo chapucero. Ha de ser un místico de esos. Se pasan la vida recorriendo los pueblos «a ver lo que la Providencia quiera darles»; pero aquí no va a encontrar ni quien le quite el hambre. ¿Ves cómo ya dejó de temblar? Y es que nos está oyendo.

32

Como si hubiera retrocedido el tiempo. Volví a ver la estrella junto a la luna. Las nubes deshaciéndose. Las parvadas de los tordos. Y en seguida la tarde todavía llena de luz.

Las paredes reflejando el sol de la tarde. Mis pasos rebotando contra las piedras. El arriero que me decía: «¡Busque a doña Eduviges, si todavía vive!»

Luego un cuarto a oscuras. Una mujer roncando a mi lado. Noté que su respiración era dispareja como si estuviera entre sueños, más bien como si no durmiera y sólo imitara los ruidos que produce el sueño. La cama era de otate cubierta con costales que olían a orines, como si nunca los hubieran oreado al sol; y la almohada era una jerga que envolvía pochote[64] o una lana tan dura o tan sudada que se había endurecido como leño.

---

[64] *jerga:* tela gruesa y tosca; *pochote* (del náhuatl *pochotl):* especie de heno producido por la ceiba, árbol americano de gran envergadura.

152

Junto a mis rodillas sentía las piernas desnudas de la mujer, y junto a mi cara su respiración. Me senté en la cama apoyándome en aquel como adobe de la almohada.

—¿No duerme usted? —me preguntó ella.

—No tengo sueño. He dormido todo el día. ¿Dónde está su hermano?

—Se fue por esos rumbos. Ya usted oyó adonde tenía que ir. Quizá no venga esta noche.

—¿De manera que siempre[65] se fue? ¿A pesar de usted?

—Sí. Y tal vez no regrese. Así comenzaron todos. Que voy a ir aquí, que voy a ir más allá. Hasta que se fueron alejando tanto, que mejor no volvieron. Él siempre ha tratado de irse, y creo que ahora le ha llegado su turno. Quizá sin yo saberlo, me dejó con usted para que me cuidara. Vio su oportunidad. Eso del becerro cimarrón fue sólo un pretexto. Ya verá usted que no vuelve.

Quise decirle: «Voy a salir a buscar un poco de aire, porque siento náuseas»; pero dije:

—No se preocupe. Volverá.

Cuando me levanté, me dijo:

—He dejado en la cocina algo sobre las brasas. Es muy poco; pero es algo que puede calmarle el hambre.

Encontré un trozo de cecina y encima de las brasas unas tortillas[66].

—Son cosas que le pude conseguir —oí que me decía desde allá—. Se las cambié a mi hermana por dos sábanas limpias que yo tenía guardadas desde el tiempo de mi madre. Ella ha de haber venido a recogerlas. No se lo quise decir delante de Donis; pero fue ella la mujer que usted vio y que lo asustó tanto.

Un cielo negro, lleno de estrellas. Y junto a la luna la estrella más grande de todas.

---

[65] *siempre:* finalmente, de todos modos. En Hispanoamérica este adverbio tiene usos mucho más variados que en España. Su utilización en este sentido es frecuente.

[66] *tortilla:* pan en forma de disco como del diámetro de un plato, por lo común de masa de maíz, cocida en comal, que constituye la base de la alimentación de la gente pobre, del campesinado y del indígena, pero que también se usa mucho en la mesa de cualquier categoría social.

33 —¿No me oyes? —pregunté en voz baja.

Y su voz me respondió:

—¿Dónde estás?

—Estoy aquí, en tu pueblo. Junto a tu gente. ¿No me ves?

—No, hijo, no te veo.

Su voz parecía abarcarlo todo. Se perdía más allá de la tierra.

—No te veo.

34 Regresé al mediotecho donde dormía aquella mujer y le dije:

—Me quedaré aquí, en mi mismo rincón. Al fin y al cabo la cama está igual de dura que el suelo. Si algo se le ofrece, avíseme.

Ella me dijo:

—Donis no volverá. Se lo noté en los ojos. Estaba esperando que alguien viniera para irse. Ahora tú te encargarás de cuidarme. ¿O qué, no quieres cuidarme? Vente a dormir aquí conmigo.

—Aquí estoy bien.

—Es mejor que te subas a la cama. Allí te comerán las turicatas[67].

Entonces fui y me acosté con ella.

35 El calor me hizo despertar al filo de la medianoche. Y el sudor. El cuerpo de aquella mujer hecho de tierra, envuelto en costras de tierra, se desbarataba[68] como si estuviera derritiéndose en un charco de lodo. Yo me sentía nadar entre el sudor

---

[67] *turicatas:* nombre vulgar de una especie de garrapatas que ataca a los cerdos y caballerías.

[68] *desbaratarse:* hacerse pedazos, desintegrarse, etc. De uso muy frecuente en México.

154

que chorreaba de ella y me faltó el aire que se necesita para respirar. Entónces me levanté. La mujer dormía. De su boca borbotaba un ruido de burbujas muy parecido al del estertor.

Salí a la calle para buscar el aire; pero el calor que me perseguía no se despegaba de mí.

Y es que no había aire; sólo la noche entorpecida y quieta, acalorada por la canícula de agosto.

No había aire. Tuve que sorber el mismo aire que salía de mi boca, deteniéndolo con las manos antes de que se fuera. Lo sentía ir y venir, cada vez menos; hasta que se hizo tan delgado que se filtró entre mis dedos para siempre.

Digo para siempre.

Tengo memoria de haber visto algo así como nubes espumosas haciendo remolino sobre mi cabeza y luego enjuagarme con aquella espuma y perderme en su nublazón. Fue lo último que vi.

—¿Quieres hacerme creer que te mató el ahogo, Juan Preciado? Yo te encontré en la plaza, muy lejos de la casa de Donis, y junto a mí también estaba él, diciendo que te estabas haciendo el muerto. Entre los dos te arrastramos a la sombra del portal, ya bien tirante, acalambrado como mueren los que mueren muertos de miedo. De no haber habido aire para respirar esa noche de que hablas, nos hubieran faltado las fuerzas para llevarte y contimás para enterrarte. Y ya ves, te enterramos.

—Tienes razón, Doroteo. ¿Dices que te llamas Doroteo?

—Da lo mismo. Aunque mi nombre sea Dorotea. Pero da lo mismo.

—Es cierto, Dorotea. Me mataron los murmullos.

«*Allá hallarás mi querencia. El lugar que yo quise. Donde los sueños me enflaquecieron. Mi pueblo, levantado sobre la llanura. Lleno de árboles y de hojas, como una alcancía*[69] *donde hemos guardado*

---

[69] *alcancía:* hucha. Por asociación, objetos cuyo fin es guardar cosas estimadas por el depositario.

nuestros recuerdos. Sentirás que allí uno quisiera vivir para la eterni-
dad. El amanecer; la mañana; el mediodía y la noche, siempre los
mismos; pero con la diferencia del aire. Allí, donde el aire cambia el
color de las cosas; donde se ventila la vida como si fuera un murmu-
llo; como si fuera un puro murmullo de la vida...»

—Sí, Dorotea. Me mataron los murmullos. Aunque ya traía retrasado el miedo. Se me había venido juntando, hasta
que ya no pude soportarlo. Y cuando me encontré con los
murmullos se me reventaron las cuerdas.

»Llegué a la plaza, tienes tú razón. Me llevó hasta allí el bu-
llicio de la gente y creí que de verdad la había. Yo ya no estaba muy en mis cabales; recuerdo que me vine apoyando en
las paredes como si caminara con las manos. Y de las paredes
parecían destilar los murmullos como si se filtraran de entre
las grietas y las descarapeladuras. Yo los oía. Eran voces de
gente; pero no voces claras, sino secretas, como si me murmu-
raran algo al pasar, o como si zumbaran contra mis oídos. Me
aparté de las paredes y seguí por mitad de la calle; pero las oía
igual, igual que si vinieran conmigo, delante o detrás de mí.
No sentía calor, como te dije antes; antes por el contrario,
sentía frío. Desde que salí de la casa de aquella mujer que me
prestó su cama y que, como te decía, la vi deshacerse en el
agua de su sudor, desde entonces me entró frío. Y conforme
yo andaba, el frío aumentaba más y más, hasta que se me en-
chinó el pellejo[70]. Quise retroceder porque pensé que regre-
sando podría encontrar el calor que acababa de dejar; pero
me di cuenta a poco andar que el frío salía de mí, de mi propia sangre. Entonces reconocí que estaba asustado. Oí el alboroto mayor en la plaza y creí que allí entre la gente se me ba-
jaría el miedo. Por eso es que ustedes me encontraron en la
plaza. ¿De modo que siempre volvió Donis? La mujer estaba
segura de que jamás lo volvería a ver.»

—Fue ya de mañana cuando te encontramos. Él venía de
no sé dónde. No se lo pregunté.

—Bueno, pues llegué a la plaza. Me recargué en un pilar de
los portales. Vi que no había nadie, aunque seguía oyendo el

---

[70] *enchinarse el pellejo:* ponérsele a uno piel de gallina, levantarse los pelos de
la piel a causa del miedo.

murmullo como de mucha gente en día de mercado. Un rumor parejo, sin ton ni son, parecido al que hace el viento contra las ramas de un árbol en la noche, cuando no se ven ni el árbol ni las ramas, pero se oye el murmurar. Así. Ya no di un paso más. Comencé a sentir que se me acercaba y daba vueltas a mi alrededor aquel bisbiseo apretado como un enjambre, hasta que alcancé a distinguir unas palabras casi vacías de ruido: «Ruega a Dios por nosotros.» Eso oí que me decían. Entonces se me heló el alma. Por eso es que ustedes me encontraron muerto.

—Mejor no hubieras salido de tu tierra. ¿Qué viniste a hacer aquí?

—Ya te lo dije en un principio. Vine a buscar a Pedro Páramo, que según parece fue mi padre. Me trajo la ilusión.

—¿La ilusión? Eso cuesta caro. A mí me costó vivir más de lo debido. Pagué con eso la deuda de encontrar a mi hijo, que no fue, por decirlo así, sino una ilusión más; porque nunca tuve ningún hijo. Ahora que estoy muerta me he dado tiempo para pensar y enterarme de todo. Ni siquiera el nido para guardarlo me dio Dios. Sólo esa larga vida arrastrada que tuve, llevando de aquí para allá mis ojos tristes que siempre miraron de reojo, como buscando detrás de la gente, sospechando que alguien me hubiera escondido a mi niño. Y todo fue culpa de un maldito sueño. He tenido dos: a uno de ellos lo llamo el «bendito» y a otro el «maldito». El primero fue el que me hizo soñar que había tenido un hijo. Y mientras viví, nunca dejé de creer que fuera cierto; porque lo sentí entre mis brazos, tiernito, lleno de boca y de ojos y de manos; durante mucho tiempo conservé en mis dedos la impresión de sus ojos dormidos y el palpitar de su corazón. ¿Cómo no iba a pensar que aquello fuera verdad? Lo llevaba conmigo adondequiera que iba, envuelto en mi rebozo, y de pronto lo perdí. En el Cielo me dijeron que se habían equivocado conmigo. Que me habían dado un corazón de madre, pero un seno de una cualquiera. Ése fue el otro sueño que tuve. Llegué al Cielo y me asomé a ver si entre los ángeles reconocía la cara de mi hijo. Y nada. Todas las caras eran iguales, hechas con el mismo molde. Entonces pregunté. Uno de aquellos santos se me acercó y, sin decirme nada, hundió una de sus manos en mi estómago como si la hubiera hundido en un montón de cera. Al sacarla me enseñó algo así como una cáscara de nuez: "Esto prueba lo que te demuestra."

»Tú sabes cómo hablan raro allá arriba; pero se les entiende. Les quise decir que aquello era sólo mi estómago engarruñado por las hambres y por el poco comer; pero otro de aquellos santos me empujó por los hombros y me enseñó la puerta de salida: "Ve a descansar un poco más a la tierra, hija, y procura ser buena para que tu Purgatorio sea menos largo."

»Ése fue el sueño «maldito» que tuve y del cual saqué la aclaración de que nunca había tenido ningún hijo. Lo supe ya muy tarde, cuando el cuerpo se me había achaparrado, cuando el espinazo se me saltó por encima de la cabeza, cuando ya no podía caminar. Y de remate, el pueblo se fue quedando solo; todos largaron camino para otros rumbos y con ellos se fue también la caridad de la que yo vivía. Me senté a esperar la muerte. Después que te encontramos a ti, se resolvieron mis huesos a quedarse quietos. "Nadie me hará caso", pensé. Soy algo que no le estorba a nadie. Ya ves, ni siquiera le robé el espacio a la tierra. Me enterraron en tu misma sepultura y cupe muy bien en el hueco de tus brazos. Aquí en este rincón donde me tienes ahora. Sólo se me ocurre que debería ser yo la que te tuviera abrazado a ti. ¿Oyes? Allá afuera está lloviendo. ¿No sientes el golpear de la lluvia?»

—Siento como si alguien caminara sobre nosotros.

—Ya déjate de miedos. Nadie te puede dar ya miedo. Haz por pensar en cosas agradables porque vamos a estar mucho tiempo enterrados.

37 Al amanecer, gruesas gotas de lluvia cayeron sobre la tierra. Sonaban huecas al estamparse en el polvo blando y suelto de los surcos. Un pájaro burlón[71] cruzó a ras del suelo y gimió imitando el quejido de un niño; más allá se le oyó dar un gemido como de cansancio, y todavía más lejos, por donde comenzaba a abrirse el horizonte, soltó un hipo y luego una risotada, para volver a gemir después.

---

[71] *pájaro burlón:* nombre popular que en varias partes de México dan al zenzontle, ave canora imitadora de la voz humana.

Fulgor Sedano sintió el olor de la tierra y se asomó a ver cómo la lluvia desfloraba los surcos. Sus ojos pequeños se alegraron. Dio hasta tres bocanadas de aquel sabor y sonrió hasta enseñar los dientes.

«¡Vaya! —dijo—. Otro buen año se nos echa encima.» Y añadió: «Ven, agüita, ven. ¡Déjate caer hasta que te canses! Después córrete para allá, acuérdate que hemos abierto a la labor toda la tierra, nomás para que te des gusto.»

Y soltó la risa.

El pájaro burlón que regresaba de recorrer los campos pasó casi frente a él y gimió con un gemido desgarrado.

El agua apretó su lluvia hasta que allá, por donde comenzaba a amanecer, se cerró el cielo y pareció que la oscuridad, que ya se iba, regresaba.

La puerta grande de la Media Luna rechinó al abrirse, remojada por la brisa. Fueron saliendo primero dos, luego otros dos, después otros dos y así hasta doscientos hombres a caballo que se desparramaron por los campos lluviosos.

—Hay que aventar el ganado de Enmedio más allá de lo que fue Estagua, y el de Estagua córranlo para los cerros de Vilmayo —les iba ordenando Fulgor Sedano conforme salían—. ¡Y apriétenle, que se nos vienen encima las aguas!

Lo dijo tantas veces, que ya los últimos sólo oyeron: «De aquí para allá y de allá para más allá.»

Todos y cada uno se llevaban la mano al sombrero para darle a entender que ya habían entendido.

Y apenas había acabado de salir el último hombre, cuando entró a todo galope Miguel Páramo, quien, sin detener su carrera, se apeó del caballo casi en las narices de Fulgor, dejando que el caballo buscara solo su pesebre.

—¿De dónde vienes a estas horas, muchacho?

—Vengo de ordeñar.

—¿A quién?

—¿A que no lo adivinas?

—Ha de ser a Dorotea *la Cuarraca*[72]. Es a la única que le gustan los bebés.

---

[72] *cuarraca:* se dice de una persona que es coja o de un objeto que, como una mesa o una silla, tiene una pata más corta que el resto.

—Eres un imbécil, Fulgor; pero no tienes tú la culpa.

Y se fue, sin quitarse las espuelas, a que le dieran de almorzar[73].

En la cocina, Damiana Cisneros también le hizo la misma pregunta:

—¿Pero de dónde llegas, Miguel?

—De por ahi, de visitar madres.

—No quiero que te enojes. Disimúlalo. ¿Cómo se te hacen los huevos?

—Como a ti te gusten.

—Te estoy hablando de buen modo, Miguel.

—Lo entiendo, Damiana. No te preocupes. Oye, ¿tú conoces a una tal Dorotea, apodada *la Cuarraca?*

—Sí. Y si tú la quieres ver, allí está afuerita. Siempre madruga para venir aquí por su desayuno. Es una que trae un molote[74] en su rebozo y lo arrulla diciendo que es su crío. Parece ser que le sucedió alguna desgracia allá en sus tiempos; pero, como nunca habla, nadie sabe lo que le pasó. Vive de limosna.

—¡Maldito viejo! Le voy a jugar una mala pasada que hasta le harán remolino los ojos.

Después se quedó pensando si aquella mujer no le serviría para algo. Y sin dudarlo más fue hacia la puerta trasera de la cocina y llamó a Dorotea:

—Ven para acá, te voy a proponer un trato —le dijo.

Y quién sabe qué clase de proposiciones le haría, lo cierto es que cuando entró de nuevo se frotaba las manos:

—¡Vengan esos huevos! —le gritó a Damiana. Y agregó—: De hoy en adelante le darás de comer a esa mujer lo mismo que a mí, no le hace que se te ampolle el codo[75].

---

[73] *almorzar:* «En Jalisco, durante la primera mitad del siglo XX, desayunar» (FJR).

[74] *molote* (del náhuatl *molotic,* lana mullida): lío o envoltura que se hace en forma alargada.

[75] *no le hace que se te ampolle el codo:* «ser codo», «tener duro el codo», «dolerle a uno el codo» son expresiones cotidianas en México (incluso acompañadas de lenguaje gestual) para referirse a la avaricia. Miguel Páramo alude a esa «generosidad obligada» (FJR).

Mientras tanto, Fulgor Sedano se fue hasta las trojes[76] a revisar la altura del maíz. Le preocupaba la merma porque aún tardaría la cosecha. A decir verdad, apenas si se había sembrado. «Quiero ver si nos alcanza.» Luego añadió: «¡Ese muchacho! Igualito a su padre; pero comenzó demasiado pronto. A ese paso no creo que se logre. Se me olvidó mencionarle que ayer vinieron con la acusación de que había matado a uno. Si así sigue...»

Suspiró y trató de imaginar en qué lugar irían ya los vaqueros. Pero lo distrajo el potrillo alazán de Miguel Páramo, que se rascaba los morros contra la barda. «Ni siquiera lo ha desensillado», pensó. «Ni lo hará. Al menos don Pedro es más consecuente con uno y tiene sus ratos de calma. Aunque consiente mucho al Miguel. Ayer le comuniqué lo que había hecho su hijo y me respondió: "Hazte a la idea de que yo fui, Fulgor; él es incapaz de hacer eso: no tiene todavía fuerza para matar a nadie. Para eso se necesita tener los riñones de este tamaño." Puso sus manos así, como si midiera una calabaza. "La culpa de todo lo que él haga échamela a mí."»

»—Miguel le dará muchos dolores de cabeza, don Pedro. Le gusta la pendencia.

»—Déjalo moverse. Es apenas un niño. ¿Cuántos años cumplió? Tendrá diecisiete. ¿No, Fulgor?

»—Puede que sí. Recuerdo que se lo trajeron recién, apenas ayer; pero es tan violento y vive tan de prisa que a veces se me figura que va jugando carreras con el tiempo. Acabará por perder, ya lo verá usted.

»—Es todavía una criatura, Fulgor.

»—Será lo que usted diga, don Pedro; pero esa mujer que vino ayer a llorar aquí, alegando que el hijo de usted le había matado a su marido, estaba de a tiro[77] desconsolada. Yo sé medir el desconsuelo, don Pedro. Y esa mujer lo cargaba por kilos. Le ofrecí cincuenta hectolitros de maíz para que se olvidara del asunto; pero no los quiso. Entonces le prometí que corregiríamos el daño de algún modo. No se conformó.

»—¿De quién se trataba?

»—Es gente que no conozco.

---

[76] *troje:* troja, troj, lugar donde se almacenan frutos; especialmente, cereales.
[77] *de a tiro:* completamente. Se usa principalmente en México.

»—No tienes pues por qué apurarte, Fulgor. Esa gente no existe.

Llegó a las trojes y sintió el calor del maíz. Tomó en sus manos un puñado para ver si no lo había alcanzado el gorgojo. Midió la altura: «Rendirá —dijo—. En cuanto crezca el pasto ya no vamos a requerir darle maíz al ganado. Hay de sobra.»

De regreso miró el cielo lleno de nubes: «Tendremos agua para un buen rato.» Y se olvidó de todo lo demás.

38

—Allá afuera debe estar variando el tiempo. Mi madre me decía que, en cuanto comenzaba a llover, todo se llenaba de luces y del olor verde de los retoños. Me contaba cómo llegaba la marea de las nubes, cómo se echaban sobre la tierra y la descomponían cambiándole los colores... Mi madre, que vivió su infancia y sus mejores años en este pueblo y que ni siquiera pudo venir a morir aquí. Hasta para eso me mandó a mí en su lugar. Es curioso, Dorotea, cómo no alcancé a ver ni el cielo. Al menos, quizá, debe ser el mismo que ella conoció.

—No lo sé, Juan Preciado. Hacía tantos años que no alzaba la cara, que me olvidé del cielo. Y aunque lo hubiera hecho, ¿qué habría ganado? El cielo está tan alto, y mis ojos tan sin mirada, que vivía contenta con saber dónde quedaba la tierra. Además, le perdí todo mi interés desde que el padre Rentería me aseguró que jamás conocería la Gloria. Que ni siquiera de lejos la vería... Fue cosa de mis pecados; pero él no debía habérmelo dicho. Ya de por sí la vida se lleva con trabajos. Lo único que la hace a una mover los pies es la esperanza de que al morir la lleven a una de un lugar a otro; pero cuando a una le cierran una puerta y la que queda abierta es nomás la del Infierno, más vale no haber nacido... El Cielo para mí, Juan Preciado, está aquí donde estoy ahora.

—¿Y tu alma? ¿Dónde crees que haya ido?

—Debe andar vagando por la tierra como tantas otras; buscando vivos que recen por ella. Tal vez me odie por el mal trato que le di; pero eso ya no me preocupa. He descansado del vicio de sus remordimientos. Me amargaba hasta lo poco que comía, y me hacía insoportables las noches llenándomelas de pensamientos intranquilos con figuras de condenados y cosas de ésas. Cuando me senté a morir, ella me rogó que me levantara y que siguiera arrastrando la vida, como si esperara todavía algún milagro que me limpiara de culpas. Ni siquiera hice el intento: «Aquí se acaba el camino —le dije—. Ya no me quedan fuerzas para más.» Y abrí la boca para que se fuera. Y se fue. Sentí cuando cayó en mis manos el hilito de sangre con que estaba amarrada a mi corazón.

Llamaron a su puerta; pero él no contestó. Oyó que siguieron tocando todas las puertas, despertando a la gente. La carrera que llevaba Fulgor —lo conoció por sus pasos— hacia la puerta grande se detuvo un momento, como si tuviera intenciones de volver a llamar. Después siguió corriendo.

Rumor de voces. Arrastrar de pisadas despaciosas como si cargaran con algo pesado.

Ruidos vagos.

Vino hasta su memoria la muerte de su padre, también en un amanecer como éste; aunque en aquel entonces la puerta estaba abierta y traslucía el color gris de un cielo hecho de ceniza, triste, como fue entonces. Y a una mujer conteniendo el llanto, recostada contra la puerta. Una madre de la que él ya se había olvidado y olvidado muchas veces diciéndole: «¡Han matado a tu padre!» Con aquella voz quebrada, deshecha, sólo unida por el hilo del sollozo.

Nunca quiso revivir ese recuerdo porque le traía otros, como si rompiera un costal repleto y luego quisiera contener el grano. La muerte de su padre que arrastró otras muertes y en cada una de ellas estaba siempre la imagen de la cara despedazada; roto un ojo, mirando vengativo el otro. Y otro y otro más, hasta que la había borrado del recuerdo cuando ya no hubo nadie que se la recordara.

—¡Descánsenlo aquí! No, así no. Hay que meterlo con la cabeza para atrás. ¡Tú! ¿Qué esperas?

Todo en voz baja.

—¿Y él?

—Él duerme. No lo despierten. No hagan ruido.

Allí estaba él, enorme, mirando la maniobra de meter un bulto envuelto en costales viejos, amarrado con sicuas de coyunda[78] como si lo hubieran amortajado.

—¿Quién es? —preguntó.

Fulgor Sedano se acercó hasta él y le dijo:

—Es Miguel, don Pedro.

—¿Qué le hicieron? —gritó.

Esperaba oír: «Lo han matado.» Y ya estaba previniendo su furia, haciendo bolas duras de rencor; pero oyó las palabras suaves de Fulgor Sedano que le decían:

—Nadie le hizo nada. Él solo encontró la muerte.

Había mecheros de petróleo aluzando[79] la noche.

—...Lo mató el caballo —se acomidió a decir uno.

Lo tendieron en su cama, echando abajo el colchón, dejando las puras tablas donde acomodaron el cuerpo ya desprendido de las tiras con que habían venido tirando de él. Le colocaron las manos sobre el pecho y taparon su cara con un trapo negro. «Parece más grande de lo que era», dijo en secreto Fulgor Sedano.

Pedro Páramo se había quedado sin expresión ninguna, como ido. Por encima de él sus pensamientos se seguían unos a otros sin darse alcance ni juntarse. Al fin dijo:

—Estoy comenzando a pagar. Más vale empezar temprano, para terminar pronto.

No sintió dolor.

Cuando le habló a la gente reunida en el patio para agradecerles su compañía, abriéndole paso a su voz por entre el lloriqueo de las mujeres, no cortó ni el resuello ni sus palabras. Después sólo se oyó en aquella noche el piafar del potrillo alazán de Miguel Páramo.

—Mañana mandas matar ese animal para que no siga sufriendo —le ordenó a Fulgor Sedano.

—Está bien, don Pedro. Lo entiendo. El pobre se ha de sentir desolado.

---

[78] *sicua:* corteza suave, de filamentos fuertes, que producen algunos árboles, y sirve para amarrar; *coyunda:* correa o soga con que se uncen los bueyes al yugo.
[79] *aluzar:* alumbrar, iluminar.

—Yo también lo entiendo así, Fulgor. Y diles de paso a esas mujeres que no armen tanto escándalo, es mucho alboroto por mi muerto. Si fuera de ellas, no llorarían con tantas ganas.

El padre Rentería se acordaría muchos años después de la noche en que la dureza de su cama lo tuvo despierto y después lo obligó a salir. Fue la noche en que murió Miguel Páramo.

Recorrió las calles solitarias de Comala, espantando con sus pasos a los perros que husmeaban en las basuras. Llegó hasta el río y allí se entretuvo mirando en los remansos el reflejo de las estrellas que se estaban cayendo del cielo. Duró varias horas luchando con sus pensamientos, tirándolos al agua negra del río.

«El asunto comenzó —pensó— cuando Pedro Páramo, de cosa baja que era, se alzó a mayor. Fue creciendo como una mala yerba. Lo malo de esto es que todo lo obtuvo de mí: "Me acuso padre que ayer dormí con Pedro Páramo." "Me acuso padre que tuve un hijo de Pedro Páramo." "De que le presté mi hija a Pedro Páramo." Siempre esperé que él viniera a acusarse de algo; pero nunca lo hizo. Y después estiró los brazos de su maldad con ese hijo que tuvo. Al que él reconoció, sólo Dios sabe por qué. Lo que sí sé es que yo puse en sus manos ese instrumento.»

Tenía muy presente el día que se lo había llevado, apenas nacido.

Le había dicho:

—Don Pedro, la mamá murió al alumbrarlo. Dijo que era de usted. Aquí lo tiene.

Y él ni lo dudó, solamente le dijo:

—¿Por qué no se queda con él, padre? Hágalo cura.

—Con la sangre que lleva dentro no quiero tener esa responsabilidad.

—¿De verdad cree usted que tengo mala sangre?

—Realmente sí, don Pedro.

—Le probaré que no es cierto. Déjemelo aquí. Sobra quien se encargue de cuidarlo.

165

—En eso pensé, precisamente. Al menos con usted no le faltará el sustento.

El muchachito se retorcía, pequeño como era, como una víbora.

—¡Damiana! Encárgate de esa cosa. Es mi hijo.

Después había abierto la botella:

—Por la difunta y por usted beberé este trago.

—¿Y por él?

—Por él también, ¿por qué no?

Llenó otra copa más y los dos bebieron por el porvenir de aquella criatura.

Así fue.

Comenzaron a pasar las carretas rumbo a la Media Luna. Él se agachó, escondiéndose en el galápago[80] que bordeaba el río. «¿De quién te escondes?», se preguntó a sí mismo.

—¡Adiós, padre! —oyó que le decían.

Se alzó de la tierra y contestó:

—¡Adiós! Que el Señor te bendiga.

Estaban apagándose las luces del pueblo. El río llenó su agua de colores luminosos.

—Padre, ¿ya dieron el alba? —preguntó otro de los carreteros.

—Debe ser mucho después del alba —respondió él. Y caminó en sentido contrario al de ellos, con intenciones de no detenerse.

—¿Adónde tan temprano, padre?

—¿Dónde está el moribundo, padre?

—¿Ha muerto alguien en Contla, padre?

Hubiera querido responderles: «Yo. Yo soy el muerto.» Pero se conformó con sonreír.

Al salir del pueblo precipitó sus pasos.

Regresó entrada la mañana.

—¿Dónde estuvo usted, tío? —le preguntó Ana su sobrina—. Vinieron muchas mujeres a buscarlo. Querían confesarse por ser mañana viernes primero[81].

---

[80] *galápago:* muro bajo o talud que bordea el río. «Muro ancho y bajo cuyo remate superior adopta la forma curva» (FJR).

[81] El primer viernes de cada mes está dedicado al Sagrado Corazón de Jesús; son días de especial devoción.

—Que regresen a la noche.

Se quedó un rato quieto, sentado en una banca del pasillo, lleno de fatiga.

—¡Qué fresco está el aire!, ¿no, Ana?

—Hace calor, tío.

—Yo no lo siento.

No quería pensar para nada que había estado en Contla, donde hizo confesión general con el señor cura, y que éste, a pesar de sus ruegos, le había negado la absolución:

—Ese hombre de quien no quieres mencionar su nombre ha despedazado tu Iglesia y tú se lo has consentido. ¿Qué se puede esperar ya de ti, padre? ¿Qué has hecho de la fuerza de Dios? Quiero convencerme de que eres bueno y de que allí recibes la estimación de todos; pero no basta ser bueno. El pecado no es bueno. Y para acabar con él, hay que ser duro y despiadado. Quiero creer que todos siguen siendo creyentes; pero no eres tú quien mantiene su fe; lo hacen por superstición y por miedo. Quiero aún más estar contigo en la pobreza en que vives y en el trabajo y cuidados que libras todos los días en tu cumplimiento. Sé lo difícil que es nuestra tarea en estos pobres pueblos donde nos tienen relegados; pero eso mismo me da derecho a decirte que no hay que entregar nuestro servicio a unos cuantos, que te darán un poco a cambio de tu alma, y con tu alma en manos de ellos ¿qué podrás hacer para ser mejor que aquellos que son mejores que tú? No, padre, mis manos no son lo suficientemente limpias para darte la absolución. Tendrás que buscarla en otro lugar.

—¿Quiere usted decir, señor cura, que tengo que ir a buscar la confesión a otra parte?

—Tienes que ir. No puedes seguir consagrando a los demás si tú mismo estás en pecado.

—¿Y si suspenden mis ministerios?

—No creo que lo hagan, aunque tal vez lo merezcas. Quedará a juicio de ellos.

—¿No podría usted...? Provisionalmente, digamos... Necesito dar los santos óleos... la comunión. Mueren tantos en mi pueblo, señor cura.

—Padre, deja que a los muertos los juzgue Dios.

—¿Entonces, no?

Y el señor cura de Contla había dicho que no.

Después pasearon los dos por los corredores del curato, sombreados de azaleas. Se sentaron bajo una enramada donde maduraban las uvas.

—Son ácidas, padre —se adelantó el señor cura a la pregunta que le iba a hacer—. Vivimos en una tierra en que todo se da, gracias a la Providencia; pero todo se da con acidez. Estamos condenados a eso.

—Tiene usted razón, señor cura. Allá en Comala he intentado sembrar uvas. No se dan. Sólo crecen arrayanes y naranjos; naranjos agrios y arrayanes agrios. A mí se me ha olvidado el sabor de las cosas dulces. ¿Recuerda usted las guayabas de China[82] que teníamos en el seminario? Los duraznos, las mandarinas aquellas que con sólo apretarlas soltaban la cáscara. Yo traje aquí algunas semillas. Pocas; apenas una bolsita... después pensé que hubiera sido mejor dejarlas allá donde maduraran, ya que aquí las traje a morir.

—Y sin embargo, padre, dicen que las tierras de Comala son buenas. Es lástima que estén en manos de un solo hombre. ¿Es Pedro Páramo aún el dueño, no?

—Así es la voluntad de Dios.

—No creo que en este caso intervenga la voluntad de Dios. ¿No lo crees tú así, padre?

—A veces lo he dudado; pero allí lo reconocen.

—¿Y entre ésos estás tú?

—Yo soy un pobre hombre dispuesto a humillarse, mientras sienta el impulso de hacerlo.

Luego se habían despedido. Él, tomándole las manos y besándoselas. Con todo, ahora aquí, vuelto a la realidad, no quería volver a pensar más en esa mañana de Contla.

Se levantó y fue hacia la puerta.

—¿Adónde va usted, tío?

Su sobrina Ana, siempre presente, siempre junto a él, como si buscara su sombra para defenderse de la vida.

—Voy a ir un rato a caminar, Ana. A ver si así reviento.

---

[82] Las guayabas comunes son más grandes, agridulces, de color amarillo, y forma de pera. Las llamadas *de China* son redondas y pequeñas (unos 3 cm), de color rojo oscuro, y muy dulces. No son muy frecuentes (FJR).

—¿Se siente mal?

—Mal no, Ana. Malo. Un hombre malo. Eso siento que soy.

Fue hasta la Media Luna y dio el pésame a Pedro Páramo. Volvió a oír las disculpas por las inculpaciones que le habían hecho a su hijo. Lo dejó hablar. Al fin ya nada tenía importancia. En cambio, rechazó la invitación a comer con él:

—No puedo, don Pedro, tengo que estar temprano en la iglesia porque me espera un montón de mujeres junto al confesionario. Otra vez será.

Se vino al paso, y cuando atardecía entró directamente en la iglesia, tal como iba, lleno de polvo y de miseria. Se sentó a confesar.

La primera que se acercó fue la vieja Dorotea, quien siempre estaba allí esperando a que se abrieran las puertas de la iglesia.

Sintió que olía a alcohol.

—¿Qué, ya te emborrachas? ¿Desde cuándo?

—Es que estuve en el velorio de Miguelito, padre. Y se me pasaron las canelas. Me dieron de beber tanto, que hasta me volví payasa.

—Nunca has sido otra cosa, Dorotea.

—Pero ahora traigo pecados, padre. Y de sobra.

En varias ocasiones él le había dicho: «No te confieses, Dorotea, nada más vienes a quitarme el tiempo. Tú ya no puedes cometer ningún pecado, aunque te lo propongas. Déjale el campo a los demás.»

—Ahora sí, padre. Es de verdad.

—Di.

—Ya que no puedo causarle ningún perjuicio, le diré que era yo la que le conseguía muchachas al difunto Miguelito Páramo.

El padre Rentería, que pensaba darse campo para pensar, pareció salir de sus sueños y preguntó casi por costumbre:

—¿Desde cuándo?

—Desde que él fue hombrecito. Desde que le agarró el chincual[83].

---

[83] *chincual* (del náhuatl *tzin*, el trasero, y *cualitzli*, carcomer): sarpullido que sale en la zona del ano a los niños pequeños; por semejanza, personas inquietas, de vida agitada y, en este caso, relacionado con la actividad sexual.

—Vuélveme a repetir lo que dijiste, Dorotea.

—Pos que yo era la que le conchababa las muchachas a Miguelito.

—¿Se las llevabas?

—Algunas veces, sí. En otras nomás se las apalabraba. Y con otras nomás le daba el norte. Usted sabe: la hora en que estaban solas y en que él podía agarrarlas descuidadas.

—¿Fueron muchas?

No quería decir eso; pero le salió la pregunta por costumbre.

—Ya hasta perdí la cuenta. Fueron retemuchas.

—¿Qué quieres que haga contigo, Dorotea? Júzgate tú misma. Ve si tú puedes perdonarte.

—Yo no, padre. Pero usted sí puede. Por eso vengo a verlo.

—¿Cuántas veces viniste aquí a pedirme que te mandara al Cielo cuando murieras? ¿Querías ver si allá encontrabas a tu hijo, no, Dorotea? Pues bien, no podrás ir ya más al Cielo. Pero que Dios te perdone.

—Gracias, padre.

—Sí. Yo también te perdono en nombre de él. Puedes irte.

—¿No me deja ninguna penitencia?

—No la necesitas, Dorotea.

—Gracias, padre.

—Ve con Dios.

Tocó con los nudillos la ventanilla del confesionario para llamar a otra de aquellas mujeres. Y mientras oía el Yo pecador su cabeza se dobló como si no pudiera sostenerse en alto. Luego vino aquel mareo, aquella confusión, el irse diluyendo como en agua espesa, y el girar de luces; la luz entera del día que se desbarataba haciéndose añicos; y ese sabor a sangre en la lengua. El Yo pecador se oía más fuerte, repetido, y después terminaba: «por los siglos de los siglos, amén», «por los siglos de los siglos, amén», «por los siglos...»

—Ya calla —dijo—. ¿Cuánto hace que no te confiesas?

—Dos días, padre.

Allí estaba otra vez. Como si lo rodeara la desventura. «¿Qué haces aquí? —pensó—. Descansa. Vete a descansar. Estás muy cansado.»

170

Se levantó del confesionario y se fue derecho a la sacristía. Sin volver la cabeza dijo a aquella gente que lo estaba esperando:

—Todos los que se sientan sin pecado, pueden comulgar mañana.

Detrás de él, sólo se oyó un murmullo.

Estoy acostada en la misma cama donde murió mi madre hace ya muchos años; sobre el mismo colchón; bajo la misma cobija de lana negra con la cual nos envolvíamos las dos para dormir. Entonces yo dormía a su lado, en un lugarcito que ella me hacía debajo de sus brazos.

Creo sentir todavía el golpe pausado de su respiración; las palpitaciones y suspiros con que ella arrullaba mi sueño... Creo sentir la pena de su muerte...

Pero esto es falso.

Estoy aquí, boca arriba, pensando en aquel tiempo para olvidar mi soledad. Porque no estoy acostada sólo por un rato. Y ni en la cama de mi madre, sino dentro de un cajón negro como el que se usa para enterrar a los muertos. Porque estoy muerta.

Siento el lugar en que estoy y pienso...

Pienso cuando maduraban los limones. En el viento de febrero que rompía los tallos de los helechos, antes que el abandono los secara; los limones maduros que llenaban con su olor el viejo patio.

El viento bajaba de las montañas en las mañanas de febrero. Y las nubes se quedaban allá arriba en espera de que el tiempo bueno las hiciera bajar al valle; mientras tanto dejaban vacío el cielo azul, dejaban que la luz cayera en el juego del viento haciendo círculos sobre la tierra, removiendo el polvo y batiendo las ramas de los naranjos.

Y los gorriones reían; picoteaban las hojas que el aire hacía caer, y reían; dejaban sus plumas entre las espinas de las ramas y perseguían a las mariposas y reían. Era esa época.

En febrero, cuando las mañanas estaban llenas de viento, de gorriones y de luz azul. Me acuerdo.

171

Mi madre murió entonces.

Que yo debía haber gritado; que mis manos tenían que haberse hecho pedazos estrujando su desesperación. Así hubieras tú querido que fuera. ¿Pero acaso no era alegre aquella mañana? Por la puerta abierta entraba el aire, quebrando las guías de la yedra. En mis piernas comenzaba a crecer el vello entre las venas, y mis manos temblaban tibias al tocar mis senos. Los gorriones jugaban. En las lomas se mecían las espigas. Me dio lástima que ella ya no volviera a ver el juego del viento en los jazmines; que cerrara sus ojos a la luz de los días. ¿Pero por qué iba a llorar?[84].

¿Te acuerdas, Justina? Acomodaste las sillas a lo largo del corredor para que la gente que viniera a verla esperara su turno. Estuvieron vacías. Y mi madre sola, en medio de los cirios; su cara pálida y sus dientes blancos asomándose apenitas entre sus labios morados, endurecidos por la amoratada muerte. Sus pestañas ya quietas; quieto ya su corazón. Tú y yo allí, rezando rezos interminables, sin que ella oyera nada, sin que tú y yo oyéramos nada, todo perdido en la sonoridad del viento debajo de la noche. Planchaste su vestido negro, almidonando el cuello y el puño de sus mangas para que sus manos se vieran nuevas, cruzadas sobre su pecho muerto; su viejo pecho amoroso sobre el que dormí en un tiempo y que me dio de comer y que palpitó para arrullar mis sueños.

Nadie vino a verla. Así estuvo mejor. La muerte no se reparte como si fuera un bien. Nadie anda en busca de tristezas.

Tocaron la aldaba. Tú saliste.

—Ve tú —te dije—. Yo veo borrosa la cara de la gente. Y haz que se vayan. ¿Que vienen por el dinero de las misas gregorianas? Ella no dejó ningún dinero. Díselos, Justina. ¿Que no saldrá del Purgatorio si no le rezan esas misas? ¿Quiénes son ellos para hacer la justicia, Justina? ¿Dices que estoy loca? Está bien.

Y tus sillas se quedaron vacías hasta que fuimos a enterrarla con aquellos hombres alquilados, sudando por un peso ajeno, extraños a cualquier pena. Cerraron la sepultura con arena mojada; bajaron el cajón despacio, con la paciencia de su

---

[84] La ambientación es correcta. En un clima cálido como el de Jalisco es normal que en febrero maduren los limones, haya espigas, etc. (FJR).

oficio, bajo el aire que les refrescaba su esfuerzo. Sus ojos fríos, indiferentes. Dijeron: «Es tanto.» Y tú les pagaste, como quien compra una cosa, desanudando tu pañuelo húmedo de lágrimas, exprimido y vuelto a exprimir y ahora guardando el dinero de los funerales...

Y cuando ellos se fueron, te arrodillaste en el lugar donde había quedado su cara y besaste la tierra y podrías haber abierto un agujero, si yo no te hubiera dicho: «Vámonos, Justina, ella está en otra parte, aquí no hay más que una cosa muerta.»

—¿Eres tú la que ha dicho todo eso, Dorotea?

—¿Quién, yo? Me quedé dormida un rato. ¿Te siguen asustando?

—Oí a alguien que hablaba. Una voz de mujer. Creí que eras tú.

—¿Voz de mujer? ¿Creíste que era yo? Ha de ser la que habla sola. La de la sepultura grande. Doña Susanita. Está aquí enterrada a nuestro lado. Le ha de haber llegado la humedad y estará removiéndose entre el sueño.

—¿Y quién es ella?

—La última esposa de Pedro Páramo. Unos dicen que estaba loca. Otros, que no. La verdad es que ya hablaba sola desde en vida.

—Debe haber muerto hace mucho.

—¡Uh, sí! Hace mucho. ¿Qué le oíste decir?

—Algo acerca de su madre.

—Pero si ella ni madre tuvo...

—Pues de eso hablaba.

—...O, al menos, no la trajo cuando vino. Pero espérate. Ahora recuerdo que ella nació aquí, y que ya de añejita desaparecieron. Y sí, su madre murió de la tisis. Era una señora muy rara que siempre estuvo enferma y no visitaba a nadie.

—Eso dice ella. Que nadie había ido a ver a su madre cuando murió.

—¿Pero de qué tiempos hablará? Claro que nadie se paró en su casa por el puro miedo de agarrar la tisis. ¿Se acordará de eso la indina?

173

—De eso hablaba.

—Cuando vuelvas a oírla me avisas, me gustaría saber lo que dice.

—¿Oyes? Parece que va a decir algo. Se oye un murmullo.

—No, no es ella. Eso viene de más lejos, de por este otro rumbo. Y es voz de hombre. Lo que pasa con estos muertos viejos es que en cuanto les llega la humedad comienzan a removerse. Y despiertan.

«El Cielo es grande. Dios estuvo conmigo esa noche. De no ser así quién sabe lo que hubiera pasado. Porque fue ya de noche cuando reviví...»

—¿Lo oyes más claro?

—Sí.

«...Tenía sangre por todas partes. Y al enderezarme chapotié con mis manos la sangre regada en las piedras. Y era mía. Montonales de sangre. Pero no estaba muerto. Me di cuenta. Supe que don Pedro no tenía intenciones de matarme. Sólo de darme un susto. Quería averiguar si yo había estado en Vilmayo dos meses antes. El día de San Cristóbal. En la boda. ¿En cuál boda? ¿En cuál San Cristóbal? Yo chapoteaba entre mi sangre y le preguntaba: "¿En cuál boda, don Pedro?" No, no, don Pedro, yo no estuve. Si acaso, pasé por allí. Pero fue por casualidad... Él no tuvo intenciones de matarme. Me dejó cojo, como ustedes ven, y manco si ustedes quieren. Pero no me mató. Dicen que se me torció un ojo desde entonces, de la mala impresión. Lo cierto es que me volví más hombre. El Cielo es grande. Y ni quien lo dude.»

—¿Quién será?

—Ve tú a saber. Alguno de tantos. Pedro Páramo causó tal mortandad después que le mataron a su padre, que se dice casi acabó con los asistentes a la boda en la cual don Lucas Páramo iba a fungir[85] de padrino. Y eso que a don Lucas nomás le tocó de rebote, porque al parecer la cosa era contra el novio. Y como nunca se supo de dónde había salido la bala que le pegó a él, Pedro Páramo arrasó parejo. Eso fue allá en el cerro de Vilmayo, donde estaban unos ranchos de los que ya no

---

[85] *fungir:* desempeñarse como...

queda ni el rastro... Mira, ahora sí parece ser ella. Tú que tienes los oídos muchachos, ponle atención. Ya me contarás lo que diga.

—No se le entiende. Parece que no habla, sólo se queja.

—¿Y de qué se queja?

—Pues quién sabe.

—Debe ser por algo. Nadie se queja de nada. Para bien la oreja[86].

—Se queja y nada más. Tal vez Pedro Páramo la hizo sufrir.

—No creas. Él la quería. Estoy por decir que nunca quiso a ninguna mujer como a ésa. Ya se la entregaron sufrida y quizá loca. Tan la quiso, que se pasó el resto de sus años aplastado en un equipal, mirando el camino por donde se la habían llevado al camposanto. Le perdió interés a todo. Desalojó sus tierras y mandó quemar los enseres. Unos dicen que porque ya estaba cansado, otros que porque le agarró la desilusión; lo cierto es que echó fuera a la gente y se sentó en su equipal, cara al camino.

»Desde entonces la tierra se quedó baldía y como en ruinas. Daba pena verla llenándose de achaques con tanta plaga que la invadió en cuanto la dejaron sola. De allá para acá se consumió la gente; se desbandaron los hombres en busca de otros "bebederos". Recuerdo días en que Comala se llenó de "adioses" y hasta nos parecía cosa alegre ir a despedir a los que se iban. Y es que se iban con intenciones de volver. Nos dejaban encargadas sus cosas y su familia. Luego algunos mandaban por la familia aunque no por sus cosas, y después parecieron olvidarse del pueblo y de nosotros, y hasta de sus cosas. Yo me quedé porque no tenía adonde ir. Otros se quedaron esperando que Pedro Páramo muriera, pues según decían les había prometido heredarles sus bienes, y con esa esperanza vivieron todavía algunos. Pero pasaron años y años y él seguía vivo, siempre allí, como un espantapájaros frente a las tierras de la Media Luna.

---

[86] *oídos muchachos, Para bien la oreja:* expresiones de carácter popular, de sentido evidente.

»Y ya cuando le faltaba poco para morir vinieron las guerras esas de los "cristeros"[87] y la tropa echó rialada[88] con los
pocos hombres que quedaban. Fue cuando yo comencé a
morirme de hambre y desde entonces nunca me volví a em-
parejar.

»Y todo por las ideas de don Pedro, por sus pleitos de alma.
Nada más porque se le murió su mujer, la tal Susanita. Ya te
has de imaginar si la quería.»

Fue Fulgor Sedano quien le dijo:

—Patrón, ¿sabe quién anda por aquí?

—¿Quién?

—Bartolomé San Juan.

—¿Y eso?

—Eso es lo que yo me pregunto. ¿Qué vendrá a hacer?

—¿No lo has investigado?

—No. Vale decirlo. Y es que no ha buscado casa. Llegó directamente a la antigua casa de usted. Allí desmontó y apeó
sus maletas, como si usted de antemano se la hubiera alquila-
do. Al menos le vi esa seguridad.

—¿Y qué haces tú, Fulgor, que no averiguas lo que pasa?
¿No estás para eso?

—Me desorienté un poco por lo que le dije. Pero mañana
aclararé las cosas si usted lo cree necesario.

—Lo de mañana déjamelo a mí. Yo me encargo de ellos.
¿Han venido los dos?

—Sí, él y su mujer. ¿Pero cómo lo sabe?

—¿No será su hija?

—Pues por el modo como la trata más bien parece su mujer.

—Vete a dormir, Fulgor.

—Si usted me lo permite.

---

[87] *cristeros:* durante los años 1926-1929 se desarrolló en Jalisco y estados li-
mítrofes una guerra cuyo origen está en el enfrentamiento entre la Iglesia y el
Estado, al suspender el presidente Calles las manifestaciones públicas del cul-
to católico. Los sublevados se alzaron en armas al grito de «¡Viva Cristo Rey!».

[88] *rialada:* realada; «echar realada» significa recoger el ganado y, por analogía, reclutar gente en masa como si fuera un rebaño.

«Esperé treinta años a que regresaras, Susana. Esperé a tenerlo todo. No solamente algo, sino todo lo que se pudiera conseguir de modo que no nos quedara ningún deseo, sólo el tuyo, el deseo de ti. ¿Cuántas veces invité a tu padre a que viniera a vivir aquí nuevamente, diciéndole que yo lo necesitaba? Lo hice hasta con engaños.

»Le ofrecí nombrarlo administrador, con tal de volverte a ver. ¿Y qué me contestó? "No hay respuesta —me decía siempre el mandadero—. El señor don Bartolomé rompe sus cartas cuando yo se las entrego." Pero por el muchacho supe que te habías casado y pronto me enteré que te habías quedado viuda y le hacías otra vez compañía a tu padre.

»Luego el silencio.

»El mandadero iba y venía y siempre regresaba diciéndome:

»—No los encuentro, don Pedro. Me dicen que salieron de Mascota[89]. Y unos me dicen que para acá y otros que para allá.

»Y yo:

»—No repares en gastos, búscalos. Ni que se los haya tragado la tierra.

»Hasta que un día vino y me dijo:

»—He repasado toda la sierra indagando el rincón donde se esconde don Bartolomé San Juan, hasta que he dado con él, allá, perdido en un agujero de los montes, viviendo en una covacha hecha de troncos, en el mero lugar donde están las minas abandonadas de La Andrómeda.

»Ya para entonces soplaban vientos raros. Se decía que había gente levantada en armas. Nos llegaban rumores. Eso fue lo que aventó a tu padre por aquí. No por él, según me dijo en su carta, sino por tu seguridad, quería traerte a algún lugar viviente.

---

[89] *Mascota:* municipio del estado de Jalisco, situado a unos 200 km al SE de Guadalajara. «Región montañosa de acceso complicado» (FJR).

177

»Sentí que se abría el Cielo. Tuve ánimos de correr hacia ti. De rodearte de alegría. De llorar. Y lloré, Susana, cuando supe que al fin regresarías.»

—Hay pueblos que saben a desdicha. Se les conoce con sorber un poco de su aire viejo y entumido, pobre y flaco como todo lo viejo. Éste es uno de esos pueblos, Susana.

»Allá, de donde venimos ahora, al menos te entretenías mirando el nacimiento de las cosas: nubes y pájaros, el musgo, ¿te acuerdas? Aquí en cambio no sentirás sino ese olor amarillo y acedo[90] que parece destilar por todas partes. Y es que éste es un pueblo desdichado; untado todo de desdicha.

»Él nos ha pedido que volvamos. Nos ha prestado su casa. Nos ha dado todo lo que podamos necesitar. Pero no debemos estarle agradecidos. Somos infortunados por estar aquí, porque aquí no tendremos salvación ninguna. Lo presiento.

»¿Sabes qué me ha pedido Pedro Páramo? Yo ya me imaginaba que esto que nos daba no era gratuito. Y estaba dispuesto a que se cobrara con mi trabajo, ya que teníamos que pagar de algún modo. Le detallé todo lo referente a La Andrómeda y le hice ver que aquello tenía posibilidades, trabajándola con método. ¿Y sabes qué me contestó? "No me interesa su mina, Bartolomé San Juan. Lo único que quiero de usted es a su hija. Ése ha sido su mejor trabajo."

»Así que te quiere a ti, Susana. Dice que jugabas con él cuando eran niños. Que ya te conoce. Que llegaron a bañarse juntos en el río cuando eran niños. Yo no lo supe; de haberlo sabido te habría matado a cintarazos»[91].

—No lo dudo.

—¿Fuiste tú la que dijiste: no lo dudo?

—Yo lo dije.

—¿De manera que estás dispuesta a acostarte con él?

---

[90] *acedo:* ácido.
[91] *cintarazos:* cintazos, azotes con un cinto. Es una palabra de uso muy común en México.

—Sí, Bartolomé.

—¿No sabes que es casado y que ha tenido infinidad de mujeres?

—Sí, Bartolomé.

—No me digas Bartolomé. ¡Soy tu padre!

Bartolomé San Juan, un minero muerto. Susana San Juan, hija de un minero muerto en las minas de La Andrómeda. Veía claro. «Tendré que ir allá a morir», pensó. Luego dijo:

—Le he dicho que tú, aunque viuda, sigues viviendo con tu marido, o al menos así te comportas; he tratado de disuadirlo, pero se le hace torva la mirada cuando yo le hablo, y en cuanto sale a relucir tu nombre, cierra los ojos. Es, según yo sé, la pura maldad. Eso es Pedro Páramo.

—¿Y yo quién soy?

—Tú eres mi hija. Mía. Hija de Bartolomé San Juan.

En la mente de Susana San Juan comenzaron a caminar las ideas, primero lentamente, luego se detuvieron, para después echar a correr de tal modo que no alcanzó sino a decir:

—No es cierto. No es cierto.

—Este mundo, que lo aprieta a uno por todos lados, que va vaciando puños de nuestro polvo aquí y allá, deshaciéndonos en pedazos como si rociara la tierra con nuestra sangre. ¿Qué hemos hecho? ¿Por qué se nos ha podrido el alma? Tu madre decía que cuando menos nos queda la caridad de Dios. Y tú la niegas, Susana. ¿Por qué me niegas a mí como tu padre? ¿Estás loca?

—¿No lo sabías?

—¿Estás loca?

—Claro que sí, Bartolomé. ¿No lo sabías?

—¿Sabías, Fulgor, que ésa es la mujer más hermosa que se ha dado sobre la tierra? Llegué a creer que la había perdido para siempre. Pero ahora no tengo ganas de volverla a perder. ¿Tú me entiendes, Fulgor? Dile a su padre que vaya a seguir explotando sus minas. Y allá... me imagino que será fácil desaparecer al viejo en aquellas regiones adonde nadie va nunca. ¿No lo crees?

—Puede ser.

—Necesitamos que sea. Ella tiene que quedarse huérfana. Estamos obligados a amparar a alguien. ¿No crees tú?

—No lo veo difícil.

—Entonces andando, Fulgor, andando.

—¿Y si ella lo llega a saber?

—¿Quién se lo dirá? A ver, dime, aquí entre nosotros dos, ¿quién se lo dirá?

—Estoy seguro que nadie.

—Quítale el «estoy seguro que». Quítaselo desde ahorita y ya verás cómo todo sale bien. Acuérdate del trabajo que dio dar con La Andrómeda. Mándalo para allá a seguir trabajando. Que vaya y vuelva. Nada de que se le ocurra acarrear con la hija. Ésa aquí se la cuidamos. Allá estará su trabajo y aquí su casa adonde venga a reconocer. Díselo así, Fulgor.

—Me vuelve a gustar cómo acciona usted, patrón, como que se le están rejuveneciendo los ánimos.

4'

Sobre los campos del valle de Comala está cayendo la lluvia. Una lluvia menuda, extraña para estas tierras que sólo saben de aguaceros. Es domingo. De Apango[92] han bajado los indios con sus rosarios de manzanillas, su romero, sus manojos de tomillo. No han traído ocote porque el ocote está mojado, y ni tierra de encino[93] porque también está mojada por el mucho llover. Tienden sus yerbas en el suelo, bajo los arcos del portal, y esperan.

La lluvia sigue cayendo sobre los charcos.

Entre los surcos, donde está naciendo el maíz, corre el agua en ríos. Los hombres no han venido hoy al mercado, ocupados en romper los surcos para que el agua busque nuevos cau-

---

[92] *Apango:* pueblo cercano a San Gabriel, localidad, esta última, donde Rulfo vivió durante su infancia.

[93] *ocote* (del náhuatl *ocotl*): especie de pino muy resinoso, cuya madera puede utilizarse para hacer teas. *Tierra de encino:* «tierra de hoja» (de encino), es decir, *humus* formado con hojas de encino, muy utilizado para las macetas y jardines domésticos en México (FJR).

ces y no arrastre la milpa[94] tierna. Andan en grupos, navegando en la tierra anegada, bajo la lluvia, quebrando con sus palas los blandos terrones, ligando con sus manos la milpa y tratando de protegerla para que crezca sin trabajo.

Los indios esperan. Sienten que es un mal día. Quizá por eso tiemblan debajo de sus mojados «gabanes»[95] de paja; no de frío, sino de temor. Y miran la lluvia desmenuzada y al cielo que no suelta sus nubes.

Nadie viene. El pueblo parece estar solo. La mujer les encargó un poco de hilo de remiendo y algo de azúcar, y de ser posible y de haber, un cedazo para colar el atole. El «gabán» se les hace pesado de humedad conforme se acerca el mediodía. Platican, se cuentan chistes y sueltan la risa. Las manzanillas brillan salpicadas por el rocío. Piensan: «Si al menos hubiéramos traído tantito pulque, no importaría; pero el cogollo de los magueyes está hecho un mar de agua. En fin, qué se le va a hacer»[96].

Justina Díaz, cubierta con paraguas, venía por la calle derecha que viene de la Media Luna, rodeando los chorros que borbotaban sobre las banquetas[97]. Hizo la señal de la cruz y se persignó al pasar por la puerta de la iglesia mayor. Entró en el portal. Los indios voltearon a verla. Vio la mirada de todos como si la escudriñaran. Se detuvo en el primer puesto, compró diez centavos de hojas de romero, y regresó, seguida por las miradas en hilera de aquel montón de indios.

«Lo caro que está todo en este tiempo —dijo, al tomar de nuevo el camino hacia la Media Luna—. Este triste ramito

---

[94] *milpa* (del náhuatl *milli*, sementera, y *pa*, topónimo): sementera o plantación de maíz.

[95] *gabán*: especie de capa o abrigo sin mangas (con aberturas laterales para sacar los brazos), que se abre por el frente. Son muy voluminosos, hechos con fibras vegetales (paja, palma) no tejidas (FJR).

[96] *atole* (del náhuatl *atolli):* bebida hecha con maíz cocido y disuelto en agua hervida; también se hace con leche. Es alimento muy usado en México. *Pulque:* bebida embriagante que se obtiene haciendo fermentar el aguamiel o jugo producido por el maguey. Es bebida característica de las gentes pobres. *Maguey* (voz caribe): planta propia de las tierras altas y secas. Se conocen cerca de doscientas especies. Algunas se cultivan especialmente para la fabricación de bebidas fermentadas.

[97] *banqueta:* acera de la calle.

181

de romero por diez centavos. No alcanzará ni siquiera para dar olor.»

Los indios levantaron sus puestos al oscurecer. Entraron en la lluvia con sus pesados tercios a la espalda; pasaron por la iglesia para rezarle a la Virgen, dejándole un manojo de tomillo de limosna. Luego enderezaron hacia Apango, de donde habían venido. «Ahi será otro día», dijeron. Y por el camino iban contándose chistes y soltando la risa.

Justina Díaz entró en el dormitorio de Susana San Juan y puso el romero sobre la repisa. Las cortinas cerradas impedían el paso de la luz, así que en aquella oscuridad sólo veía las sombras, sólo adivinaba. Supuso que Susana San Juan estaría dormida; ella deseaba que siempre estuviera dormida. La sintió así y se alegró. Pero entonces oyó un suspiro lejano, como salido de algún rincón de aquella pieza oscura.

—¡Justina! —le dijeron.

Ella volvió la cabeza. No vio a nadie; pero sintió una mano sobre su hombro y la respiración en sus oídos. La voz en secreto: «Vete de aquí, Justina. Arregla tus enseres y vete. Ya no te necesitamos.»

—Ella sí me necesita —dijo, enderezando el cuerpo—. Está enferma y me necesita.

—Ya no, Justina. Yo me quedaré aquí a cuidarla.

—¿Es usted, don Bartolomé? —y no esperó la respuesta. Lanzó aquel grito que bajó hasta los hombres y las mujeres que regresaban de los campos y que los hizo decir: «Parece ser un aullido humano; pero no parece ser de ningún ser humano.»

La lluvia amortigua los ruidos. Se sigue oyendo aún después de todo, granizando sus gotas, hilvanando el hilo de la vida.

—¿Qué te pasa, Justina? ¿Por qué gritas? —preguntó Susana San Juan.

—Yo no he gritado, Susana. Has de haber estado soñando.

—Ya te he dicho que yo no sueño nunca. No tienes consideración de mí. Estoy muy desvelada. Anoche no echaste fuera al gato y no me dejó dormir.

—Durmió conmigo, entre mis piernas. Estaba ensopado y por lástima lo dejé quedarse en mi cama; pero no hizo ruido.

182

—No, ruido ni hizo. Sólo se la pasó haciendo circo, brincando de mis pies a mi cabeza, y maullando quedito como si tuviera hambre.

—Le di bien de comer y no se despegó de mí en toda la noche. Estás otra vez soñando mentiras, Susana.

—Te digo que pasó la noche asustándome con sus brincos. Y aunque sea muy cariñoso tu gato, no lo quiero cuando estoy dormida.

—Ves visiones, Susana. Eso es lo que pasa. Cuando venga Pedro Páramo le diré que ya no te aguanto. Le diré que me voy. No faltará gente buena que me dé trabajo. No todos son maniáticos como tú, ni se viven mortificándola a una como tú. Mañana me iré y me llevaré el gato y te quedarás tranquila.

—No te irás de aquí, maldita y condenada Justina. No te irás a ninguna parte porque nunca encontrarás quien te quiera como yo.

—No, no me iré, Susana. No me iré. Bien sabes que estoy aquí para cuidarte. No importa que me hagas renegar, te cuidaré siempre.

La había cuidado desde que nació. La había tenido en sus brazos. La había enseñado a andar. A dar aquellos pasos que a ella le parecían eternos. Había visto crecer su boca y sus ojos «como de dulce». «El dulce de menta es azul. Amarillo y azul. Verde y azul. Revuelto con menta y yerbabuena.» Le mordía las piernas. La entretenía dándole de mamar sus senos, que no tenían nada, que eran como de juguete. «Juega —le decía—, juega con este juguetito tuyo.» La hubiera apachurrado y hecho pedazos.

Allá afuera se oía el caer de la lluvia sobre las hojas de los plátanos, se sentía como si el agua hirviera sobre el agua estancada en la tierra.

Las sábanas estaban frías de humedad. Los caños borbotaban, hacían espuma, cansados de trabajar durante el día, durante la noche, durante el día. El agua seguía corriendo, diluviando en incesantes burbujas.

Era la medianoche y allá afuera el ruido del agua apagaba todos los sonidos.

Susana San Juan se levantó despacio. Enderezó el cuerpo lentamente y se alejó de la cama. Allí estaba otra vez el peso, en sus pies, caminando por la orilla de su cuerpo; tratando de encontrarle la cara:

—¿Eres tú, Bartolomé? —preguntó.

Le pareció oír rechinar la puerta, como cuando alguien entraba o salía. Y después sólo la lluvia, intermitente, fría, rodando sobre las hojas de los plátanos, hirviendo en su propio hervor.

Se durmió y no despertó hasta que la luz alumbró los ladrillos rojos, asperjados de rocío entre la gris mañana de un nuevo día. Gritó:

—¡Justina!

Y ella apareció en seguida, como si ya hubiera estado allí, envolviendo su cuerpo en una frazada.

—¿Qué quieres, Susana?

—El gato. Otra vez ha venido.

—Pobrecita de ti, Susana.

Se recostó sobre su pecho, abrazándola, hasta que ella logró levantar aquella cabeza y le preguntó:

—¿Por qué lloras? Le diré a Pedro Páramo que eres buena conmigo. No le contaré nada de los sustos que me da tu gato. No te pongas así, Justina.

—Tu padre ha muerto, Susana. Antenoche murió, y hoy han venido a decir que nada se puede hacer; que ya lo enterraron; que no lo han podido traer aquí porque el camino era muy largo. Te has quedado sola, Susana.

—Entonces era él —y sonrió—. Viniste a despedirte de mí —dijo, y sonrió.

184

Muchos años antes, cuando ella era una niña, él le había dicho:

—Baja, Susana, y dime lo que ves.

Estaba colgada de aquella soga que le lastimaba la cintura, que le sangraba sus manos; pero que no quería soltar: era como el único hilo que la sostenía al mundo de afuera.

—No veo nada, papá.

—Busca bien, Susana. Haz por encontrar algo.

Y la alumbró con su lámpara.

—No veo nada, papá.

—Te bajaré más. Avísame cuando estés en el suelo.

Había entrado por un pequeño agujero abierto entre las tablas. Había caminado sobre tablones podridos, viejos, astillados y llenos de tierra pegajosa:

—Baja más abajo, Susana, y encontrarás lo que te digo.

Y ella bajó y bajó en columpio, meciéndose en la profundidad, con sus pies bamboleando en el «no encuentro dónde poner los pies».

—Más abajo, Susana. Más abajo. Dime si ves algo.

Y cuando encontró el apoyo allí permaneció, callada, porque se enmudeció de miedo. La lámpara circulaba y la luz pasaba de largo junto a ella. Y el grito de allá arriba la estremecía:

—¡Dame lo que está allí, Susana!

Y ella agarró la calavera entre sus manos y cuando la luz le dio de lleno la soltó.

—Es una calavera de muerto —dijo.

—Debes encontrar algo más junto a ella. Dame todo lo que encuentres.

El cadáver se deshizo en canillas; la quijada se desprendió como si fuera de azúcar. Le fue dando pedazo a pedazo hasta que llegó a los dedos de los pies y le entregó coyuntura tras coyuntura. Y la calavera primero; aquella bola redonda que se deshizo entre sus manos.

—Busca algo más, Susana. Dinero. Ruedas redondas de oro. Búscalas, Susana.

Entonces ella no supo de ella, sino muchos días después entre el hielo, entre las miradas llenas de hielo de su padre.

Por eso reía ahora.

—Supe que eras tú, Bartolomé.

Y la pobre de Justina, que lloraba sobre su corazón, tuvo que levantarse al ver que ella reía y que su risa se convertía en carcajada.

Afuera seguía lloviendo. Los indios se habían ido. Era lunes y el valle de Comala seguía anegándose en lluvia.

Los vientos siguieron soplando todos esos días. Esos vientos que habían traído las lluvias. La lluvia se había ido; pero el viento se quedó. Allá en los campos la milpa oreó sus hojas y se acostó sobre los surcos para defenderse del viento. De día era pasadero; retorcía las yedras y hacía crujir las tejas en los tejados; pero de noche gemía, gemía largamente. Pabellones de nubes pasaban en silencio por el cielo como si caminaran rozando la tierra.

Susana San Juan oye el golpe del viento contra la ventana cerrada. Está acostada con los brazos detrás de la cabeza, pensando, oyendo los ruidos de la noche; cómo la noche va y viene arrastrada por el soplo del viento sin quietud. Luego el seco detenerse.

Han abierto la puerta. Una racha de aire apaga la lámpara. Ve la oscuridad y entonces deja de pensar. Siente pequeños susurros. En seguida oye el percutir de su corazón en palpitaciones desiguales. Al través de sus párpados cerrados entreví la llama de la luz.

No abre los ojos. El cabello está derramado sobre su cara. La luz enciende gotas de sudor en sus labios. Pregunta:

—¿Eres tú, padre?

—Soy tu padre, hija mía.

Entreabre los ojos. Mira como si cruzara sus cabellos una sombra sobre el techo, con la cabeza encima de su cara. Y la figura borrosa de aquí enfrente, detrás de la lluvia de sus pestañas. Una luz difusa; una luz en el lugar del corazón, en forma de corazón pequeño que palpita como llama parpadeante. «Se te está muriendo de pena el corazón —piensa—. Ya sé que vienes a contarme que murió Florencio; pero eso ya lo sé. No te aflijas por los demás; no te apures por mí. Yo tengo guardado mi dolor en un lugar seguro. No dejes que se te apague el corazón.»

Enderezó el cuerpo y lo arrastró hasta donde estaba el padre Rentería.

—¡Déjame consolarte con mi desconsuelo! —dijo, protegiendo la llama de la vela con sus manos.

El padre Rentería la dejó acercarse a él; la miró cercar con sus manos la vela encendida y luego juntar su cara al pabilo inflamado, hasta que el olor a carne chamuscada lo obligó a sacudirla, apagándola de un soplo.

Entonces volvió la oscuridad y ella corrió a refugiarse debajo de sus sábanas.

El padre Rentería le dijo:

—He venido a confortarte, hija.

—Entonces adiós, padre —contestó ella—. No vuelvas. No te necesito.

Y oyó cuando se alejaban los pasos que siempre le dejaban una sensación de frío, de temblor y miedo.

—¿Para qué vienes a verme, si estás muerto?

El padre Rentería cerró la puerta y salió al aire de la noche.

El viento seguía soplando.

51

Un hombre al que decían *el Tartamudo* llegó a la Media Luna y preguntó por Pedro Páramo.

—¿Para qué lo solicitas?

—Quiero hablar cocon él.

—No está.

—Dile, cucuando regrese, que vengo de paparte de don Fulgor.

—Lo iré a buscar; pero aguántate unas cuantas horas.

—Dile, es cocosa de urgencia.

—Se lo diré.

El hombre al que decían *el Tartamudo* aguardó arriba del caballo. Pasado un rato, Pedro Páramo, al que nunca había visto, se le puso enfrente:

—¿Qué se te ofrece?

—Necesito hablar directamente cocon el patrón.

—Yo soy. ¿Qué quieres?

—Pues, nanada más esto. Mataron a don Fulgor Sesedano. Yo le hacía compañía. Habíamos ido por el rurrumbo de los «vertederos» para averiguar por qué se estaba escaseando el agua. Y en eso andábamos cucuando vimos una manada de hombres que nos salieron al encuentro. Y de entre la mumultitud aquella brotó una voz que dijo: "Yo a ése le coconozco. Es el administrador de la Memedia Luna."

»A mí ni me totomaron en cuenta. Pero a don Fulgor le mandaron soltar la bestia. Le dijeron que eran revolucionarios. Que venían por las tierras de usté. "¡Cocórrale! —le dijeron a don Fulgor—. ¡Vaya y dígale a su patrón que allá nos veremos!" Y él soltó la cacalda[98], despavorido. No muy de prisa por lo pepesado que era; pero corrió. Lo mataron cocorriendo. Murió cocon una pata arriba y otra abajo.

»Entonces yo ni me momoví. Esperé que fuera de nonoche y aquí estoy para anunciarle lo que papasó.»

—¿Y qué esperas? ¿Por qué no te mueves? Anda y diles a ésos que aquí estoy para lo que se les ofrezca. Que vengan a tratar conmigo. Pero antes date un rodeo por La Consagración. ¿Conoces al *Tilcuate?*[99]. Allí estará. Dile que necesito verlo. Y a esos fulanos avísales que los espero en cuanto tengan un tiempo disponible. ¿Qué jaiz de revolucionarios son?

—No lo sé. Ellos ansí se nonombran.

—Dile al *Tilcuate* que lo necesito más que de prisa.

—Así lo haré, papatrón.

Pedro Páramo volvió a encerrarse en su despacho. Se sentía viejo y abrumado. No le preocupaba Fulgor, que al fin y al cabo ya estaba «más para la otra que para ésta». Había dado de sí todo lo que tenía que dar; aunque fue muy servicial, lo que sea de cada quien. «De todos modos, los "tilcuatazos" que se van a llevar esos locos», pensó.

---

[98] *calda:* carrera, huida.
[99] *tilcuate* (del náhuatl *tlitic,* cosa negra, y *coatl,* culebra): especie de boa acuática.

Pensaba más en Susana San Juan, metida siempre en su cuarto, durmiendo, y cuando no, como si durmiera. La noche anterior se la había pasado en pie, recostado en la pared, observando a través de la pálida luz de la veladora el cuerpo en movimiento de Susana; la cara sudorosa, las manos agitando las sábanas, estrujando la almohada hasta el desmorecimiento[100].

Desde que la había traído a vivir aquí no sabía de otras noches pasadas a su lado, sino de estas noches doloridas, de interminable inquietud. Y se preguntaba hasta cuándo terminaría aquello.

Esperaba que alguna vez. Nada puede durar tanto, no existe ningún recuerdo por intenso que sea que no se apague.

Si al menos hubiera sabido qué era aquello que la maltrataba por dentro, que la hacía revolcarse en el desvelo, como si la despedazaran hasta inutilizarla.

Él creía conocerla. Y aun cuando no hubiera sido así, ¿acaso no era suficiente saber que era la criatura más querida por él sobre la tierra? Y que además, y esto era lo más importante, le serviría para irse de la vida alumbrándose con aquella imagen que borraría todos los demás recuerdos.

¿Pero cuál era el mundo de Susana San Juan? Ésa fue una de las cosas que Pedro Páramo nunca llegó a saber.

«Mi cuerpo se sentía a gusto sobre el calor de la arena. Tenía los ojos cerrados, los brazos abiertos, desdobladas las piernas a la brisa del mar. Y el mar allí enfrente, lejano, dejando apenas restos de espuma en mis pies al subir de su marea...»

—Ahora sí es ella la que habla, Juan Preciado. No se te olvide decirme lo que dice.

«...Era temprano. El mar corría y bajaba en olas. Se desprendía de su espuma y se iba, limpio, con su agua verde, en ondas calladas.

---

[100] *desmorecimiento:* del verbo *desmorecerse,* turbación, padecimiento de gran intensidad.

189

»—En el mar sólo me sé bañar desnuda—le dije. Y él me siguió el primer día, desnudo también, fosforescente al salir del mar. No había gaviotas; sólo esos pájaros que les dicen "picos feos"[101], que gruñen como si roncaran y que después de que sale el sol desaparecen. Él me siguió el primer día y se sintió solo, a pesar de estar yo allí.

»—Es como si fueras un "pico feo", uno más entre todos —me dijo—. Me gustas más en las noches, cuando estamos los dos en la misma almohada, bajo las sábanas, en la oscuridad.

»Y se fue.

»Volví yo. Volvería siempre. El mar moja mis tobillos y se va; moja mis rodillas, mis muslos; rodea mi cintura con su brazo suave, da vuelta sobre mis senos; se abraza de mi cuello; aprieta mis hombros. Entonces me hundo en él, entera. Me entrego a él en su fuerte batir, en su suave poseer, sin dejar pedazo.

»—Me gusta bañarme en el mar —le dije.

»Pero él no lo comprende.

»Y al otro día estaba otra vez en el mar, purificándome. Entregándome a sus olas.»

Pardeando la tarde, aparecieron los hombres. Venían encarabinados y terciados de carrilleras[102]. Eran cerca de veinte. Pedro Páramo los invitó a cenar. Y ellos, sin quitarse el sombrero, se acomodaron a la mesa y esperaron callados. Sólo se les oyó sorber el chocolate cuando les trajeron el chocolate, y masticar tortilla tras tortilla cuando les arrimaron los frijoles.

Pedro Páramo los miraba. No se le hacían caras conocidas. Detrasito de él, en la sombra, aguardaba *el Tilcuate*.

—Patrones —les dijo cuando vio que acababan de comer—, ¿en qué más puedo servirlos?

---

[101] *pico feo:* «Ave marina que busca su alimento en la playa cavando en la arena con un pico aplanado en el extremo» (FJR).

[102] *carrillera:* cartuchera, canana.

—¿Usted es el dueño de esto? —preguntó uno abanicando la mano.

Pero otro lo interrumpió diciendo:

—¡Aquí yo soy el que hablo!

—Bien. ¿Qué se les ofrece? —volvió a preguntar Pedro Páramo.

—Como usté ve, nos hemos levantado en armas.

—¿Y?

—Y pos eso es todo. ¿Le parece poco?

—¿Pero por qué lo han hecho?

—Pos porque otros lo han hecho también. ¿No lo sabe usté? Aguárdenos tantito a que nos lleguen instrucciones y entonces le averiguaremos la causa. Por lo pronto ya estamos aquí.

—Yo sé la causa —dijo otro—. Y si quiere se la entero. Nos hemos rebelado contra el gobierno y contra ustedes porque ya estamos aburridos de soportarlos. Al gobierno por rastrero y a ustedes porque no son más que unos móndrigos bandidos y mantecosos ladrones[103]. Y del señor gobierno ya no digo nada porque le vamos a decir a balazos lo que le queremos decir.

—¿Cuánto necesitan para hacer su revolución? —preguntó Pedro Páramo—. Tal vez yo pueda ayudarlos.

—Dice bien aquí el señor, Perseverancio. No se te debía soltar la lengua. Necesitamos agenciarnos un rico pa que nos habilite, y qué mejor que el señor aquí presente. ¿A ver tú, Casildo, como cuánto nos hace falta?

—Que nos dé lo que su buena intención quiera darnos.

—Éste «no le daría agua ni al gallo de la pasión»[104]. Aprovechemos que estamos aquí, para sacarle de una vez hasta el maíz que trai atorado en su cochino buche.

—Cálmate, Perseverancio. Por las buenas se consiguen mejor las cosas. Vamos a ponernos de acuerdo. Habla tú, Casildo.

---

[103] *móndrigos:* despreciables; *mantecosos* (untuosos, resbalosos): en el sentido de persona de modales suaves pero engañosos.

[104] Se utiliza la frase para indicar la insolaridad y el egoísmo de alguien. Es un proverbio que se refiere al apóstol san Pedro y sus negaciones de ser discípulo de Jesús, en la escena del huerto de Getsemaní, según el relato evangélico de la pasión de Cristo.

—Pos yo ahi al cálculo diría que unos veinte mil pesos no estarían mal para el comienzo. ¿Qué les parece a ustedes? Ora que quién sabe si al señor este se le haga poco, con eso de que tiene sobrada voluntad de ayudarnos. Pongamos entonces cincuenta mil. ¿De acuerdo?

—Les voy a dar cien mil pesos —les dijo Pedro Páramo—. ¿Cuántos son ustedes?

—Semos trescientos.

—Bueno. Les voy a prestar otros trescientos hombres para que aumenten su contingente. Dentro de una semana tendrán a su disposición tanto los hombres como el dinero. El dinero se los regalo, a los hombres nomás se los presto. En cuanto los desocupen mándenmelos para acá. ¿Está bien así?

—Pero cómo no.

—Entonces hasta dentro de ocho días, señores. Y he tenido mucho gusto en conocerlos.

—Sí —dijo el último en salir—. Acuérdese que, si no nos cumple, oirá hablar de Perseverancio, que así es mi nombre.

Pedro Páramo se despidió de él dándole la mano.

—¿Quién crees tú que sea el jefe de éstos? —le preguntó más tarde al *Tilcuate*.

—Pues a mí se me figura que es el barrigón ese que estaba en medio y que ni alzó los ojos. Me late que es él... Me equivoco pocas veces, don Pedro.

—No, Damasio, el jefe eres tú. ¿O qué, no te quieres ir a la revuelta?

—Pero si hasta se me hace tarde. Con lo que me gusta a mí la bulla.

—Ya viste pues de qué se trata, así que ni necesitas mis consejos. Júntate trescientos muchachos de tu confianza y enrólate con esos alzados. Diles que les llevas la gente que les prometí. Lo demás ya sabrás tú cómo manejarlo.

—¿Y del dinero qué les digo? ¿También se los entriego?

—Te voy a dar diez pesos para cada uno. Ahi nomás para sus gastos más urgentes. Les dices que el resto está aquí guardado y a su disposición. No es conveniente cargar tanto dinero andando en esos trajines. Entre paréntesis: ¿te gustaría el ranchito de la Puerta de Piedra? Bueno, pues es tuyo desde ahorita. Le vas a llevar un recado al licenciado Gerardo Trujillo, de Comala, y allí mismo pondrá a tu nombre la propiedad. ¿Qué dices, Damasio?

—Eso ni se pregunta, patrón. Aunque con eso o sin eso yo haría esto por puro gusto. Como si usted no me conociera. De cualquier modo, se lo agradezco. La vieja tendrá al menos con qué entretenerse mientras yo suelto el trapo.

—Y mira, ahi de pasada arréate unas cuantas vacas. A ese rancho lo que le falta es movimiento.

—¿No importa que sean cebuses?[105].

—Escoge de las que quieras, y las que tantees pueda cuidar tu mujer. Y volviendo a nuestro asunto, procura no alejarte mucho de mis terrenos, por eso de que si vienen otros que vean el campo ya ocupado. Y venme a ver cada que puedas o tengas alguna novedad.

—Nos veremos, patrón.

—¿Qué es lo que dice, Juan Preciado?

—Dice que ella escondía sus pies entre las piernas de él. Sus pies helados como piedras frías y que allí se calentaban como en un horno donde se dora el pan. Dice que él le mordía los pies diciéndole que eran como pan dorado en el horno. Que dormía acurrucada, metiéndose dentro de él, perdida en la nada al sentir que se quebraba su carne, que se abría como un surco abierto por un clavo ardoroso, luego tibio, luego dulce, dando golpes duros contra su carne blanda; sumiéndose, sumiéndose más, hasta el gemido. Pero que le había dolido más su muerte. Eso dice.

—¿A quién se refiere?

—A alguien que murió antes que ella, seguramente.

---

[105] *cebuses:* especialmente apreciadas por su alto rendimiento en leche y carne.

—¿Pero quién pudo ser?

—No sé. Dice que la noche en la cual él tardó en venir sintió que había regresado ya muy noche, quizá de madrugada. Lo notó apenas, porque sus pies, que habían estado solos y fríos, parecieron envolverse en algo; que alguien los envolvía en algo y les daba calor. Cuando despertó los encontró liados en un periódico que ella había estado leyendo mientras lo esperaba y que había dejado caer al suelo cuando ya no pudo soportar el sueño. Y que allí estaban sus pies envueltos en el periódico cuando vinieron a decirle que él había muerto.

—Se ha de haber roto el cajón donde la enterraron, porque se oye como un crujir de tablas.

—Sí, yo también lo oigo.

Esa noche volvieron a sucederse los sueños. ¿Por qué ese recordar intenso de tantas cosas? ¿Por qué no simplemente la muerte y no esa música tierna del pasado?

—Florencio ha muerto, señora.

¡Qué largo era aquel hombre! ¡Qué alto! Y su voz era dura. Seca como la tierra más seca. Y su figura era borrosa, ¿o se hizo borrosa después?, como si entre ella y él se interpusiera la lluvia. «¿Qué había dicho? ¿Florencio? ¿De cuál Florencio hablaba? ¿Del mío? ¡Oh!, por qué no lloré y me anegué entonces en lágrimas para enjuagar mi angustia. ¡Señor, tú no existes! Te pedí tu protección para él. Que me lo cuidaras. Eso te pedí. Pero tú te ocupas nada más de las almas. Y lo que yo quiero de él es su cuerpo. Desnudo y caliente de amor; hirviendo de deseos; estrujando el temblor de mis senos y de mis brazos. Mi cuerpo transparente suspendido del suyo. Mi cuerpo liviano sostenido y suelto a sus fuerzas. ¿Qué haré ahora con mis labios sin su boca para llenarlos? ¿Qué haré de mis adoloridos labios?»

Mientras Susana San Juan se revolvía inquieta, de pie, junto a la puerta, Pedro Páramo la miraba y contaba los segundos de aquel nuevo sueño que ya duraba mucho. El aceite de la lámpara chisporroteaba y la llama hacía cada vez más débil su parpadeo. Pronto se apagaría.

194

Si al menos fuera dolor lo que sintiera ella, y no esos sueños sin sosiego, esos interminables y agotadores sueños, él podría buscarle algún consuelo. Así pensaba Pedro Páramo, fija la vista en Susana San Juan, siguiendo cada uno de sus movimientos. ¿Qué sucedería si ella también se apagara cuando se apagara la llama de aquella débil luz con que él la veía?

Después salió cerrando la puerta sin hacer ruido. Afuera, el limpio aire de la noche despegó de Pedro Páramo la imagen de Susana San Juan.

Ella despertó un poco antes del amanecer. Sudorosa. Tiró al suelo las pesadas cobijas y se deshizo hasta del calor de las sábanas. Entonces su cuerpo se quedó desnudo, refrescado por el viento de la madrugada. Suspiró y luego volvió a quedarse dormida.

Así fue como la encontró horas después el padre Rentería; desnuda y dormida.

—¿Sabe, don Pedro, que derrotaron al *Tilcuate*?

—Sé que hubo alguna balacera anoche, porque se estuvo oyendo el alboroto; pero de ahi en más no sé nada. ¿Quién te contó eso, Gerardo?

—Llegaron unos heridos a Comala. Mi mujer ayudó para eso de los vendajes. Dijeron que eran de la gente de Damasio y que habían tenido muchos muertos. Parece que se encontraron con unos que se dicen villistas[106].

—¡Qué caray, Gerardo! Estoy viendo llegar tiempos malos. ¿Y tú qué piensas hacer?

—Me voy, don Pedro. A Sayula. Allá volveré a establecerme.

—Ustedes los abogados tienen esa ventaja; pueden llevarse su patrimonio a todas partes, mientras no les rompan el hocico.

---

[106] *villistas:* del ejército de Francisco Villa, más conocido como Pancho Villa. Su acusada personalidad contribuyó a mitificar su figura, convirtiéndole en protagonista de novelas y películas. Participó en la Revolución desde sus inicios y tuvo a su mando la famosa «División del Norte». Fue asesinado en 1923.

—Ni crea, don Pedro; siempre nos andamos creando problemas. Además duele dejar a personas como usted, y las deferencias que han tenido para con uno se extrañan. Vivimos rompiendo nuestro mundo a cada rato, si es válido decirlo. ¿Dónde quiere que le deje los papeles?

—No los dejes. Llévatelos. ¿O qué no puedes seguir encargado de mis asuntos allá adonde vas?

—Agradezco su confianza, don Pedro. La agradezco sinceramente. Aunque hago la salvedad de que me será imposible. Ciertas irregularidades... Digamos... Testimonios que nadie sino usted debe conocer. Pueden prestarse a malos manejos en caso de llegar a caer en otras manos. Lo más seguro es que estén con usted.

—Dices bien, Gerardo. Déjalos aquí. Los quemaré. Con papeles o sin ellos, ¿quién me puede discutir la propiedad de lo que tengo?

—Indudablemente nadie, don Pedro. Nadie. Con su permiso.

—Ve con Dios, Gerardo.

—¿Qué dijo usted?

—Digo que Dios te acompañe.

El licenciado Gerardo Trujillo salió despacio. Estaba ya viejo; pero no para dar esos pasos tan cortos, tan sin ganas. La verdad es que esperaba una recompensa. Había servido a don Lucas, que en paz descanse, padre de don Pedro; después a don Pedro, y todavía; luego a Miguel, hijo de don Pedro. La verdad es que esperaba una compensación. Una retribución grande y valiosa. Le había dicho a su mujer:

—Voy a despedirme de don Pedro. Sé que me gratificará. Estoy por decir que con el dinero que él me dé nos estableceremos bien en Sayula y viviremos holgadamente el resto de nuestros días.

Pero ¿por qué las mujeres siempre tienen una duda? ¿Reciben avisos del Cielo, o qué? Ella no estuvo segura de que consiguiera algo:

—Tendrás que trabajar muy duro allá para levantar cabeza. De aquí no sacarás nada.

—¿Por qué lo dices?

—Lo sé.

Siguió andando hacia la puerta, atento a cualquier llamado: «¡Ey, Gerardo! Lo preocupado que estoy no me ha permitido pensar en ti. Pero yo te debo favores que no se pagan con dinero. Recibe esto: es un regalo insignificante.»

Pero el llamado no vino. Cruzó la puerta y desanudó el bozal con que su caballo estaba amarrado al horcón. Subió a la silla y, al paso, tratando de no alejarse mucho para oír si lo llamaban, caminó hacia Comala sin desviarse del camino. Cuando vio que la Media Luna se perdía detrás de él, pensó: «Sería mucho rebajarme si le pidiera un préstamo.»

—Don Pedro, he regresado, pues no estoy satisfecho conmigo mismo. Gustoso seguiré llevando sus asuntos.

Lo dijo, sentado nuevamente en el despacho de Pedro Páramo, donde había estado no hacía ni media hora.

—Está bien, Gerardo. Allí están los papeles, donde tú los dejaste.

—Desearía también... Los gastos... El traslado... Un mínimo adelanto de honorarios... Algo extra, por si usted lo tiene a bien.

—¿Quinientos?

—¿No podría ser un poco, digamos, un poquito más?

—¿Te conformas con mil?

—¿Y si fueran cinco?

—¿Cinco qué? ¿Cinco mil pesos? No los tengo. Tú bien sabes que todo está invertido. Tierras, animales. Tú lo sabes. Llévate mil. No creo que necesites más.

Se quedó meditando. La cabeza caída. Oía el tintineo de los pesos sobre el escritorio donde Pedro Páramo contaba el dinero. Se acordaba de don Lucas, que siempre le quedó a deber sus honorarios. De don Pedro, que hizo cuenta nueva. De Miguel su hijo: ¡cuántos bochornos le había dado ese muchacho!

Lo libró de la cárcel cuando menos unas quince veces, cuando no hayan sido más. Y el asesinato que cometió con aquel hombre, ¿cómo se apellidaba? Rentería, eso es. El muerto llamado Rentería, al que le pusieron una pistola en la mano. Lo asustado que estaba el Miguelito, aunque después le diera risa. Eso nomás ¿cuánto le hubiera costado a don Pedro si las cosas hubieran ido hasta allá, hasta lo legal? Y lo de las violaciones ¿qué? Cuántas veces él tuvo que sacar de su misma bolsa el dinero para que ellas le echaran tierra al asunto: «¡Date de buenas que vas a tener un hijo güerito!»[107], les decía.

—Aquí tienes, Gerardo. Cuídalos muy bien, porque no retoñan.

Y él, que todavía estaba en sus cavilaciones, respondió:

—Sí, tampoco los muertos retoñan —y agregó—: Desgraciadamente.

Faltaba mucho para el amanecer. El cielo estaba lleno de estrellas, gordas, hinchadas de tanta noche. La luna había salido un rato y luego se había ido. Era una de esas lunas tristes que nadie mira, a las que nadie hace caso. Estuvo un rato allí desfigurada, sin dar ninguna luz, y después fue a esconderse detrás de los cerros.

Lejos, perdido en la oscuridad, se oía el bramido de los toros.

«Esos animales nunca duermen —dijo Damiana Cisneros—. Nunca duermen. Son como el diablo, que siempre anda buscando almas para llevárselas al Infierno.»

Se dio vuelta en la cama, acercando la cara a la pared. Entonces oyó los golpes.

Detuvo la respiración y abrió los ojos. Volvió a oír tres golpes secos, como si alguien tocara con los nudos de la mano en la pared. No aquí, junto a ella, sino más lejos; pero en la misma pared.

«¡Válgame! Si no serán los tres toques de San Pascual Bailón, que viene a avisarle a algún devoto suyo que ha llegado la hora de su muerte.»

---

[107] *güero:* que es rubio o de piel blanca.

Y como ella había perdido el novenario desde hacía tiempo, a causa de sus reumas, no se preocupó; pero le entró miedo y, más que miedo, curiosidad.

Se levantó del catre sin hacer ruido y se asomó a la ventana.

Los campos estaban negros. Sin embargo, lo conocía tan bien, que vio cuando el cuerpo enorme de Pedro Páramo se columpiaba sobre la ventana de la chacha Margarita.

—¡Áh, qué don Pedro! —dijo Damiana—. No se le quita lo gatero. Lo que no entiendo es por qué le gusta hacer las cosas tan a escondidas; con habérmelo avisado, yo le hubiera dicho a la Margarita que el patrón la necesitaba para esta noche, y él no hubiera tenido ni la molestia de levantarse de su cama.

Cerró la ventana al oír el bramido de los toros. Se echó sobre el catre cobijándose hasta las orejas, y luego se puso a pensar en lo que le estaría pasando a la chacha Margarita.

Más tarde tuvo que quitarse el camisón porque la noche comenzó a ponerse calurosa...

—¡Damiana! —oyó.

Entonces ella era muchacha.

—¡Ábreme la puerta, Damiana!

Le temblaba el corazón como si fuera un sapo brincándole entre las costillas.

—Pero ¿para qué, patrón?

—¡Ábreme, Damiana!

—Pero si ya estoy dormida, patrón.

Después sintió que don Pedro se iba por los largos corredores, dando aquellos zapatazos que sabía dar cuando estaba corajudo.

A la noche siguiente, ella, para evitar el disgusto, dejó la puerta entornada y hasta se desnudó para que él no encontrara dificultades.

Pero Pedro Páramo jamás regresó con ella.

Por eso ahora, cuando era la caporala de todas las sirvientas de la Media Luna, por haberse dado a respetar, ahora, que estaba ya vieja, todavía pensaba en aquella noche cuando el patrón le dijo:

«¡Ábreme la puerta, Damiana!»

Y se acostó pensando en lo feliz que sería a estas horas la chacha Margarita.

Después volvió a oír otros golpes; pero contra la puerta grande, como si la estuvieran aporreando a culatazos.

Otra vez abrió la ventana y se asomó a la noche. No veía nada; aunque le pareció que la tierra estaba llena de hervores, como cuando ha llovido y se enchina de gusanos. Sentía que se levantaba algo así como el calor de muchos hombres. Oyó el croar de las ranas; los grillos; la noche quieta del tiempo de aguas. Luego volvió a oír los culatazos aporreando la puerta.

Una lámpara regó su luz sobre la cara de algunos hombres. Después se apagó.

«Son cosas que a mí no me interesan», dijo Damiana Cisneros, y cerró la ventana.

—Supe que te habían derrotado, Damasio. ¿Por qué te dejas hacer eso?

—Le informaron mal, patrón. A mí no me ha pasado nada. Tengo mi gente enterita. Ahi le traigo setecientos hombres y otros cuantos arrimados. Lo que pasó es que unos pocos de los «viejos», aburridos de estar ociosos, se pusieron a disparar contra un pelotón de pelones[108], que resultó ser todo un ejército. Villistas, ¿sabe usted?

—¿Y de dónde salieron ésos?

—Vienen del Norte, arriando parejo con todo lo que encuentran. Parece, según se ve, que andan recorriendo la tierra, tanteando todos los terrenos. Son poderosos. Eso ni quien se los quite.

—¿Y por qué no te juntas con ellos? Ya te he dicho que hay que estar con el que vaya ganando.

—Ya estoy con ellos.

—¿Entonces para qué vienes a verme?

—Necesitamos dinero, patrón. Ya estamos cansados de comer carne. Ya ni se nos antoja. Y nadie nos quiere fiar. Por eso venimos, para que usted nos provea y no nos veamos urgidos

---

[108] *pelón:* los soldados federales llevaban el pelo cortado al rape, motivo de burla para los revolucionarios.

de robarle a nadie. Si anduviéramos remotos no nos importaría darle un «entre» a los vecinos; pero aquí todos estamos emparentados y nos remuerde robar. Total, es dinero lo que necesitamos para mercar aunque sea una gorda con chile[109]. Estamos hartos de comer carne.

—¿Ahora te me vas a poner exigente, Damasio?

—De ningún modo, patrón. Estoy abogando por los muchachos; por mí, ni me apuro.

—Está bien que te acomidas por tu gente; pero sonsácales a otros lo que necesitas. Yo ya te di. Confórmate con lo que te di. Y éste no es un consejo ni mucho menos, ¿pero no se te ha ocurrido asaltar Contla? ¿Para qué crees que andas en la revolución? Si vas a pedir limosna estás atrasado. Valía más que mejor te fueras con tu mujer a cuidar gallinas. ¡Échate sobre algún pueblo! Si tú andas arriesgando el pellejo, ¿por qué diablos no van a poner otros algo de su parte? Contla está que hierve de ricos. Quítales tantito de lo que tienen. ¿O acaso creen que tú eres su pilmama[110] y que estás para cuidarles sus intereses? No, Damasio. Hazles ver que no andas jugando ni divirtiéndote. Dales un pegue y ya verás cómo sales con centavos de este mitote.

—Lo que sea, patrón. De usted siempre saco algo de provecho.

—Pues que te aproveche.

Pedro Páramo miró cómo los hombres se iban. Sintió desfilar frente a él el trote de caballos oscuros, confundidos con la noche. El sudor y el polvo; el temblor de la tierra. Cuando vio los cocuyos[111] cruzando otra vez sus luces, se dio cuenta de que todos los hombres se habían ido. Quedaba él, solo, como un tronco duro comenzando a desgajarse por dentro.

Pensó en Susana San Juan. Pensó en la muchachita con la que acababa de dormir apenas un rato. Aquel pequeño cuerpo azorado y tembloroso que parecía iba a echar fuera su corazón por la boca. «Puñadito de carne», le dijo. Y se había

---

[109] *gorda:* tortilla de maíz más gruesa que la común; *chile* (del náhuatl *chilli*): pimiento. Hay muchas variedades, y su consumo es muy grande en México.

[110] *pilmama* (del náhuatl *pilli*, hijo, y *mama*, que carga): ama de cría.

[111] *cocuyo:* insecto que de noche despide una luz bastante intensa.

abrazado a ella tratando de convertirla en la carne de Susana San Juan. «Una mujer que no era de este mundo.»

En el comienzo del amanecer, el día va dándose vuelta, a pausas; casi se oyen los goznes de la tierra que giran enmohecidos; la vibración de esta tierra vieja que vuelca su oscuridad.

—¿Verdad que la noche está llena de pecados, Justina?

—Sí, Susana.

—¿Y es verdad?

—Debe serlo, Susana.

—¿Y qué crees que es la vida, Justina, sino un pecado? ¿No oyes? ¿No oyes cómo rechina la tierra?

—No, Susana, no alcanzo a oír nada. Mi suerte no es tan grande como la tuya.

—Te asombrarías. Te digo que te asombrarías de oír lo que yo oigo.

Justina siguió poniendo orden en el cuarto. Repasó una y otra vez la jerga[112] sobre los tablones húmedos del piso. Limpió el agua del florero roto. Recogió las flores. Puso los vidrios en el balde lleno de agua.

—¿Cuántos pájaros has matado en tu vida, Justina?

—Muchos, Susana.

—¿Y no has sentido tristeza?

—Sí, Susana.

—Entonces ¿qué esperas para morirte?

—La muerte, Susana.

—Si es nada más eso, ya vendrá. No te preocupes.

Susana San Juan estaba incorporada sobre sus almohadas. Los ojos inquietos, mirando hacia todos lados. Las manos sobre el vientre, prendidas a su vientre como una concha protectora. Había ligeros zumbidos que cruzaban como alas por

---

[112] *jerga:* término común en México (también se utiliza *trapeador)* para designar un trapo especial, de tejido grueso de algodón, muy absorbente, que se usa para lavar, limpiar y secar los pisos (FJR).

encima de su cabeza. Y el ruido de las poleas en la noria. El rumor que hace la gente al despertar.

—¿Tú crees en el Infierno, Justina?

—Sí, Susana. Y también en el Cielo.

—Yo sólo creo en el Infierno —dijo. Y cerró los ojos.

Cuando salió Justina del cuarto, Susana San Juan estaba nuevamente dormida y afuera chisporroteaba el sol. Se encontró con Pedro Páramo en el camino.

—¿Cómo está la señora?

—Mal —le dijo agachando la cabeza.

—¿Se queja?

—No, señor, no se queja de nada; pero dicen que los muertos ya no se quejan. La señora está perdida para todos.

—¿No ha venido el padre Rentería a verla?

—Anoche vino y la confesó. Hoy debía de haber comulgado, pero no debe estar en gracia porque el padre Rentería no le ha traído la comunión. Dijo que lo haría a hora temprana, y ya ve usted, el sol ya está aquí y no ha venido. No debe estar en gracia.

—¿En gracia de quién?

—De Dios, señor.

—No seas tonta, Justina.

—Como usted lo diga, señor.

Pedro Páramo abrió la puerta y se estuvo junto a ella, dejando que un rayo de luz cayera sobre Susana San Juan. Vio sus ojos apretados como cuando se siente un dolor interno; la boca humedecida, entreabierta, y las sábanas siendo recorridas por manos inconscientes hasta mostrar la desnudez de su cuerpo que comenzó a retorcerse en convulsiones.

Recorrió el pequeño espacio que lo separaba de la cama y cubrió el cuerpo desnudo, que siguió debatiéndose como un gusano en espasmos cada vez más violentos. Se acercó a su oído y le habló: «¡Susana!» Y volvió a repetir: «¡Susana!»

Se abrió la puerta y entró el padre Rentería en silencio, moviendo brevemente los labios:

—Te voy a dar la comunión, hija mía.

Esperó a que Pedro Páramo la levantara recostándola contra el respaldo de la cama. Susana San Juan, semidormida, estiró la lengua y se tragó la hostia. Después dijo: «Hemos pasado un rato muy feliz, Florencio.» Y se volvió a hundir entre la sepultura de sus sábanas.

62.

—¿Ve usted aquella ventana, doña Fausta, allá en la Media Luna, donde siempre ha estado prendida la luz?

—No, Ángeles. No veo ninguna ventana.

—Es que ahorita se ha quedado a oscuras. ¿No estará pasando algo malo en la Media Luna? Hace más de tres años que está aluzada esa ventana, noche tras noche. Dicen los que han estado allí que es el cuarto donde habita la mujer de Pedro Páramo, una pobrecita loca que le tiene miedo a la oscuridad. Y mire: ahora mismo se ha apagado la luz. ¿No será un mal suceso?

—Tal vez haya muerto. Estaba muy enferma. Dicen que ya no conocía a la gente, y dizque hablaba sola. Buen castigo ha de haber soportado Pedro Páramo casándose con esa mujer.

—Pobre del señor don Pedro.

—No, Fausta. Él se lo merece. Eso y más.

—Mire, la ventana sigue a oscuras.

—Ya deje tranquila esa ventana y vámonos a dormir, que es muy noche para que este par de viejas andemos sueltas por la calle.

Y las dos mujeres, que salían de la iglesia muy cerca de las once de la noche, se perdieron bajo los arcos del portal, mirando cómo la sombra de un hombre cruzaba la plaza en dirección de la Media Luna.

—Oiga, doña Fausta, ¿no se le figura que el señor que va allí es el doctor Valencia?

—Así parece, aunque estoy tan cegatona que no lo podría reconocer.

—Acuérdese que siempre viste pantalones blancos y saco[113] negro. Yo le apuesto a que está aconteciendo algo malo en la Media Luna. Y mire lo recio que va, como si lo correteara la prisa.

---

[113] *saco:* chaqueta, americana.

—Con tal de que no sea de verdad una cosa grave. Me dan ganas de regresar y decirle al padre Rentería que se dé una vuelta por allá, no vaya a resultar que esa infeliz muera sin confesión.

—Ni lo piense, Ángeles. Ni lo quiera Dios. Después de todo lo que ha sufrido en este mundo, nadie desearía que se fuera sin los auxilios espirituales, y que siguiera penando en la otra vida. Aunque dicen los zahorinos[114] que a los locos no les vale la confesión, y aun cuando tengan el alma impura son inocentes. Eso sólo Dios lo sabe... Mire usted, ya se ha vuelto a prender la luz en la ventana. Ojalá todo salga bien. Imagínese en qué pararía el trabajo que nos hemos tomado todos estos días para arreglar la iglesia y que luzca bonita ahora para la Natividad, si alguien se muere en esa casa. Con el poder que tiene don Pedro, nos desbarataría la función en un santiamén.

—A usted siempre se le ocurre lo peor, doña Fausta. Mejor haga lo que yo: encomiéndelo todo a la Divina Providencia. Récele un Ave María a la Virgen y estoy segura que nada va a pasar de hoy a mañana. Ya después, que se haga la voluntad de Dios; al fin y al cabo, ella no debe estar tan contenta en esta vida.

—Créame, Ángeles, que usted siempre me repone el ánimo. Voy a dormir llevándome al sueño estos pensamientos. Dicen que los pensamientos de los sueños van derechito al Cielo. Ojalá que los míos alcancen esa altura. Nos veremos mañana.

—Hasta mañana, Fausta.

Las dos viejas, puerta de por medio, se metieron en sus casas. El silencio volvió a cerrar la noche sobre el pueblo.

—Tengo la boca llena de tierra.

—Sí, padre.

—No digas: «Sí, padre.» Repite conmigo lo que yo vaya diciendo.

—¿Qué va usted a decirme? ¿Me va a confesar otra vez? ¿Por qué otra vez?

---

[114] *zahorino:* zahorí, persona que tiene facultades adivinatorias.

—Ésta no será una confesión, Susana. Sólo vine a platicar contigo. A prepararte para la muerte.

—¿Ya me voy a morir?

—Sí, hija.

—¿Por qué entonces no me deja en paz? Tengo ganas de descansar. Le han de haber encargado que viniera a quitarme el sueño. Que se estuviera aquí conmigo hasta que se me fuera el sueño. ¿Qué haré después para encontrarlo? Nada, padre. ¿Por qué mejor no se va y me deja tranquila?

—Te dejaré en paz, Susana. Conforme vayas repitiendo las palabras que yo diga, te irás quedando dormida. Sentirás como si tú misma te arrullaras. Y ya que te duermas nadie te despertará... Nunca volverás a despertar.

—Está bien, padre. Haré lo que usted diga.

El padre Rentería, sentado en la orilla de la cama, puestas las manos sobre los hombros de Susana San Juan, con su boca casi pegada a la oreja de ella para no hablar fuerte, encajaba secretamente cada una de sus palabras: «Tengo la boca llena de tierra.» Luego se detuvo. Trató de ver si los labios de ella se movían. Y los vio balbucir, aunque sin dejar salir ningún sonido.

«Tengo la boca llena de ti, de tu boca. Tus labios apretados, duros como si mordieran oprimiendo mis labios...»

Se detuvo también. Miró de reojo al padre Rentería y lo vio lejos, como si estuviera detrás de un vidrio empañado.

Luego volvió a oír la voz calentando su oído:

—Trago saliva espumosa; mastico terrones plagados de gusanos que se me anudan en la garganta y raspan la pared del paladar... Mi boca se hunde, retorciéndose en muecas, perforada por los dientes que la taladran y devoran. La nariz se reblandece. La gelatina de los ojos se derrite. Los cabellos arden en una sola llamarada...

Le extrañaba la quietud de Susana San Juan. Hubiera querido adivinar sus pensamientos y ver la batalla de aquel corazón por rechazar las imágenes que él estaba sembrando dentro de ella. Le miró los ojos y ella le devolvió la mirada. Y le pareció ver como si sus labios forzaran una sonrisa.

—Aún falta más. La visión de Dios. La luz suave de su Cielo infinito. El gozo de los querubines y el canto de los serafines. La alegría de los ojos de Dios, última y fugaz visión de los condenados a la pena eterna. Y no sólo eso, sino todo conjugado con un dolor terrenal. El tuétano de nuestros huesos convertido en lumbre y las venas de nuestra sangre en hilos de fuego, haciéndonos dar reparos[115] de increíble dolor; no menguado nunca; atizado siempre por la ira del Señor.

«Él me cobijaba entre sus brazos. Me daba amor.»

El padre Rentería repasó con la vista las figuras que estaban alrededor de él, esperando el último momento. Cerca de la puerta, Pedro Páramo aguardaba con los brazos cruzados; en seguida, el doctor Valencia, y junto a ellos otros señores. Más allá, en las sombras, un puño de mujeres a las que se les hacía tarde para comenzar a rezar la oración de difuntos.

Tuvo intenciones de levantarse. Dar los santos óleos a la enferma y decir: «He terminado.» Pero no, no había terminado todavía. No podía entregar los sacramentos a una mujer sin conocer la medida de su arrepentimiento.

Le entraron dudas. Quizá ella no tenía nada de que arrepentirse. Tal vez él no tenía nada de que perdonarla. Se inclinó nuevamente sobre ella y, sacudiéndole los hombros, le dijo en voz baja:

—Vas a ir a la presencia de Dios. Y su juicio es inhumano para los pecadores.

Luego se acercó otra vez a su oído; pero ella sacudió la cabeza:

—¡Ya váyase, padre! No se mortifique por mí. Estoy tranquila y tengo mucho sueño.

Se oyó el sollozo de una de las mujeres escondidas en la sombra.

Entonces Susana San Juan pareció recobrar vida. Se alzó en la cama y dijo:

—¡Justina, hazme el favor de irte a llorar a otra parte!

Después sintió que la cabeza se le clavaba en el vientre. Trató de separar el vientre de su cabeza; de hacer a un lado aquel

---

[115] *reparos:* saltos, convulsiones, movimiento repentino y fuerte. Se aplica, por ejemplo, a los caballos, que «reparan» y pueden tirarlo a uno al suelo. Sugiere movimientos de carácter repetitivo (FJR).

viente que le apretaba los ojos y le cortaba la respiración; pero cada vez se volcaba más como si se hundiera en la noche.

64

—Yo. Yo vi morir a doña Susanita.

—¿Qué dices, Dorotea?

—Lo que te acabo de decir.

65

Al alba, la gente fue despertada por el repique de las campanas. Era la mañana del 8 de diciembre. Una mañana gris. No fría; pero gris. El repique comenzó con la campana mayor. La siguieron las demás. Algunos creyeron que llamaban para la misa grande y empezaron a abrirse las puertas; las menos, sólo aquellas donde vivía gente desmañanada[116], que esperaba despierta a que el toque del alba les avisara que ya había terminado la noche. Pero el repique duró más de lo debido. Ya no sonaban sólo las campanas de la iglesia mayor, sino también las de la Sangre de Cristo, las de la Cruz Verde y tal vez las del Santuario. Llegó el mediodía y no cesaba el repique. Llegó la noche. Y de día y de noche las campanas siguieron tocando, todas por igual, cada vez con más fuerza, hasta que aquello se convirtió en un lamento rumoroso de sonidos. Los hombres gritaban para oír lo que querían decir. «¿Qué habrá pasado?», se preguntaban.

A los tres días todos estaban sordos. Se hacía imposible hablar con aquel zumbido de que estaba lleno el aire. Pero las campanas seguían, seguían, algunas ya cascadas, con un sonar hueco como de cántaro.

—Se ha muerto doña Susana.

—¿Muerto? ¿Quién?

—La señora.

—¿La tuya?

---

[116] *desmañanarse:* madrugar mucho.

—La de Pedro Páramo.

Comenzó a llegar gente de otros rumbos, atraída por el constante repique. De Contla venían como en peregrinación. Y aun de más lejos. Quién sabe de dónde, pero llegó un circo, con volantines y sillas voladoras. Músicos. Se acercaban primero como si fueran mirones, y al rato ya se habían avecindado, de manera que hasta hubo serenatas. Y así poco a poco la cosa se convirtió en fiesta. Comala hormigueó de gente, de jolgorio y de ruidos, igual que en los días de la función en que costaba trabajo dar un paso por el pueblo.

Las campanas dejaron de tocar; pero la fiesta siguió. No hubo modo de hacerles comprender que se trataba de un duelo, de días de duelo. No hubo modo de hacer que se fueran; antes, por el contrario, siguieron llegando más.

La Media Luna estaba sola, en silencio. Se caminaba con los pies descalzos; se hablaba en voz baja. Enterraron a Susana San Juan y pocos en Comala se enteraron. Allá había feria. Se jugaba a los gallos, se oía la música; los gritos de los borrachos y de las loterías. Hasta acá llegaba la luz del pueblo, que parecía una aureola sobre el cielo gris. Porque fueron días grises, tristes para la Media Luna. Don Pedro no hablaba. No salía de su cuarto. Juró vengarse de Comala:

—Me cruzaré de brazos y Comala se morirá de hambre.

Y así lo hizo.

El Tilcuate siguió viniendo:

—Ahora somos carrancistas.

—Está bien.

—Andamos con mi general Obregón.

—Está bien.

—Allá se ha hecho la paz. Andamos sueltos.

—Espera. No desarmes a tu gente. Esto no puede durar mucho.

—Se ha levantado en armas el padre Rentería. ¿Nos vamos con él, o contra él?

—Eso ni se discute. Ponte al lado del gobierno.

—Pero si somos irregulares. Nos consideran rebeldes.

209

—Entonces vete a descansar.

—¿Con el vuelo que llevo?

—Haz lo que quieras, entonces.

—Me iré a reforzar al padrecito. Me gusta cómo gritan. Además lleva uno ganada la salvación.

—Haz lo que quieras[117].

Pedro Páramo estaba sentado en un viejo equipal, junto a la puerta grande de la Media Luna, poco antes de que se fuera la última sombra de la noche. Estaba solo, quizá desde hacía tres horas. No dormía. Se había olvidado del sueño y del tiempo: «Los viejos dormimos poco, casi nunca. A veces apenas si dormitamos; pero sin dejar de pensar. Eso es lo único que me queda por hacer.» Después añadió en voz alta: «No tarda ya. No tarda.»

Y siguió: «Hace mucho tiempo que te fuiste, Susana. La luz era igual entonces que ahora, no tan bermeja; pero era la misma pobre luz sin lumbre, envuelta en el paño blanco de la neblina que hay ahora. Era el mismo momento. Yo aquí, junto a la puerta mirando el amanecer y mirando cuando te ibas, siguiendo el camino del Cielo; por donde el cielo comenzaba a abrirse en luces, alejándote, cada vez más desteñida entre las sombras de la tierra.

»Fue la última vez que te vi. Pasaste rozando con tu cuerpo las ramas del paraíso[118] que está en la vereda y te llevaste con tu aire sus últimas hojas. Luego desapareciste. Te dije: "¡Regresa, Susana!"»

---

[117] *carrancistas:* Venustiano Carranza fue ministro con Francisco Madero y se opuso al gobierno de Victoriano Huerta en 1913. Proclamado primer jefe del ejército constitucionalista, llegará en 1917 a ser presidente de la República. Se enfrentó a Villa, compañero de armas al principio, y a Zapata. La alianza de Calles, Obregón y Huerta le obliga a abandonar la capital, para establecerse en Veracruz. Murió durante el viaje, en un enfrentamiento con el general Rodolfo Herrero, en 1920. Álvaro *Obregón* fue presidente de la República entre 1920 y 1924. Apoyó a Carranza contra Villa, y luego se opuso a él. Fue asesinado en 1928. —*Me iré a reforzar al padrecito:* alusión a la rebelión *cristera*.

[118] *paraíso:* árbol de unos 10 metros, con abundantes flores aromáticas.

Pedro Páramo siguió moviendo los labios, susurrando palabras. Después cerró la boca y entreabrió los ojos, en los que se reflejó la débil claridad del amanecer.

Amanecía.

A esa misma hora, la madre de Gamaliel Villalpando, doña Inés, barría la calle frente a la tienda de su hijo, cuando llegó y, por la puerta entornada, se metió Abundio Martínez. Se encontró al Gamaliel dormido encima del mostrador con el sombrero cubriéndole la cara para que no lo molestaran las moscas. Tuvo que esperar un buen rato para que despertara. Tuvo que esperar a que doña Inés terminara la faena de barrer la calle y viniera a picarle las costillas a su hijo con el mango de la escoba y le dijera:

—¡Aquí tienes un cliente! ¡Alevántate!

El Gamaliel se enderezó de mal genio, dando gruñidos. Tenía los ojos colorados de tanto desvelarse y de tanto acompañar a los borrachos, emborrachándose con ellos. Ya sentado sobre el mostrador, maldijo a su madre, se maldijo a sí mismo y maldijo infinidad de veces a la vida «que valía un puro carajo». Luego volvió a acomodarse con las manos entre las piernas y se volvió a dormir todavía farfullando maldiciones:

—Yo no tengo la culpa de que a estas horas anden sueltos los borrachos.

—El pobre de mi hijo. Discúlpalo, Abundio. El pobre se pasó la noche atendiendo a unos viajantes que se picaron con las copas. ¿Qué es lo que te trae por aquí tan de mañana?

Se lo dijo a gritos, porque Abundio era sordo.

—Pos nada más un cuartillo de alcohol del que estoy necesitado.

—¿Se te volvió a desmayar la Refugio?

—Se me murió ya, madre Villa. Anoche mismito, muy cerca de las once. Y conque hasta vendí mis burros. Hasta eso vendí porque se me aliviara.

—¡No oigo lo que estás diciendo! ¿O no estás diciendo nada? ¿Qué es lo que dices?

211

—Que me pasé la noche velando a la muerta, a la Refugio. Dejó de resollar anoche.

—Con razón me olió a muerto. Fíjate que hasta yo le dije al Gamaliel: «Me huele que alguien se murió en el pueblo.» Pero ni caso me hizo; con eso de que tuvo que congeniar con los viajantes, el pobre se emborrachó. Y tú sabes que cuando está en ese estado, todo le da risa y ni caso le hace a una. ¿Pero qué me dices? ¿Y tienes convidados para el velorio?

—Ninguno, madre Villa. Para eso quiero el alcohol, para curarme la pena.

—¿Lo quieres puro?

—Sí, madre Villa. Pa emborracharme más pronto. Y démelo rápido que llevo prisa.

—Te daré dos decilitros por el mismo precio y por ser para ti. Ve diciéndole entretanto a la difuntita que yo siempre la aprecié y que me tome en cuenta cuando llegue a la Gloria.

—Sí, madre Villa.

—Díselo antes de que se acabe de enfriar.

—Se lo diré. Yo sé que ella también cuenta con usté pa que ofrezca sus oraciones. Con decirle que se murió compungida porque no hubo ni quien la auxiliara.

—¿Qué, no fuiste a ver al padre Rentería?

—Fui. Pero me informaron que andaba en el cerro.

—¿En cuál cerro?

—Pos por esos andurriales. Usted sabe que andan en la revuelta.

—¿De modo que también él? Pobres de nosotros, Abundio.

—A nosotros qué nos importa eso, madre Villa. Ni nos va ni nos viene. Sírvame la otra. Ahi como que se hace la disimulada, al fin y al cabo el Gamaliel está dormido.

—Pero no se te olvide pedirle a la Refugio que ruegue a Dios por mí, que tanto lo necesito.

—No se mortifique. Se lo diré en llegando. Y hasta le sacaré la promesa de palabra, por si es necesario y pa que usté se deje de apuraciones.

—Eso, eso mero debes hacer. Porque tú sabes cómo son las mujeres. Así que hay que exigirles el cumplimiento en seguida.

Abundio Martínez dejó otros veinte centavos sobre el mostrador.

—Deme el otro cuartillo, madre Villa. Y si me lo quiere dar sobradito, pos ahi es cosa de usté. Lo único que le prometo es que éste sí me lo iré a beber junto a la difuntita; junto a mi Cuca[119].

—Vete pues, antes que se despierte mi hijo. Se le agria mucho el genio cuando amanece después de una borrachera. Vete volando y no se te olvide darle mi encargo a tu mujer.

Salió de la tienda dando estornudos. Aquello era pura lumbre; pero, como le habían dicho que así se subía más pronto, sorbió un trago tras otro, echándose aire en la boca con la falda de la camisa. Luego trató de ir derecho a su casa donde lo esperaba la Refugio; pero torció el camino y echó a andar calle arriba, saliéndose del pueblo por donde lo llevó la vereda.

—¡Damiana! —llamó Pedro Páramo—. Ven a ver qué quiere ese hombre que viene por el camino.

Abundio siguió avanzando, dando traspiés, agachando la cabeza y a veces caminando en cuatro patas. Sentía que la tierra se retorcía, le daba vueltas y luego se le soltaba; él corría para agarrarla, y cuando ya la tenía en sus manos se le volvía a ir, hasta que llegó frente a la figura de un señor sentado junto a una puerta. Entonces se detuvo:

—Denme una caridad para enterrar a mi mujer —dijo.

Damiana Cisneros rezaba: «De las asechanzas del enemigo malo, líbranos, Señor.» Y le apuntaba con las manos haciendo la señal de la cruz.

Abundio Martínez vio a la mujer de los ojos azorados, poniéndole aquella cruz enfrente, y se estremeció. Pensó que tal vez el demonio lo había seguido hasta allí, y se dio vuelta, esperando encontrarse con alguna mala figuración. Al no ver a nadie, repitió:

—Vengo por una ayudita para enterrar a mi muerta.

El sol le llegaba por la espalda. Ese sol recién salido, casi frío, desfigurado por el polvo de la tierra.

La cara de Pedro Páramo se escondió debajo de las cobijas como si se escondiera de la luz, mientras que los gritos de Da-

---

[119] *Cuca:* es el diminutivo de Refugio.

miana se oían salir más repetidos, atravesando los campos: «¡Están matando a don Pedro!»

Abundio Martínez oía que aquella mujer gritaba. No sabía qué hacer para acabar con esos gritos. No le encontraba la punta a sus pensamientos. Sentía que los gritos de la vieja se debían estar oyendo muy lejos. Quizá hasta su mujer los estuviera oyendo, porque a él le taladraban las orejas, aunque no entendía lo que decía. Pensó en su mujer que estaba tendida en el catre, solita, allá en el patio de su casa, adonde él la había sacado para que se serenara y no se apestara pronto. La Cuca, que todavía ayer se acostaba con él, bien viva, retozando como una potranca, y que lo mordía y le raspaba la nariz con su nariz. La que le dio aquel hijito que se les murió apenas nacido, dizque porque ella estaba incapacitada: el mal de ojo y los fríos y la rescoldera[120] y no sé cuántos males tenía su mujer, según le dijo el doctor que fue a verla ya a última hora, cuando tuvo que vender sus burros para traerlo hasta acá, por el cobro tan alto que le pidió. Y de nada había servido... La Cuca, que ahora estaba allá aguantando el relente, con los ojos cerrados, ya sin poder ver amanecer; ni este sol ni ningún otro.

—¡Ayúdenme! —dijo—. Denme algo.

Pero ni siquiera él se oyó. Los gritos de aquella mujer lo dejaban sordo.

Por el camino de Comala se movieron unos puntitos negros. De pronto los puntitos se convirtieron en hombres y luego estuvieron aquí, cerca de él. Damiana Cisneros dejó de gritar. Deshizo su cruz. Ahora se había caído y abría la boca como si bostezara.

Los hombres que habían venido la levantaron del suelo y la llevaron al interior de la casa.

—¿No le ha pasado nada a usted, patrón? —preguntaron.

Apareció la cara de Pedro Páramo, que sólo movió la cabeza.

Desarmaron a Abundio, que aún tenía el cuchillo lleno de sangre en la mano:

---

[120] *rescoldera:* sensación de quemadura en el estómago o en la faringe, pirosis.

—Vente con nosotros —le dijeron—. En buen lío te has metido.

Y él los siguió.

Antes de entrar en el pueblo les pidió permiso. Se hizo a un lado y allí vomitó una cosa amarilla como de bilis. Chorros y chorros, como si hubiera sorbido diez litros de agua. Entonces le comenzó a arder la cabeza y sintió la lengua trabada:

—Estoy borracho —dijo.

Regresó adonde estaban esperándolo. Se apoyó en los hombros de ellos, que lo llevaron a rastras, abriendo un surco en la tierra con la punta de los pies.

Allá atrás, Pedro Páramo, sentado en su equipal, miró el cortejo que se iba hacia el pueblo. Sintió que su mano izquierda, al querer levantarse, caía muerta sobre sus rodillas; pero no hizo caso de eso. Estaba acostumbrado a ver morir cada día alguno de sus pedazos. Vio cómo se sacudía el paraíso dejando caer sus hojas: «Todos escogen el mismo camino. Todos se van.» Después volvió al lugar donde había dejado sus pensamientos.

—Susana —dijo. Luego cerró los ojos—. Yo te pedí que regresaras...

»...Había una luna grande en medio del mundo. Se me perdían los ojos mirándote. Los rayos de la luna filtrándose sobre tu cara. No me cansaba de ver esa aparición que eras tú. Suave, restregada de luna; tu boca abullonada[121], humedecida, irisada de estrellas; tu cuerpo transparentándose en el agua de la noche. Susana, Susana San Juan.»

Quiso levantar su mano para aclarar la imagen; pero sus piernas la retuvieron como si fuera de piedra. Quiso levantar la otra mano y fue cayendo despacio, de lado, hasta quedar apoyada en el suelo como una muleta deteniendo su hombro deshuesado.

---

[121] *abullonada:* suave y abultada. La imagen se crea por referencia a los trabajos llamados «almohadillados», hechos en cuero o tela.

«Ésta es mi muerte», dijo.

El sol se fue volteando sobre las cosas y les devolvió su forma. La tierra en ruinas estaba frente a él, vacía. El calor caldeaba su cuerpo. Sus ojos apenas se movían; saltaban de un recuerdo a otro, desdibujando el presente. De pronto su corazón se detenía y parecía como si también se detuviera el tiempo. Y el aire de la vida.

«Con tal de que no sea una nueva noche», pensaba él.

Porque tenía miedo de las noches que le llenaban de fantasmas la oscuridad. De encerrarse con sus fantasmas. De eso tenía miedo.

«Sé que dentro de pocas horas vendrá Abundio con sus manos ensangrentadas a pedirme la ayuda que le negué. Y yo no tendré manos para taparme los ojos y no verlo. Tendré que oírlo; hasta que su voz se apague con el día, hasta que se le muera su voz.»

Sintió que unas manos le tocaban los hombros y enderezó el cuerpo, endureciéndolo.

—Soy yo, don Pedro —dijo Damiana—. ¿No quiere que le traiga su almuerzo?

Pedro Páramo respondió:

—Voy para allá. Ya voy.

Se apoyó en los brazos de Damiana Cisneros e hizo intento de caminar. Después de unos cuantos pasos cayó, suplicando por dentro; pero sin decir una sola palabra. Dio un golpe seco contra la tierra y se fue desmoronando como si fuera un montón de piedras.

Apéndices

Cura en Cardonal, 1959. Fotografía de Juan Rulfo.

Apéndice I

Aunque la novela no ofrece ninguna fecha concreta, puede establecerse un ordenamiento cronológico de los acontecimientos basándose en las referencias históricas que la novela presenta, así como en deducciones que pueden realizarse a partir de los propios acontecimientos relatados. Lógicamente, la fechación que aquí se ofrece no puede validarse en todos sus términos y hay que considerarla siempre como lo que es: una hipótesis verosímil. Ir más allá sería intentar forzar la propia libertad con que Rulfo concibió su novela, ese puzzle en el que las piezas encajan asombrosamente, pero al que no debemos exigir una exactitud que, probablemente, no fue buscada. En todo caso, al establecer una cronología, el lector apreciará mejor las complejidades estructurales de esta novela y, al mismo tiempo, se le facilitará la comprensión de una «historia» cuya fragmentación es esencial en su valoración artística.

1865 Nacimiento de Pedro Páramo y de Susana San Juan.
1880 Susana abandona Comala.
1880 Muerte del abuelo de Pedro Páramo
1884 (25 de julio) Muerte de Lucas Páramo.
1885 (marzo) Muerte de la madre de Pedro Páramo.
1885 (3 de abril) Boda de Pedro Páramo y Dolores Preciado.
1886 Nacimiento de Juan Preciado.
1891 Nacimiento de Miguel Páramo.

1910 (2 de agosto) Muerte de Miguel Páramo.
1910 Regreso de Susana a Comala.
1911 Muerte de Fulgor Sedano.
1914 (8 de diciembre) Muerte de Susana San Juan.
1927 Muerte de Pedro Páramo.

Para establecer esta cronología hay que partir de una fecha «segura». Comencemos con la fecha de la muerte de Susana. Conviene recordar el diálogo de las dos ancianas (frag. 62) en el que una de ellas, refiriéndose a la enfermedad de Susana, señala que «Hace más de tres años que está aluzada esa ventana, noche tras noche». Esta situación parece que ha sido permanente desde la llegada de Susana, tal como se refleja en el frag. 51, a través del pensamiento de Pedro Páramo: «Desde que la había traído a vivir aquí no sabía de otras noches pasadas a su lado, sino de estas noches doloridas, de interminable inquietud.» Las referencias históricas que enmarcan la muerte de Susana delimitan con bastante exactitud el momento del óbito. Por un lado, cuando Damasio se une a los villistas, coincidiendo con sus triunfos iniciales (frag. 60), Susana aún vive, lo que nos lleva al año 1914. Por otra parte, la primera referencia histórica después de su muerte es al cambio de bando de Damasio, que señala «—Ahora somos carrancistas» (frag. 66), lo que nos situaría en el año 1915, fecha del triunfo de Carranza. En el frag. 65 se indica que las campanas tocan anunciando la muerte de Susana («Era la mañana del 8 de diciembre»). Teniendo en cuenta los «más de tres años» (frag. 62) que Susana llevaba viviendo en la casa de Pedro Páramo, puede deducirse que su regreso a Comala tiene lugar en 1910, fecha que coincide con lo expresado por Pedro Páramo en el frag. 44: «Ya para entonces soplaban vientos raros. Se decía que había gente levantada en armas. Nos llegaban rumores. Eso fue lo que aventó a tu padre por aquí», alusiones precisas al inicio de la Revolución Mexicana, desde los primeros levantamientos campesinos en dicho año.

Si restamos treinta años a 1910 nos encontraremos con la fecha en que Susana abandonaba Comala, es decir, en 1880. Tal operación puede hacerse, ya que en el frag. 44 Pedro Páramo indica: «Esperé treinta años a que regresaras, Susana.»

Ese año de 1880 puede servir de referente para los fragmentos que nos presentan a Pedro Páramo adolescente y que tienen como motivo central la marcha de Susana. ¿Qué edad tienen ambos? La novela no ofrece datos al respecto y solo cabe establecer propuestas hipotéticas. En los fragmentos 6, 7, 8, 10 y 12 se narran diversas escenas relacionadas con Pedro Páramo adolescente. Las tres primeras describen escenas situadas en el mismo día y nos permiten datar en ese momento la muerte del abuelo de Pedro Páramo: «Estamos en el novenario de tu abuelo» (frag. 8); «con los gastos que hicimos para enterrar a tu abuelo...» (frag. 7). El frag. 10 presenta una escena similar a las anteriores, lo que hace pensar en una coincidencia cronológica, aunque no se pueda precisar el tiempo transcurrido. En todo caso, lo que unifica estos cuatro fragmentos son los recuerdos de Pedro Páramo sobre la marcha de Susana que, por la intensidad con que se presentan, habría que situar en fechas muy cercanas. El lector puede tratar de imaginar qué edad tienen ambos jóvenes en ese momento. Del tono de las conversaciones de la madre y la abuela con Pedro Páramo, de los encargos que le hacen, de su trabajo como aprendiz, podríamos pensar en un joven que tuviera entre 13 y 17 años, aunque la madurez de sus respuestas invita a desechar los 13 o 14 años. En cuanto a la edad de Susana, no tenemos datos significativos en estos fragmentos, pero sí en el frag. 41, en el que se recuerda la muerte de su madre, episodio anterior a su marcha de Comala y que probablemente coincide cronológicamente con lo relatado en los fragmentos 6, 7, 8 y 10. En ese frag. 41 Susana recuerda el momento de la muerte de su madre asociado a su adolescencia: «En mis piernas comenzaba a crecer el vello entre las venas, y mis manos temblaban al tocar mis pechos». Teniendo en cuenta la madurez de su conversación con Justina en aquellos momentos, me inclino a pensar que puede tener 15 años (más años no concordarían con lo señalado en la cita). Aún creo que se puede precisar más, si acudimos a un fragmento de *Los cuadernos* (págs. 85-87). Hay que tener en cuenta al acudir a esta fuente, sin embargo, que los planteamientos de Rulfo variaron sustancialmente en ocasiones al escribir la versión definitiva, por lo que su utilización debe ser medida. En este caso, no obstante, las coincidencias con la novela permiten aceptar a nivel de hipótesis los datos que puedan obtenerse. En el fragmento de *Los cuadernos* se señala que la madre de Susana ha muerto recientemente y, al mismo tiempo, se indica que Susana ya ha abandonado Comala. Las ensoñaciones de Pedro Páramo son similares a las de la novela y la ambientación también se corresponde (la abuela le manda a revisar el maíz, por ejemplo). Además, la frase «cuando teníamos trece años», referida a un pasado algo lejano, otorga verosimilitud a la hipótesis de los 15 años y añade el dato de que ambos tienen la misma edad. En conclusión, si en 1880 tienen 15 años, puede establecerse la fecha de 1865 como la del nacimiento de Pedro Páramo y Susana. De lo dicho anteriormente se deduce, igualmente, que el abuelo de Pedro Páramo muere en 1880.

El próximo paso será encontrar las fechas de la muerte de los padres de Pedro Páramo, el comienzo de su cacicazgo, y su boda con Dolores. Todas estas fechas están interrelacionadas y exigen analizar la novela con bastante atención. Hay que partir de un hecho que llama la atención del lector y que, en principio, no es fácil de ubicar cronológicamente. En el frag. 12 la madre comunica a Pedro Páramo que su padre ha sido asesinado; es el último fragmento de la serie centrada en la adolescencia de Pedro Páramo (unidad *a* del nivel *b*) y no hay elementos en él que lo relacionen con el momento cronológico reflejado en los fragmentos anteriores, aunque tampoco puede saberse el tiempo transcurrido. Lo que sí es evidente, por la manera en que la madre se dirige al hijo, es que este muestra una notoria dependencia que liga su personalidad más al adolescente que al adulto, aunque en este momento no pueda precisarse su edad. Sin embargo, para sorpresa del lector —y de Fulgor Sedano— «el muchacho» que el administrador de la Media Luna se encuentra en el frag. 19 es todo «un hombre» capaz de tomar las más drásticas soluciones. ¿Qué tiempo ha transcurrido entre las situaciones descritas en ambos fragmentos? Si nos fiamos de lo señalado en el frag. 42 no podrían haber transcurrido más de dos meses entre la muerte del padre de Pedro Páramo y la nueva personalidad sanguinaria del cacique. Recordemos que en ese fragmento se informa de que «Pedro Páramo causó tal mortandad después que le mataron a su padre, que se dice casi acabó con los asistentes a la boda en la cual don Lucas Páramo iba a fungir de padrino». Unas líneas antes, uno de los damnificados informa de manera precisa del tiempo transcurrido entre la muerte del padre y la venganza (que incluso podría haber comenzado antes): «Quería averiguar si yo había estado en Vilmayo dos meses antes. El día de San Cristóbal. En la boda.» Sin embargo, es imposible que únicamente hayan transcurrido dos meses, no solo porque el cambio de personalidad de Pedro Páramo resultaría incongruente, sino porque hay otros datos objetivos en la novela que contradicen ese periodo de tiempo. La escena que describe la visita de Fulgor Sedano a Pedro Páramo es determinante para conocer lo que ha ocurrido. Lo primero que hay que tener en cuenta es que cuando Fulgor realiza la visita no han podido comenzar las venganzas de Pedro Páramo porque, indudablemente, estaría al tanto de estos hechos, lo mismo por lo menos que cualquier vecino de Comala. Al contrario, Fulgor sigue pensando que va a encontrarse con el muchacho débil y sin carácter del que en más de una ocasión le había hablado don Lucas Páramo. Además, habría que encajar en este hipotético periodo de dos meses la muerte de la madre, anunciada por Fulgor en su visita a Dolores: «La difunta madre de don Pedro espera que usted vista sus ropas» (frag. 21). Recordemos la cadena de acontecimientos, tal como se describen en la novela. La visita de Fulgor Sedano a Pedro Páramo tiene lugar el 31 de marzo de un año que de momento no podemos precisar. La fecha puede deducirse fácilmente porque el día de la visita Pedro Páramo le encomienda a Fulgor ir a pedir la mano de Dolores, «Eso harás mañana tempranito» (frag. 19), y en la conversación entre Fulgor y Dolores, ella señala: «no estaré lista antes del 8 de abril. Hoy estamos a 1» (frag. 21). Saber en qué mes nos encontramos es fundamental por lo siguiente: Conocemos que Lucas Páramo fue asesinado el día de san Cristóbal, es decir, el 25 de julio (Volek, 1990, 43), luego han pasado ocho meses como mínimo entre la muerte del padre de Pedro Páramo y la visita de Fulgor (incluso cabría la posibilidad de que hubieran pasado años). En todo caso, resulta evidente que es imposible que solo hubieran transcurrido dos meses.

Restablezcamos los detalles de la «historia», apenas esboza-dos en la novela. Cuando Fulgor visita a Pedro Páramo se in-dica que «se estuvo esperando hasta llenarse con la idea de que la casa quizá estuviera deshabitada» (frag. 19). Podría pa-recerle extraño al lector que Fulgor desconozca datos de este tipo, pero hay que tener en cuenta que Fulgor vive en la Me-dia Luna, y que la hacienda se encuentra fuera de Comala (aunque no muy alejada, ya que en el frag. 62 una anciana, desde Comala, ve la ventana encendida de la casa de la ha-cienda); de hecho, Fulgor también manifiesta que no ha vuel-to a ver a Pedro Páramo desde que era recién nacido. Se dis-tinguen, por lo tanto, dos ámbitos perfectamente diferencia-dos: la casa de Comala (en la que se alojarán, por ejemplo, Bartolomé y Susana) y la hacienda de la Media Luna. En la casa de Comala transcurren las escenas de Pedro Páramo ado-lescente, quien vive allí por lo menos hasta la visita de Fulgor. También señala Fulgor que «De no haber sido porque estaba tan encariñado con la Media Luna, ni lo hubiera venido a ver. Se habría largado sin avisarle» (frag. 20). Teniendo en cuenta que como mínimo han transcurrido ocho meses desde la muerte de don Lucas, puede deducirse que Fulgor ha seguido encargándose de la hacienda mientras vive la madre de Pedro Páramo (ratificado por Rulfo en el Apéndice III) y que, lógi-camente, cuando muere va a rendir cuentas al heredero, Pe-dro Páramo. Por lo tanto, mi hipótesis es que la madre de Pedro Páramo fallece en marzo del año en que Fulgor realiza la mencionada visita. ¿Podemos fechar el año de esa visita? La novela no ofrece datos, pero podemos calcularla teniendo en cuenta las informaciones de Rulfo en la entrevista recogida en el Apéndice III. Allí señala que es «un muchacho, un tipo de 20 años ya; ya ahí tiene, dijéramos, 20 años o 22 años». Acep-tando la edad de 20 años, la madre habría muerto en marzo de 1885. La muerte del padre podría haber ocurrido el 25 de julio de 1884, ya que retrasarla un año más no parece conve-niente teniendo en cuenta las palabras de Fulgor a Dolores, relativas al deseo de Pedro Páramo de casarse con ella, cuan-do señala que «Fue su primera decisión; aunque yo había tar-dado en cumplirla por mis muchos quehaceres» (frag. 21): aunque sabemos que es una mentira de Fulgor, sería poco verosímil para Dolores que dicho «retraso» fuese de más de año y medio. De esta manera, resultaría que Pedro Páramo tiene 19 años cuando recibe la noticia de la muerte de su padre, lo que acentúa su carácter apocado, ante su aparente falta de reacción. Sin embargo, también hay que tener en cuenta que esta imagen que los demás tienen de él (expresada de forma rotunda por don Lucas Páramo) oculta su verdadera personalidad, ya que no conviene olvidar la rebeldía que muestra a sus 15 años en la conversación que mantiene con su abuela (frag. 10). La muerte de la madre supone para él una liberación y la eclosión de una personalidad reprimida que estalla en violencia y ansias de poder. Las causas que Pedro Páramo pueda tener para ver en su madre una figura dominante, distante y extraña a él, no se explican en la novela, pero sí es evidente el distanciamiento entre ambos (frag. 12 y 39). En buena lógica, Fulgor ha debido acudir a visitar a Pedro Páramo muy poco tiempo después de la muerte de su madre, con la finalidad de rendir cuentas de su gestión; de hecho, menciona que uno de los dos moños negros que cuelgan de la puerta «relumbra como si fuera de seda» (frag. 19), lo que indicaría la cercanía del fallecimiento. Por último, puede señalarse que la boda con Dolores tiene lugar el 3 de abril de 1885, ya que habiendo establecido que la entrevista entre Dolores y Fulgor se celebra el 1 de abril de ese año, el administrador de la Media Luna determina que «La boda será pasado mañana» (frag. 21). Igualmente, puede señalarse que pocos días después tiene lugar el asesinato de Aldrete, ya que cuando se lo comunica Fulgor, Pedro Páramo comenta: «estoy muy ocupado con mi "luna de miel"» (frag. 23). Este sería el primer asesinato ordenado por Pedro Páramo; los relativos a la venganza por la muerte de su padre son necesariamente posteriores.

La cronología relativa a Miguel Páramo es aún más difícil de establecer. La novela no ofrece ningún dato orientativo y, en términos objetivos, no es posible determinar años en concreto. Lo que la novela ofrece es lo siguiente: sabemos que a los diecisiete años ya ha cometido un asesinato, tal como informa Fulgor Sedano a Pedro Páramo en el frag. 37 (la edad la confirma Pedro Páramo: «¿Cuántos años cumplió? Tendrá diecisiete. ¿No, Fulgor?»); es en este momento cuando entra en tratos con Dorotea, quien comenzará a conseguirle muchachas. No conocemos el tiempo que transcurre desde este momento hasta su muerte, pero a juzgar por la confesión de Dorotea en el frag. 40, donde señala que han sido muchas sus intervenciones, y por lo que también señala Gerardo, el abogado de Pedro Páramo (frag. 58), recordando las más de 15 veces que le libró de la cárcel, las violaciones y el asesinato del hermano del padre Rentería, podríamos pensar en un tiempo dilatado. No obstante, también hay que tener en cuenta la alocada forma de vivir de Miguel (Fulgor piensa que «A ese paso no creo que se logre» [frag. 37] y uno de los caporales de la Media Luna comenta: «Pienso que se murió muy a tiempo» [frag. 15]), por lo que es posible que no haya pasado demasiado tiempo. La cifra que propongo es la de dos años (coincidiendo con Volek, 1990, 41), por lo que, en mi hipótesis, Miguel Páramo moriría a los 19 años. A partir de este dato podemos calcular las fechas de su nacimiento y muerte. No puede haber nacido antes de 1885, año en que Pedro Páramo, su padre, comienza a convertirse en el cacique de Comala. Cuando el padre Rentería le entrega a Pedro Páramo el niño, recién nacido, ya habla de la «mala sangre» del cacique y recuerda que «Pedro Páramo, de cosa baja que era, se alzó a mayor. Fue creciendo como una mala yerba (...) después estiró los brazos de su maldad con ese hijo que tuvo» (frag. 40). Luego, han debido pasar varios años después de 1885. ¿Y el momento de la muerte de Miguel? La novela no ofrece datos; la única referencia —constante— es a «las estrella fugaces», que difícilmente pueden identificarse con una determinada fecha. Volek (1990) piensa que puede ser una alusión al paso del cometa Halley en 1910, algo imposible de demostrar. Sin embargo, esa fecha de 1910 sí entra en los posibles cálculos que puedan hacerse, ya que es seguramente el año del regreso de Susana y, aunque la muerte de Miguel podría ser posterior, la ausencia de menciones invita a pensar que es un suceso previo al mencionado regreso de Susana. Si Miguel muere en 1910, su nacimiento habría tenido lugar en 1891, fecha en la que Pedro Páramo ya habría demostrado suficientemente su carácter violento, justificándose la opinión que de él tiene el padre Rentería. Si se excluye que el frag. 16 forme parte de la serie que refiere los acontecimientos de la muerte de Miguel Páramo (véase al respecto, en el apartado siguiente, «Anotaciones a los fragmentos», el comentario que se hace al fragmento 16), la «lluvia de estrellas» mencionada en los frags. 15 y 40 se corresponde con las «Perseidas», cuya mayor actividad tiene lugar entre el 11 y 13 de agosto. Estas fechas concuerdan con los datos ofrecidos en el frag. 40 en relación con la visita que el padre Rentería realiza al cura de Contla para confesarse («Se sentaron bajo una enramada donde maduraban las uvas», lo que quiere decir que nos podemos encontrar en julio o en agosto). Teniendo en cuenta que también se indica que al día siguiente será «viernes primero», si el año de la muerte de Miguel Páramo fuese el de 1910, el día de su muerte habría sido el 2 de agosto.

El resto de las fechas que he propuesto son fáciles de deducir. Juan Preciado nace un año después de la boda de su madre. Eduviges le dice a Juan Preciado, refiriéndose al día de la boda, que «Al año siguiente naciste tú» (frag. 9). La muerte de Pedro Páramo se relaciona con la revuelta de los cristeros: Abundio le informa a Inés Villalpando que el padre Rentería se ha unido a los cristeros (frag. 68) y Dorotea, también, se lo confirma a Juan Preciado: «cuando le faltaba poco para morir vinieron las guerras esas de los "cristeros"» (frag. 42). Teniendo en cuenta que dicha revuelta se desarrolló entre 1926-1929, me inclino por el año de 1927. En cuanto a la muerte de Fulgor, se sitúa cuando llegan los revolucionarios a la hacienda de Pedro Páramo: Susana ya está acomodada en la Media Luna, y la ambientación es la de los inicios de la Revolución. Pienso que podría ser en 1911, cuando Fulgor tendría 80 años (en 1885, fecha de su entrevista con Pedro Páramo, confiesa tener 54 años [frag. 18]).

En cuanto a otras fechas, no parece posible su identificación. Sería interesante conocer la fecha de llegada de Juan Preciado a Comala, pero la novela no aporta datos. Teniendo en cuenta la cronología presentada, Juan Preciado tendría 41 años cuando muere Pedro Páramo, pero no tenemos datos ni de cuándo Dolores Preciado se va de Comala (debió de ser pronto, ya que su hijo no tiene ningún recuerdo ni de Comala ni de su padre), ni del momento de su muerte. Cuando Juan Preciado llega a Comala, siete días más tarde (frag. 5), Abundio le comunica que «—Pedro Páramo murió hace muchos años» (frag. 2). La ambigüedad de la situación y el carácter simbólico del lugar en el que Juan Preciado va a penetrar impiden hacer deducciones.

ANOTACIONES A LOS FRAGMENTOS

Fragmento 1

Vine a Comala porque me dijeron que acá vivía...

La versión de *Letras Patrias* señala: *Fui a Tuxcacuexco porque me dijeron que allá vivía...* Frente a *L.P.*, que abarca los dos primeros fragmentos de la novela, la versión actual de *P.P.* presenta la supresión de palabras o frases en dieciocho ocasiones y la introducción de una o dos palabras en otras nueve. Por otro lado, hay frecuentes cambios de palabras o frases. Todo ello evidencia un esfuerzo del autor en busca de una mayor perfección. Leyendo ambas versiones se comprueba que la novela gana en efectividad al suprimir partes generalmente descriptivas, de clara intencionalidad poética. También se observa que las palabras añadidas no reflejan más que detalles mínimos, variaciones de tipo estilístico. La reducción y depuración del texto se puede comprobar analizando las variantes de los mecanuscritos y las versiones publicadas en revistas (véanse las variantes en el Apéndice II).

La variante aquí señalada es de gran importancia, pues sitúa al narrador fuera de Comala. Igualmente, otras variantes, más adelante *(allá vivía / acá vivía; prometí que iría / prometí que vendría)*.

Comala (del náhuatl *comalli):* Rulfo ha sido muy preciso en lo que se refiere al origen y significación del nombre, derivado de *comal,* disco de barro de unos 40 o 50 centímetros, ligeramente cóncavo, que se pone sobre las brasas y donde se calientan las *tortillas* de maíz. Rulfo señaló en diversas entrevistas que el nombre de Comala se relacionaba con el calor que allí hacía. Es un nombre simbólico que excluye su identificación con un lugar real. Rulfo —aunque es probable que lugares que conocía como Tuxcacuesco, Comala (en el estado fronterizo de Jalisco, Colima) o San Gabriel, donde vivió, pudieran servirle de inspiración por distintos motivos— inventó un lugar literario que se convirtió en un espacio mítico, como Santa María de Onetti o Macondo de García Márquez.

El olvido en que nos tuvo, mi hijo, cóbraselo caro.

La expresión *mi hijo* es muy común en México y tiene una gran carga afectiva (suele pronunciarse *m'hijo*).

Fragmento 2

Después los dos íbamos tan pegados que casi nos tocábamos los hombros.

El término *hombros* se repite en diversos lugares de la novela. En principio, podría parecer no significativo, pero es posible que sí lo sea. Se trata de una serie de situaciones especiales en la novela, en las que este término se utiliza con un factor añadido de simbolismo, como si sobre los *hombros* recayese la trascendencia del momento. Por ejemplo, cuando Juan Preciado se encuentra con la pareja edénica, se dice «Entonces alguien me tocó los hombros», y cuando Pedro Páramo está a punto de morir, «sintió que unas manos le tocaban los hombros». Aparecen expresiones similares en los fragmentos 14, 15, 31, 32, 38, 49, 65 y 69. También en los cuentos de *El Llano en llamas* encontramos este tipo de frases en ocho ocasiones. En este caso su importancia radica en el valor simbólico de Abundio, guía de Juan Preciado en su descenso al mundo de los muertos, donde encontrará su identidad.

Pues detrasito de ella está la Media Luna.

López Mena (1992, 305) señala que «existe a una distancia intermedia entre San Gabriel y Zapotlán el Cerro de la Media Luna, y en una parte de éste se halla la hacienda del mismo nombre». Lógicamente, no se trata de buscar una ubicación real, que no existe, pero sí de apreciar cómo Rulfo construye su mundo imaginario aprovechando recuerdos de la zona donde vivió en su niñez. Zapotlán sigue siendo la mayor población de su entorno, un centro importante en agricultura.

Fragmento 10

Siento que te va a ir mal, Pedro Páramo.

Es la primera vez que aparece el nombre completo del personaje en los fragmentos de este nivel. Hasta el final del frag. 7, se trata de un «muchacho» sin identificar; en ese momento, el lector se entera de que se llama «Pedro», lo que le hace pensar que se trata de Pedro Páramo, dato confirmado ahora. Obsérvense también las semejanzas entre el final de los frags. 6 y 7 («—Ya voy, mamá. Ya voy.» / «Iba muy lejos») y el de este fragmento, marcados por un claro simbolismo.

—Es el caballo de Miguel Páramo...

Es ahora cuando se entiende la pregunta con que finalizaba el frag. 9 («—¿Cuándo descansarás?»).

«—¿Qué pasó? —le dije a Miguel Páramo—.

En la edición del F.C.E., 1981, comenzaba con esta frase un nuevo fragmento, división que se mantuvo en las ediciones posteriores hasta la edición de la Fundación Juan Rulfo. La mayoría de los cambios de la edición de 1981 rectifican variantes establecidas en la edición de 1964. En este caso no, ya que la diferenciación de fragmentos no había aparecido en ninguna edición anterior y tampoco en los mecanuscritos. Aunque Rulfo revisó la edición de 1981, no tenemos constancia de hasta qué punto fue responsable de los cambios introducidos. De hecho, en este caso, todo parece indicar que esa división no debía de responder a su voluntad ya que, de su pluma, se conservan indicaciones al respecto en el mecanuscrito *A*. Gracias a la extensa y detallada información que me ha facilitado Víctor Jiménez, puede apreciarse que en dicho mecanuscrito un empleado de la editorial, al no entender la ilación entre la frase señalada y la anterior, escribe una nota de dos líneas en el borde inferior de la cuartilla. Rulfo intentó aclarar esas dudas añadiendo algunas palabras que luego tachó, dejando clara su intención de mantener el texto tal como aparecía en su versión inicial.

Fragmento 11

Iba a platicar con su novia a un pueblo llamado Contla, algo lejos de aquí.

Rulfo crea una geografía literaria que puede desconcertar a quien quiera trasladarla a un mapa real. Si partimos del dato de que la imaginaria Comala está a una distancia cercana de la real Sayula (Juan Preciado tarda un día en llegar desde Sayula a Comala, tal como se relata en el frag. 3; hay que suponer caminando y descansando durante la noche), la imaginaria Contla no puede estar muy lejos, ya que Miguel Páramo iba y volvía, a caballo, en el día, y en el frag. 40 el padre Rentería, cuando va a pedir confesión al cura de Contla, va y regresa, a pie, en el transcurso de una mañana. Sin embargo, la Villa de Contla, en la región de Tamazula de Gordiano, la población real con este nombre más cercana a Sayula se encuentra a unos 80 kilómetros. Los motivos de Rulfo en la elección de topónimos pudieron ser muchos y no deja de ser mera especulación el tratar de encontrarlos. Lo que sí es relevante es que el espacio novelesco no está condicionado por la geografía real. El recuerdo de lugares que había visitado pudieron inspirarle. Por ejemplo, en el caso de Contla: «Otro Contla (más importante) que Rulfo conocía muy bien está en el estado de Tlaxcala, cerca del volcán Malintzin, que subió. Tlaxcala es un lugar que visitó mucho y fotografió varias veces en los años cuarenta» (información facilitada por Víctor Jiménez).

Fragmento 12

Una luz parda, como si no fuera a comenzar el día, sino como si apenas estuviera llegando el principio de la noche.

López Mena (1992) corrige *Una luz parda, no como si fuera a comenzar...* Sin embargo, a pesar de la aparente incorrección gramatical de Rulfo, hay que respetar su versión, ya que lo fundamental es mantener la simetría de las dos expresiones iniciadas con *como si.*

—*¿Y a ti quién te mató, madre?*

La frase, lógicamente, no ha de entenderse como parte de un diálogo real entre madre e hijo. Aunque en tercera persona, todo el fragmento se adapta de manera muy intensa —teniendo en cuenta el dramatismo de la escena— al pensamiento de Pedro Páramo. Técnicamente, la narración se sitúa en un nivel paralelo al de las interpolaciones de Pedro Páramo sobre Susana (véase Introducción). Se trata de una imagen o recuerdo de Pedro Páramo, ya viejo, que reflexiona sobre aquel momento de su vida. La frase no va dirigida a nadie y está cargada de simbolismo.

Fragmento 16

Entonces el cielo se adueñó de la noche.

Interesante imagen poética. Al apagarse las luces de Comala, se percibe mejor cómo las estrellas fugaces siguen iluminando el cielo. Si no fuera por este fenómeno, más bien hubiera sido la noche (la oscuridad) la que se adueñase del cielo.

«—*Pero ella se suicidó. Obró contra la mano de Dios.*

El suicidio de Eduviges plantea una difícil situación, desde el punto de vista de la estructura de la novela, si consideramos que este fragmento se sitúa cronológicamente en la noche posterior al entierro de Miguel Páramo. En efecto, en este caso se entraría en contradicción con la información aparecida en el frag. 11, que muestra que Eduviges vive cuando Miguel muere. La referencia a «Había estrellas fugaces» del final del frag. 15 y el inicio con esa misma frase del frag. 16 lleva al lector a identificar que se trata de escenas que transcurren en el mismo momento cronológico, cuando, en realidad, no es así. Veamos con algún detenimiento la complejidad de estos fragmentos en su encaje estructural en la novela.

En el frag. 11 Eduviges relata a Juan Preciado cómo la noche de su muerte Miguel Páramo acude a su ventana, ignorante de su estado. También le cuenta cómo «antes de que amaneciera» un mozo se presenta en su casa para solicitar, de parte de Pedro Páramo, «su compañía». El tono realista del diálogo entre el mozo y Eduviges no permite interpretaciones simbólicas que hagan suponer, por ejemplo, que Eduviges ya está muerta. Los siguientes fragmentos centrados en este episodio muestran nítidamente el momento cronológico. El frag. 13 describe los funerales, centrándose en el odio que el padre Rentería siente por Miguel (al que acusa del asesinato de su hermano y de la violación de su sobrina), hasta el punto de negarse a darle la bendición. Cede, sin embargo, ante las súplicas de los fieles, pero se sigue insistiendo en la cólera que le invade, aunque ello no le impide aceptar las monedas de oro que, como limosna, le ofrece Pedro Páramo. Su estado de ánimo sigue siendo el mismo al finalizar el fragmento: «Entró en la sacristía, se echó en un rincón, y allí lloró de pena y de tristeza hasta agotar sus lágrimas». Es importante apreciar estos detalles por la íntima relación que tienen con las situaciones descritas en los fragmentos siguientes. El frag. 14 presenta una escena cronológicamente inmediata: durante la cena, el padre Rentería y su sobrina Ana hablan de Miguel (sorprendentemente, Ana no sabe que ha muerto y que el entierro ha tenido lugar esa misma tarde). El ánimo del padre Rentería sigue siendo el mismo que en el fragmento anterior. En el frag. 15 nuevamente se nos sitúa en la noche del entierro, a través de las conversaciones de los caporales que han llevado el féretro hasta el cementerio. Un dato importante es la referencia «Había estrellas fugaces. Caían como si el cielo estuviera lloviznando lumbre», tema en el que se insiste en la conversación de los personajes. El fragmento siguiente, el 16, es el «conflictivo». Y no lo sería si no se hubiese incluido el recuerdo del padre Rentería que hace alusión al suicidio de Eduviges. El fragmento comienza con la referencia a «Había estrellas fugaces [...]. Entonces el cielo se adueñó de la noche». Resulta difícil no relacionarlo con el anterior, sobre todo teniendo en cuenta que el fenómeno que describe es poco habitual. Además, y tan importante, es que se sigue presentando al padre Rentería sumido en el mismo conflicto moral que en los fragmentos anteriores: su sentimiento de culpa deriva de los privilegios que da a los ricos y que niega a los pobres («De los pobres no consigo nada; las oraciones no llenan el estómago»). En apariencia, está pensando en el dinero que ha aceptado de Pedro Páramo, como pago por la salvación eterna de su hijo, y eso le llevaría a recordar el episodio del suicidio de Eduviges, ya que le niega esa salvación cuando María Dyada le dice que no tiene dinero. Al llegar al frag. 40, el lector creerá que se está mencionando la misma noche del frag. 16, en la que se indicaba que «El padre Rentería se revolcaba en su cama sin poder dormir» y que finalizaba así: «Salió fuera y miró el cielo. Llovían estrellas. Lamentó aquello porque hubiera querido ver un cielo quieto. Oyó el canto de los gallos. Sintió la envoltura de la noche cubriendo la tierra». Comparémoslo ahora con el inicio del frag. 40: «El padre Rentería se acordaría muchos años después de la noche en que la dureza de su cama lo tuvo despierto y después lo obligó a salir. Fue la noche en que murió Miguel Páramo. [...] llegó hasta el río y allí se entretuvo mirando en los remansos el reflejo de las estrellas que se estaban cayendo del cielo». No le resultará fácil al lector pensar que el frag. 16 no se refiere a la noche posterior al entierro de Miguel Páramo cuando, además, también el frag. 40 insiste en la culpabilidad que siente el padre Rentería a lo largo de varias páginas. Pero, ciertamente, cabe una pequeña duda razonable: los frags. 13, 14, 15 y 40 aluden explícitamente a los funerales de Miguel; no así el 16. En realidad, se trata de dos lluvias de estrellas diferentes. Una es la que se denomina «Perseidas», también conocidas como «lágrimas de san Lorenzo» porque coinciden con la celebración de su santoral (10 de agosto), que se hace presente entre mediados de julio y finales de agosto, siendo su periodo de máxima actividad entre el 11 y 13 de agosto (véase Jiménez, 2018: 291, 292, 296, 297, 336, 338). Teniendo en cuenta que en el frag. 40 se indica con claridad que el desvelo del padre Rentería tiene lugar en la noche posterior al entierro de Miguel Páramo (aunque se dice que «Fue la noche en que murió Miguel Páramo» ha de entenderse que se refiere a su entierro), hay un dato significativo para poder situar el momento de la muerte de Miguel: el padre Rentería acude a confesarse con el cura de Contla y el narrador señala que «Se sentaron bajo una enramada donde maduraban las uvas». Esto quiere decir que nos podemos encontrar en julio o en agosto, pero no en octubre, como exigiría la referencia a la lluvia de estrellas del frag. 16. Es decir, la lluvia de estrellas tan mencionada en relación con el entierro de Miguel Páramo tiene que ser la de las «Perseidas» y teniendo en cuenta que en este mismo frag. 40 la sobrina del padre Rentería le recuerda, a su regreso de Contla, que le esperan para confesarse muchas mujeres «por ser mañana viernes primero», puede aventurarse que la muerte de Miguel Páramo habría ocurrido el 2 de agosto de 1910 (el día 3 sería el entierro, el 4 el viaje del padre Rentería a Contla y el 5, viernes; en cuanto al año véase la «Cronología»).

En cuanto al frag. 16, su comienzo, «Había estrellas fugaces», parece relacionarlo con los frags. 15 y 40 y, por lo tanto, se referiría a la noche del entierro de Miguel Páramo. Eso nos llevaría a la fecha del 22 de octubre (según el santoral recordado por el padre Rentería) lo cual resulta incompatible con la mención a la maduración de las uvas y primer viernes de mes (frag. 40) y con el hecho de que Eduviges esté muerta en ese momento. Debe, pues, tratarse de «otra» lluvia de estrellas, que coincidiría con la lluvia de estrellas de las Oriónidas que tienen lugar durante el mes de octubre, siendo el periodo de máxima actividad en torno a los días 21 y 22 de octubre. Jiménez (2018: 269, 295, 336, 337) cree que el recuerdo del suicidio de Eduviges tiene carácter de inmediatez, por lo que podría pensarse que ha ocurrido uno o dos días antes. Es posible, sin embargo, que sea solo un recuerdo, ya que el texto no es muy explícito. En todo caso, al desligar el frag. 16 del resto que mencionan la muerte de Miguel Páramo, se soluciona el asunto del suicidio de Eduviges, ya que habría ocurrido en una fecha posterior a la muerte de Miguel. La doble lluvia de estrellas se relaciona con el sentimiento de culpabilidad del padre Rentería en dos momentos cronológicos distintos.

Es cierto que el lector debe realizar un notable esfuerzo para encajar estos elementos, en apariencia, contradictorios, pero el esfuerzo en la exégesis es algo que debe valorarse, siempre que se respeten los límites que el propio texto impone. Desde este planteamiento, y teniendo en cuenta el análisis anterior, me inclino por separar el frag. 16 del conjunto de fragmentos que tratan de la muerte de Miguel Páramo. En caso contrario, el problema del suicidio de Eduviges queda sin solución. Atribuirlo a un error de Rulfo parece extraño teniendo en cuenta la cercanía de los fragmentos que plantean el problema (frags. 11 y 16) y la posibilidad de haberlo corregido en otras ediciones. Diversos críticos han intentado buscar una solución: Cantú (1985: 315-17) y Cusato (1993: 81-88), proponiendo que Eduviges ya está muerta cuando Miguel va a visitarla; Volek (1990: 44-45), atribuyendo a las distintas fases de redacción de la novela diversos cambios que provocarían un error. En el primer caso, la lectura del frag. 11 no justificaría, en mi opinión, esa valoración simbólica. Sin embargo, añadiré, no debe excluirse sin más, ya que otros episodios como el de la pareja de hermanos que encuentra Juan Preciado y los recuerdos de Susana sobre Florencio son considerados por Rulfo de manera bien distinta a la que el lector puede interpretar. Podríamos incluso pensar que Eduviges inventa esa historia, pero, sin tener datos que justifiquen esa hipótesis, estableceríamos un criterio que sembraría la duda sobre cualquier dato del que informen los personajes de la novela, algo difícilmente asumible por el lector. En realidad, el personaje de Eduviges es, como la mayoría de los de la novela, muy enigmático. Apenas conocemos su «historia». ¿Qué significado dar a ese hijo al que nadie reconoce como suyo? Se destacan su bondad y dedicación a los demás, incluso el padre Rentería habla de «¡Tantos bienes acumulados para su salvación y perderlos así de pronto!», pero desconocemos la razón de su suicidio. Incluso resulta sorprendente su afirmación de que su fonda «La escogieron para guardar sus muebles los que se fueron» (frag. 5), alusión al abandono de Comala después de la muerte de Susana, y que podría hacer pensar (aunque no necesariamente) que ella está viva en ese momento.

Fragmento 17

—Más te vale, hijo. Más te vale
Continuación del frag. 11. La repetición de la última frase de este fragmento hace más fácil al lector retomar el hilo narrativo del nivel *A* después de varios fragmentos del nivel *B*.

Fui caminando a pasos cortos (...) hasta que llegué a mi cuarto.

El lector no tiene información sobre desplazamientos. Sin embargo, estos sí han debido producirse. En el frag. 5 Eduviges le dice a Juan Preciado: «—Ven a tomar antes algún bocado», lo que indicaría cambio de lugar, aunque el texto no lo especifica. El siguiente fragmento de este nivel, el 9, comienza directamente con un diálogo, sin indicadores de localización. De lo señalado ahora se deduce que sí se ha producido un desplazamiento.

«¡Ay vida, no me mereces!»

Por el contexto del fragmento el grito parece corresponder a Toribio Aldrete, pero no hay seguridad de que sea así. De hecho, también podría asignársele a Eduviges, ya que por lo que significa se adapta mejor a un suicida. Se trata de una expresión de aparente tono popular en la que el hablante recrimina a «la vida» el maltrato o mala suerte que «ella» le ha dado.

Fragmento 19

Miró también, como lo hizo la otra vez, el moño negro que colgaba del dintel de la puerta.

El moño negro hace referencia a un lazo negro hecho con cintas de tela y que ha sido colocado como señal de duelo por la muerte de alguien. En el texto, los dos moños aluden a los padres de Pedro Páramo (en el frag. 12 se anuncia la muerte del padre, y en el frag. 21, la de la madre; la información de la muerte del abuelo en el frag. 8, y de la abuela en el frag. 22, no son significativas a este respecto).

Tengo entendido que una de ellas, Matilde, se fue a vivir a la ciudad.

En el frag. 9 el narrador ha señalado: «Vivíamos en Colima arrimados a la tía Gertrudis.» Debe de tratarse de un error de Fulgor, porque Dolores, también en el frag. 9, no se refiere a otras hermanas: «adonde vive mi hermana», y en el frag. 22, dice: «Le escribiré a mi hermana.»

Fragmento 20

Fue su primera decisión; aunque yo había tardado en cumplirla por mis muchos quehaceres.

No hay que tomar las palabras de Fulgor en su sentido literal. Se trata de convencer a Dolores y, por lo tanto, están sujetas a falsedades. Véase también Apéndice III.

Fragmento 24

Me contestó el eco: «¡...ana...neros! ¡...ana...neros!»

El proceso de degradación física y mental de Juan Preciado se acentuará a partir de este momento, cuando ya tiene evidencia de que todos los personajes con los que ha hablado son fantasmas. En los cuatro fragmentos siguientes esa presencia fantasmal se hará más patente.

Fragmento 25

Oí que ladraban los perros

Dicha frase se utiliza para señalar la presencia de vida en un lugar (aunque aquí sea una falsa apariencia). Véase el cuento «No oyes ladrar los perros».

Fragmento 29

Entonces alguien me tocó los hombros

Narrativamente, la situación es muy interesante. En apariencia, por el relato que sigue haciendo Juan Preciado, se trataría de alguien distinto a la pareja de hermanos, puesto que cuando entra en la casa se los encuentra de frente. Esta opción, sin embargo, queda descartada por la propia narración. En realidad, es una muestra muy sutil del arte narrativo de Juan Rulfo. Lo que Juan Preciado relata es su percepción de la realidad, no lo que verdaderamente ocurre. De hecho, la información que al respecto le proporcionan sus interlocutores aporta datos de los que parece que él no es consciente: «—*Oímos que alguien se quejaba y daba de cabezazos contra nuestra puerta. Y allí estaba usted.*» Además, esta información muestra el estado lamentable en que se encuentra Juan Preciado.

—*Se rebulle (...) Se restriega contra el suelo, retorciéndose. Babea.*

Nuevamente podemos comprobar la depurada técnica narrativa de Rulfo. Siendo Juan Preciado el narrador, es imposible que recuerde esa conversación, ya que estaría en un estado de incosciencia. Es un caso parecido al que puede encontrarse en los cuentos, en los que narradores campesinos son capaces de elaborar imágenes y metáforas sumamente artísticas, y que el lector no ve inapropiadas, ya que se crean a partir de elementos propios del mundo rural. La narración de Juan Preciado exige del lector la aceptación de unas determinadas normas convencionales, entre ellas, admitir la precisión con que se presentan las intervenciones de los personajes con los que se encuentra. En el caso de la pareja de hermanos esta convención llega al límite como podemos comprobar.

Fragmento 35

(...) y perderme en su nublazón. Fue lo último que vi.

Rulfo utiliza la palabra *nublazón* como símbolo del momento de la muerte. Lo mismo se puede observar en el cuento «En la madrugada», cuando se narra la muerte de Justo Brambila. Expresiones parecidas se emplean para narrar la muerte de Susana (frag. 63) y la de Pedro Páramo (frag. 69). Han sido numerosos los críticos (sobre todo en las primeras investigaciones sobre la novela) que ven esta muerte de Juan Preciado desde una perspectiva simbólica, ya que cuando llega a Comala ya habría muerto realmente; es decir, sería un alma en pena. Sin embargo, no puede aceptarse esta interpretación, difícilmente justificable en el texto; más aún, cuando Rulfo ha sido expresamente claro sobre esta cuestión, como puede comprobarse en el Apéndice III: «Cuando llega a Comala está vivo. Él muere allí.»

Más difícil es la interpretación del episodio de los hermanos que aquí finaliza. Todo parece indicar que están vivos.
Sin embargo, también en el Apéndice III, Rulfo manifestó con
insistencia que tal pareja no existía y que solamente era fruto
de la imaginación de Juan Preciado, alucinaciones producidas
por la enajenación mental, fruto del miedo, que precede a su
muerte. Aunque el planteamiento de Rulfo es coherente, es
difícil que el lector llegue a semejante conclusión a partir de
la sola lectura del texto.

Fragmento 36

—Tienes razón, Doroteo. ¿Dices que te llamas Doroteo?
El lector no puede determinar en ese momento el motivo
por el que Juan Preciado no sabe si su interlocutor es hombre
o mujer. Lo que sí percibe es que Dorotea conoce los sucesos
últimos de la llegada de Juan Preciado a Comala, que culmi-
nan con su muerte, a través de un diálogo entre ambos personajes, cuyo inicio no se determina en la novela. Este diálogo entre Dorotea y Juan Preciado sitúa al lector en un punto
indefinido del mismo, puesto que desconoce cuándo se ha
iniciado. La crítica, de modo habitual, suele considerar que
todo lo narrado por Juan Preciado en el nivel A forma parte
de ese diálogo, aunque, sorprendentemente, Dorotea no ha
intervenido [de este tipo de diálogos tenemos algunos ejemplos en los cuentos —«diálogos ensimismados», los llamó Carlos Blanco Aguinaga (1955)—, por lo que no resultaría extraño el silencio de Dorotea]. Sin embargo, tal como se ha señalado en el apartado dedicado a la estructura de la novela, en
la «Introducción», hay algunas partes en las que Juan Preciado
utiliza el presente narrativo, lo que impide que, por lo menos
en esas partes, la información de Juan Preciado pueda ser la
que ofrece a Dorotea. En definitiva, el lector no podrá saber
si el diálogo que ha mantenido con Dorotea hasta ese momento contiene la misma información transmitida en el nivel
A. La explicación de la pregunta de Juan Preciado es sencilla:
ya que están en una tumba no ven, motivo por el que Juan
Preciado no sabe si habla con un hombre o con una mujer.

Algún crítico ha interpretado la inseguridad de Juan Preciado —Doroteo-Dorotea— de manera simbólica, pero no hay fundamento para hacerlo.

Fragmento 40

«Me acuso padre que ayer dormí con Pedro Páramo»
Gramaticalmente, lo correcto sería situar el vocativo «padre» entre comas. Sin embargo, Rulfo pretende reflejar la tonalidad real del habla popular y, también, mostrar la sensación de monotonía que percibe el padre Rentería con las sucesivas confesiones.

(...) —le preguntó Ana su sobrina—
Igual que en el caso anterior, desde el punto de vista gramatical lo correcto sería la coma después de Ana. Rulfo, una vez más, prefiere reflejar las formas coloquiales del habla en México, donde es común este tipo de expresiones que quieren acentuar la relación de parentesco.

Fragmento 42

Quería averiguar si yo había estado en Vilmayo dos meses antes.
Tal como se ha explicado detalladamente en la Cronología es imposible que solo hayan pasado dos meses. En la edición del F.C.E. de 1964 aparece la variante *doce años* (así, igualmente, en las ediciones posteriores del F.C.E hasta las ediciones de 1980/81 y en el resto de las editoriales durante el mismo periodo). La entidad de la variante no hace demasiado creíble que fuera algún empleado de la editorial el que efectuase el cambio sin la intervención de Rulfo (sí es posible, en cambio, que estas intrusiones se hayan producido en otros casos, aunque este es un tema que deberá estudiarse detenidamente y con la documentación oportuna). ¿Fue Rulfo consciente en la edición de 1964 del supuesto error y lo corrigió? ¿Por qué, entonces, se vuelve a las antiguas versiones en la edición de 1981? Si tenemos en cuenta que las escasas variantes introducidas en esta edición tienden a

restituir el texto de 1955 (prefiriéndolo al de la edición de 1964) podría pensarse que Rulfo dio su autorización para efectuar dichos cambios, pero sin intervenir directamente. Lógicamente, tal suposición no deja de ser una mera hipótesis: solo un estudio documentado podría ofrecer alguna luz al respecto.

Fragmento 44

»Luego el silencio.

Faltan las comillas angulares en el resto de las ediciones e, incluso, en los mecanuscritos. Sin embargo, son necesarias. Su ausencia indicaría la presencia de un narrador en tercera persona, algo totalmente inadecuado en este momento. Pedro Páramo está pensando en la ausencia de noticias sobre Susana durante un periodo de tiempo.

Fragmento 47

Los indios levantaron sus puestos al oscurecer.

La presencia de estos indios de Apango es significativa a fin de aclarar que, en contra de la opinión errónea de varios críticos, los protagonistas de las obras de Rulfo son siempre mestizos y criollos. Véase el comentario de Rulfo al respecto en el Apéndice III.

Fragmento 50

Entreabre los ojos (...)

Susana cree estar hablando con Bartolomé, lo que puede interpretarse, en un plano simbólico, como un rechazo al autoritarismo espiritual que representa el padre Rentería. Hay, además, un aspecto en la técnica narrativa que merece destacarse. El padre Rentería se acerca a Susana con una vela, que ella —en su estado febril— confunde con un corazón. Las frases que a continuación aparecen como parte del pensamiento de Susana van dirigidas a Justina, su interlocutor habitual y única persona a la que le unen lazos afectivos (al margen de Florencio). Lógicamente, no tendría sentido pensar que se dirige a su padre, al que odia, ni tampoco al padre Rentería, de cuya presencia no es consciente. Igualmente, la frase —*¡Déjame consolarte con mi desconsuelo!* también va dirigida a Justina.

Fragmento 52

»—*En el mar sólo me sé bañar desnuda —le dije.*
El referente *le dije* indica la existencia de un interlocutor a quien se dirige: Justina que, como siempre, es la destinataria de sus confesiones en la tumba, tal como puede apreciarse en el frag. 41.

Fragmento 53

Para sacarle de una vez hasta el maiz que trai atorado en su cochino buche.
La palabra *maiz* va sin acentuar. Se trata de reflejar la forma de hablar del personaje.

Fragmento 54

¿te gustaría el ranchito de la Puerta de Piedra?
Aparece también citado en el cuento «¡Diles que no me maten!».

Fragmento 61

Limpió el agua del florero roto.
No se ha narrado previamente nada al respecto. Es una muestra más del carácter conciso de la narrativa de Rulfo, de la eliminación de todo lo que pueda considerarse superfluo.

Fragmento 63

«Él me cobijaba entre sus brazos. Me daba amor»
Las ensoñaciones de Susana sobre Florencio, que terminan aquí, plantean la duda al lector de si responden a un hecho real o son fantasías, dado su alto nivel de idealización. A pesar de que en el frag. 45 Bartolomé alude a que sí estuvo casada, Rulfo manifestó que eran fantasías (véase Apéndice III)

Fragmento 65

Ya no sonaban sólo las campanas
Más allá de una imposible identificación de Comala con un lugar real, hay ciertas coincidencias con San Gabriel: se mencionan las campanas de la iglesia mayor, que podría identificarse con la parroquia del Señor de la Misericordia de Amula, lo mismo que otras identificaciones, como el Santuario de la Virgen de Guadalupe, la capilla de la Sangre de Cristo y el barrio de Cruz Verde. También en el fragmento 47 se menciona a Apango, «han bajado los indios», y, aunque allí no se tiene constancia de que hubiera población indígena, sí que su altitud (1980 metros sobre el nivel del mar) y cercanía con San Gabriel (1433 metros) hacen viable imaginar esa identificación de San Gabriel con Comala.

Hasta acá llegaba la luz del pueblo
En principio puede pensarse que el narrador de este fragmento es Dorotea, por la aparente relación que guarda con el fragmento anterior (perteneciente, en mi opinión, al nivel *A*). Sin embargo, ese *acá* sitúa al narrador en la Media Luna, por lo que el espacio no puede identificarse con la tumba en la que dialogan Dorotea y Juan Preciado. No sabemos, pues, quién es el narrador (un caso similar ocurre en el siguiente fragmento): puede ser cualquiera de los que habitaban allí, incluso la propia Dorotea, pero siempre que consideremos su narración como perteneciente al nivel *B*.

Fragmento 66

Novedoso empleo del tiempo narrativo, haciendo simultáneos una serie de diálogos mediante las eliminaciones de posibles nexos explicativos. Se trata de aludir al paso de un periodo largo de tiempo, pero sin detenerse en demasiadas explicaciones. Las dos cosas se consiguen creando un diálogo irreal, pero que aparentemente no da esa sensación.

Fragmento 67

«*No tarda ya. No tarda*»
Es probable que Pedro Páramo se refiera al amanecer, ya cercano.

Fragmento 68

Situándonos al final del fragmento: leyendo con atención el texto se observa que Abundio ha matado también a Damiana. Solo así se explica que le quiten el cuchillo, lleno de sangre, y que, al mismo tiempo, pregunten a Pedro Páramo si le ha ocurrido algo. Como este señala que no *(Apareció la cara de Pedro Páramo, que sólo movió la cabeza)*, los hombres piensan que nada le ha pasado (Pedro Páramo está sentado y en posición encogida, de modo que no se ve la herida). En las primeras versiones Rulfo había sido más explícito. Así, la variante de *Dintel: Entonces apareció la cara de Pedro Páramo que dijo: 'No'. Moviendo la cabeza.* Igualmente, en el mecanuscrito *C*, aparecen tachadas una serie de frases que ratificaban la muerte de Pedro Páramo a manos de Abundio: (...) *Ya era hora de que muriera Pedro Páramo (...) —Lo has matado. Le hundiste el cuchillo (...) —Era mi padre (...)*. (véase Apéndice II). El texto mejora mucho en su versión definitiva, ofreciendo Rulfo una de sus más decantadas muestras de su típica narrativa elusiva.

Por su parte, Alberto Vital (2010 (II, D), págs. 33-35), en académica discrepancia, considera que no deben considerarse las versiones previas de esta escena y que Rulfo tachó. Mi interpretación es que la última versión coincide en el contenido con las versiones anteriores, pero con una formulación narrativa diferente. En cambio, Vital interpreta que Rulfo desechó la idea del asesinato de Pedro Páramo por Abundio (es cierto que en la versión definitiva no se muestra de manera explícita), prefiriendo un final de la novela más simbólico en el que el cacique muere de forma natural, ya que representa un poder con el que nadie puede acabar, solo el paso del tiempo.

Fragmento 69

¿No quiere que le traiga su almuerzo?

Damiana, ya muerta, le invita, simbólicamente, a acompañarle al mundo de los muertos.

Apéndice II

ABREVIATURAS EMPLEADAS

LP: Letras Patrias, 1, enero-marzo, 1954 (frags. 1 y 2).
Uni: Revista de la Universidad de México, 10, junio, 1954 (frags. 41 y 42).
Din: Dintel, septiembre, 1954 (frags. 67, 68 y 69).
Cuad: Cuadernos de Juan Rulfo (frags. 16, 17, 31, final del 36, comienzo del 37 y del 40, y 62, final).
C: Mecanuscrito del Centro Mexicano de Escritores.
A: Mecanuscrito entregado al F.C.E.
B: edición del F.C.E. de 1955.
D: edición del F.C.E. de 1964.
E: edición del F.C.E. de 1981; ediciones FJR.

Se toma como texto base la edición *E,* es decir, el texto ofrecido aquí: la versión definitiva preparada por la Fundación Juan Rulfo (Plaza y Janés, 2001/Debate, 2002) fruto de la depuración de la edición de 1981 del F.C.E. Se anotan todas las variantes que se consideran significativas, a partir de palabras modificadas, eliminadas o añadidas, pero no se anotan los numerosos cambios de puntuación, variantes tipográficas, erratas y variaciones mínimas del tipo «ese»/»este, «tras de él»/«tras él», o cambios de tiempos verbales. López Mena (1992) anota fielmente todos estos cambios mínimos por lo que se refiere a *LP, Uni, Din, A, B* y *E.* En el caso de *C* hay que hacer la salvedad de que no incluye las palabras o párrafos que Rulfo tachó en el mecanuscrito, que en algunos casos son de enorme interés. Estas partes tachadas fueron recogidas, sin embargo, por Galaviz (1980) y se reproducen aquí con la abreviatura $C*$. La identidad de las variantes anotadas por Galaviz y López Mena es prueba del meticuloso trabajo realizado por ambos, a pesar de lo cual he apreciado alguna imprecisión en el caso de Galaviz. También hay que señalar que López Mena desconoce la edición de 1964 y atribuye erróneamente las variantes que observa a la edición de 1981, cuando en realidad es en la edición de 1964 donde se producen la mayoría de las variantes. Como consecuencia, quedan sin anotar aquellas variantes producidas en la ed. de 1964 y que, nuevamente, fueron modificadas en la ed. de 1981. Las variantes de *Uni, Din, C, A* y *B* se toman de López Mena; $C*$ de Galaviz; *LP* y *D* ya aparecían en las anteriores ediciones de Cátedra (1.ª ed., 1983-15.ª ed., 2000); las variantes de *Cuad* se editan ahora por primera vez.

ANÁLISIS DE LAS VARIANTES

1) *C:* Tal como se ha señalado, se trata de la versión primera de la novela (texto completo). Rulfo sometió este texto a una revisión cuidadosa, dando como resultado la versión *A*. De la comparación de ambas versiones se obtiene el siguiente resultado: *C* presenta cerca de novecientas variantes o, lo que es lo mismo, el texto *A* introdujo ese número de cambios. Como puede observarse, las diferencias entre los dos mecanuscritos son notables. La importancia de dicha cifra debe, sin embargo, rebajarse ya que, aproximadamente, setecientas variantes se corresponden con errores ortográficos, cambios de puntuación y variantes tipográficas (comillas, cursivas, guiones). El resto sí tiene verdadera importancia ya que afecta a algunos cambios en la división de fragmentos y, en general, a aspectos estilísticos: supresión o sustitución de palabras y distinto orden de la frase. Dos ejemplos. En el frag. 3, a partir de *B* figura «las paredes teñidas por el sol del atardecer», aunque en los mecanuscritos *C* y *A* no aparecen mecanografiadas las palabras «del atardecer», que en el *A* se añadieron a mano. De forma similar, en el frag. 9 la versión definitiva *B* dice: «aunque no era mudo; pero, eso sí, no se le

acabó lo buena gente»; los mecanuscritos solo recogen la primera parte de la frase «aunque no era mudo», pero en el *A* se añadió a mano: «Aunque no se le acabó lo buena gente». Lo mismo que en el caso anterior, Rulfo corrigió a mano el mecanuscrito *A*, añadiendo una última corrección, ya en galeras, que es la que observamos en el texto definitivo *B*.

2) *A* y *C*: Teniendo en cuenta que las versiones *A* y *B* son prácticamente idénticas (el mecanuscrito *A* es el texto base de *B* y las mínimas variaciones parecen deberse a los correctores de la editorial), puede observarse que *A* y *C* mantienen variantes conjuntas con respecto a *B* en algunos casos. Esto sucede en veintitrés ocasiones y la explicación es la siguiente: el texto *B* corrige a *A* cuando aprecia claras erratas *(A, C:* «transponer» / *B:* «trasponer», frag. 21; *A, C:* «robé espacio» / *B:* «robé el espacio», frag. 37; *A, C:* «lo crecida que» / *B:* «lo crecidas que», frag. 7). Así han de interpretarse la mayoría de las variantes que afectan a la puntuación y variaciones tipográficas. Este tipo de cambios lo más probable es que fuesen realizados directamente por los correctores del F.C.E. En cambio, hay algunas variantes que, aun siendo de escasa importancia, pudieron ser incorporadas por Rulfo o, en caso contrario, habría que considerarlas ultracorrecciones de los editores que Rulfo no cambió en las ediciones posteriores revisadas por él *(A, C:* «el que sé» / *B:* «el que sabe», frag. 20; *A, C:* «en eso estaba» / *B:* «en esto estaba», frag. 25).

3) *B*: A partir de este apartado hay que tener en cuenta que se trata de variantes introducidas en la edición de 1964. En este caso, además de las variaciones que afectan a la entidad de los fragmentos (señaladas por Costa Ros, 1976), se trata de corregir tres erratas cometidas en *B* y que no están presentes en *C* ni en *A*. Su importancia, pues, es muy limitada *(B,* «con la lluvia», frag. 9; *C, A, E,* «con una lluvia»)*.

4) *C, A, B*: Es el grupo más significativo de variantes efectuado en la edición de 1964. Robles (1982) cifra en aproximadamente 200 las alteraciones con respecto a la edición de 1955. Por mi parte, no contando las variantes que afectan solo a la puntuación y la tipografía, contabilizo unas 125, de las que en torno a 80 se corresponden con este grupo. Como puede observarse se trata de variantes sobre el texto de 1955

en lugares en que los mecanuscritos no habían sido modificados. Algunos ejemplos (se indica en primer lugar la versión de *C, A, B* y después de / la versión de 1964 que permanece en la edición definitiva de 1981, *E*): «Me había encontrado con él» /«Me había topado con él» (frag. 2); «Así les dicen a» / «Así les nombran a» (frag. 2); «Prendía el comal» / «Prendía el nixtenco» (frag. 9); «Sé que ahora, si él fue, debe estar» / «Sé que ahora debe estar» (frag. 14); «dejo que aúllen. Los dejo, porque sé que aquí no vive ningún perro. Y» / «dejo que aúllen. Y» (frag. 24).

5) *A, B:* Se trata de un grupo de unas treinta variantes que ofrece una singular característica: Rulfo corrigió el texto de 1955, retomando la versión *C*, en unos casos, y estableciendo una tercera variante en otros. Como puede apreciarse, se trata en todos los casos de cambios que se efectúan sobre una previa variante llevada a cabo sobre el texto *C*. Veamos algunos ejemplos: *A, B*, «Miguel Páramo, mi ahijado» / *C, E*, «Miguel Páramo» (frag. 11); *C*, «mandar un mandadero» / *A, B*, «mandar un recadero» / *E*, «mandar un propio» (frag. 21); *A, B*, «me acuso de que tuve» / *C, E*, «me acuso padre que tuve» (frag. 40); *C*, «mi cabeza la traía llena de» / *A, B*, «mi cabeza estaba llena de» / *E*, «mi cabeza venía llena de» (frag. 3); *C*, «no importa que lo tenga en su cielo» / *A, B*, «no importa que lo tenga ahora en su cielo» / *E*, «no importa que ahora lo tenga en su cielo» (frag. 14).

D: Las variantes analizadas en los puntos anteriores definieron el texto de la edición de 1964, que permaneció invariable hasta las ediciones de 1980-1981, tal como se ha mencionado. Al contrario que en el caso de la edición de 1964, en la que solo el colofón permitía deducir la intervención del autor, la de 1981 se presentaba con una franja publicitaria que destacaba que se trataba de una edición «revisada por el autor». Sin embargo, frente a los numerosos cambios de la edición de 1964 *(D)*, solamente treinta y cinco se introducían en la edición de 1981 *(E)*, la mayor parte de ellos de escasa importancia. Sin contabilizar los que afectan a la puntuación, que hemos de considerar como variantes mínimas, en veintidós ocasiones se modifica el texto que había permanecido invariable desde la versión más antigua; es decir, *C, A, B* y *D,* ofrecen el mismo texto, mientras que *E* introduce una variante: «agua marina» / «aguamarina» (frag. 6); «iglesia» / «Iglesia» (frag. 7); «Tal vez lo merezcas» / «—No creo que lo hagan, aunque tal vez lo merezcas» (frag. 40). Como puede apreciarse, excepto el último caso, no son variantes demasiado significativas. Más interés tienen las dos siguientes que evidencian el proceso de fijación textual: *C, A, B,* «hubieran entablado el cuerpo» / *D,* «hubieran estirado el cuero» / *E,* «hubieran achicado el cuero» (frag. 31); *C,* «"La Cuarraca"» / *A, B, «La Cuarraca»* / *D, «la Cuarraca»* / *E, «la Cuarraca»* (frag. 37). En otros trece casos se presenta una situación curiosa: Rulfo rectifica la variante establecida en *D* y se vuelve a la versión ofrecida en *B.* Algunos ejemplos *(D / B, E):* «corrida» / «descorrida» (frag. 8), «en la destiladera» / «en el hidrante» (frag. 12), «lugar habitado» / «lugar viviente» (frag.45); «doce años» / «dos meses» (frag. 42). Esta última variante es la más importante de todas, ya que afecta significativamente al contenido de la novela. En el Apéndice I se analiza su repercusión.

REGISTRO DE VARIANTES

Para facilitar al lector la ubicación de las variantes se señala el fragmento en el que se encuentran y la página correspondiente de esta edición. Se cita en primer lugar la versión definitiva *(E)* contextualizada y, a continuación, las variantes en cursiva, ordenadas a partir de las versiones más antiguas tal como se refleja en la tabla de abreviaturas. Dado que se utiliza como obra de referencia a López Mena, se mantiene su asignación de abreviaturas *C, A, B,* aunque hubiera sido preferible el orden *A, B, C,* que indicaría más claramente la evolución cronológica del texto.

Fragmento 1

(pág. 103) «Vine a Comala porque me dijeron que acá vivía mi padre» *LP: «Fui a Tuxcacuexco porque me dijeron que allá vivía»* (no se anota la variante *Tuxcacuexco* en el resto de los fragmentos 1 y 2, que suple siempre a *Comala).*

(pág. 103) «Y yo le prometí que vendría a verlo»
LP: «Entonces le prometí que iría»

(pág. 103) «—No vayas a pedirle nada. Exígele lo nuestro»
C*: No vayas a pedirle *regalado.* Exígele»

(pág. 103) «Hasta que ahora pronto comencé a llenarme de sueños»
D: «Hasta ahora pronto que comencé»

Fragmento 2

(pág. 104) «envenenado por el olor podrido de las saponarias. / El ca-mino.»
LP: «olor podrido de los garambuyos. Las hojas de las saponarias crujen y se desbaratan con el roce del viento. El sol, blanco de luz, quema las sombras escondidas bajo la hierba. / El camino»
C: Igual que *LP,* excepto *saponarias* (en vez de «garambuyos») y *ma-droños* (en vez de «saponarias»). A partir de «El sol» versión *C*,* que cambia *extendidas* por «escondidas»

(pág. 104) «El camino subía y bajaba: *«"Sube"»*
LP: «El camino sube»

(pág. 104) «—Son los tiempos, señor. / Yo imaginaba ver»
LP: «señor. / *Y volvimos al silencio. /* Yo *trataba de* ver»

(pág. 104) «Traigo los ojos con que ella miró»
LP, C: «los *mismos* ojos»

(pág. 104) *«Hay allí, pasando el puerto de los Colimotes»*
LP. «pasando *la Sierra, desde* el puerto»
C: «pasando *el parteaguas, desde* el puerto»

(pág. 104) «en la canícula de agosto. / —Bonita fiesta le va a armar»
LP, C: «agosto. *El sol caía en seco sobre la tierra. /* —Bonita»

(pág. 105) «En la reverberación del sol, la llanura parecía una laguna transparente, deshecha en vapores por donde traslucía un horizonte gris. Y más allá, una línea de montañas. Y todavía más allá, la más re-mota lejanía»
LP, C: «En la reverberación del sol, *bajo un cielo sin nubes,* la llanura *parece* una laguna transparente, deshecha en vapores por donde se

252

trasluce un horizonte gris. *Más* allá una línea de montañas *esfumadas, desvanecidas en la distancia.* Y»
A, B: «vapores *trasluciendo* un» / «la remota»

(pág. 105) «Me había topado con él»
LP, C, A, *B:* «había *encontrado* con»

(pág. 105) «Y lo seguí. Fui tras él tratando de emparejarme a su paso, hasta que pareció darse cuenta de que lo seguía y disminuyó la prisa de su carrera. Después»
LP: «*Entonces* lo seguí. *Me figuré que era arriero por los burros que llevaba de vacío, y me fui detrás de* él tratando de emparejarme a su paso. *Hubo un rato en que* pareció darse cuenta de que lo seguía y disminuyó la prisa de su carrera. *Me miró con sus ojos entrecerrados como diciendo: ¡pobre hombre!* Después»

(pág. 105) «Después de trastumbar los cerros»
LP: «*Ahora, enseguida* de»
C: «*Enseguida,* después»

(pág. 105) «Todo parecía estar como en espera de algo. / —Hace calor aquí— dije.»
LP: «estar *quieto* como en espera de algo. / —*Buen* calor *hace* aquí»

(pág. 105) «Ya lo sentirá más fuerte cuando lleguemos»
LP: «sentirá cuando»

(pág. 105) «muchos de los que allí se mueren, al llegar al infierno regresan por su cobija. / —¿Conoce usted a Pedro Páramo?»
LP: «mueren, regresan por su cobija. / *¿Quién es* Pedro»
C*: «allí *se han muerto, han regresado* por»
C: «allí *se han muerto,* regresan»

(pág. 106) «Me lo había encontrado en el armario de la cocina, dentro de una cazuela»
LP: «Me lo *encontré una vez* en el armario de la cocina, *metido en* una»
C: «encontrado *una vez* en»

(pág. 106) «hojas de toronjil»
LP: «hojas *secas* de»

(pág. 106) «donde bien podía caber el dedo del corazón»
LP: «*en que* bien *cabía* el»
C: «donde podía caber *muy* bien»

(pág. 106) «para que mi padre me reconociera»
LP: «para *reconocerme con* mi»

(pág. 106) «Pues detrasito de ella»
LP: «*Pos detracito* de»

(pág. 106) «Y ahora voltié para este otro rumbo»
LP, C: «otro *lado*»

(pág. 106) «toda la tierra que se puede abarcar con la mirada. Y es de
él todo ese terrenal. El caso es que nuestras madres nos malparieron
en un petate aunque éramos hijos de Pedro Páramo»
LP: «con *los ojos*. Y es de él todo ese terrenal. *Lo chistoso* es que
nuestras madres nos *parieron encima de* un petate, aunque éramos
hijos de *él*»
C: «con *los ojos*. Y es de él todo ese terrenal. El caso es que nuestras
madres nos *parieron* en un petate aunque éramos hijos de *él*»

(pág. 107) «—No me acuerdo. / —¡Váyase mucho al carajo!»
LP: «*Tal vez. Yo no* me acuerdo. / —¡Váyase mucho al *diablo!*»
C: «mucho al *demonio!*»

(pág. 107) «Así les nombran a esos pájaros»
LP, C, A, B: «les *dicen* a»

Fragmento 3

(pág. 107) «Cuando aún las paredes negras reflejan»
C: «paredes *grises* reflejan»

(pág. 107) «el eco de las paredes teñidas por el sol del atardecer. / Fui»
C, A: «el sol. / Fui»

(pág. 108) «Después volvieron a moverse mis pasos y»
C: «mis *pisadas* y»

(pág. 108) «frente a mí. / —¡Buenas noches! —me dijo»
C: «mí. / Me *saludó*: ¡Buenas noches!»

(pág. 108) «Y que si yo escuchaba solamente el silencio, era porque
aún no estaba acostumbrado»
C: «si *oía* solamente el silencio, era porque *todavía* no»

(pág. 108) «mi cabeza venía llena de ruidos»
C: «cabeza *la traía* llena»
A, B: «cabeza *estaba* llena»

(pág. 108): «*Allá me oirás mejor. Estaré*»
C: «oirás. Estaré»

Fragmento 5

(pág. 110) «íbamos caminando a través de un angosto pasillo»
C: «un *estrecho* pasillo»

(pág. 110) «No tenía puertas, solamente aquella por donde»
C: «solamente por»

(pág. 110) «Entonces ésa fue la causa de que su voz se oyera tan débil»
C: «voz *fuera* tan»

(pág. 111) «Claro que entonces éramos unas chiquillas. Y ella estaba apenas recién casada. Pero»
C: «éramos *muchachas*. Y ella estaba apenas recién casada *con mi compadre Pedro*. Pero»

(pág. 111) «tan, digamos, tan tierna, que»
C: «tan *suave*, que»

(pág. 111) «Yo creía que aquella mujer estaba loca»
C: «Yo *me imaginé* que»

(pág. 111) «Me sentí en un mundo lejano y»
C: «Me *sentía* en un mundo *ajeno* y»

(pág. 111) «se doblaba ante todo, había soltado sus amarras y»
C: «todo, *creía todo*, había soltado sus *alambres* y»

(pág. 111) «—Ven a tomar antes algún bocado. Algo de algo. Cualquier cosa»
C*: «algún *pequeño* bocado. *Un taco* de algo»

255

Fragmento 6

(pág. 112) «el hilo corría entre los dedos detrás del viento»
C: «entre *nuestras manos* detrás»

(pág. 112) «caía en maromas, arrastrando su cola de hilacho, perdiéndose»
C: «maromas *arrastrado por su cola de trapo*, perdiéndose»

(pág. 112) «mirándome con tus ojos de aguamarina»
C, A, B, D: «*agua marina*»

Fragmento 7

(pág. 113) «los diezmos que le hemos pagado a la Iglesia»
C, A, B, D: «*iglesia*»

(pág. 114) «ya mero se nos meten en las trasijaderas. Si»
C: «meten *hasta las verijas*. Si»

(pág. 114) «Dile a doña Inés que le pagaremos en las cosechas todo
lo que le debemos / —Sí»
C: «cosechas. / —Sí»

(pág. 114) «por un molino nuevo. El que teníamos»
C: «molino. El»

Fragmento 8

(pág. 115) «La lluvia se convertía en brisa»
C: «lluvia *allá afuera* se»
(pág. 115) «Su sombra descorrida hacia el techo»
D: «sombra *corrida* hacia»

(pág. 115) «Y las vigas del techo la devolvían en pedazos, despedazada. / —Me siento»
C: «pedazos. / —Me»

Fragmento 9

(pág. 116) «Yo le daba sus propinas por cada pasajero»
C: «daba *su comisión* por»

(pág. 116) «Me acuerdo del desventurado día»
C: «del día»

(pág. 116) «Desde entonces enmudeció, aunque no era mudo; pero,
eso sí, no se le acabó lo buena gente. / —Este»
C: «mudo. / —Este»
A: «mudo. *Aunque* no»

(pág. 116) «—No debe ser él. Además, Abundio ya murió. Debe ha-
ber muerto seguramente. ¿Te das cuenta? Así que no puede ser él.
/ —Estoy de acuerdo con usted. / —Bueno»
C*: «No debe ser *el mismo*. Además *a* Abundio *lo mataron cuando la
Revolución*. ¿Te das cuenta? Así que no puede ser él. / —*Seguramente
que no*. / —Bueno»
C: «—No debe ser *el mismo*. Además, Abundio ya murió. ¿Te das
cuenta? Así que no puede ser él. / —*Seguramente que no*. / —Bueno»

(pág. 117) «Pensé que debía haber pasado por años difíciles. Su cara
se transparentaba como si no tuviera sangre»
C*: «Pensé que *tenía que* haber pasado por años difíciles, *por muchos
miedos*. Su cara *era transparente* como si *careciera de* sangre»
C: «difíciles, *por muchos miedos*. Su cara se transparentaba como si *careciera de* sangre»

(pág. 117) «ágil para los brincos. Mi compadre Pedro decía»
C: «brincos. *El patrón* decía»

(pág. 117) «primero en las yemas de los dedos»
C: «las *puras* yemas»
(pág. 117) «no debía repegarse a ningún hombre»
C: «debía *de arrimarse con* ningún»

(pág. 118) «que por otra parte era un embaucador embustero»
C: «un embustero»

(pág. 118) «pero esto ni se nota en lo oscuro / —No»
C: «nota *con la noche*. / —No»

(pág. 118) «otra cosa que ella no sabía: y es»
C: «ella *ignoraba*, y es»

(pág. 118) «Y tu madre se levantaba antes del amanecer. Prendía el nixtenco. Los gatos»
C: «levantaba *a oscuras*. Prendía el *comal*. Los gatos»
A, B: «Prendía el *comal*. Los gatos»

(pág. 119) «¿Cuántas veces? Y aunque estaba acostumbrada a pasar lo peor, sus ojos humildes se endurecieron»
C: «veces? / *Hasta que* sus ojos»
A: «a *hacer* los peor»

(pág. 119) «Yo le pregunté muchos meses después»
C: «pregunté meses»

(pág. 119) «—La de cosas que han pasado —le dije—. Vivíamos en Colima»
C: «pasado, *hubiera querido decirle*. Vivíamos»

(pág. 120) «Pero ya va siendo hora de que te vayas»
C: «que *se vayan*»

Fragmento 10

(pág. 120) «Pensé: "No regresará jamás; no volverá nunca"»
C, A, B: «Pensé: "No regresará." *Y me lo dije muchas veces: Susana no regresará* jamás»

(pág. 120) «—No, abuela. Rogelio quiere que le cuide al niño»
C*: «abuela. *Gamaliel* quiere»

(pág. 120) «Me paso paseándolo»
C: «Me *trae* paseándolo»

(pág. 120) «cuando ya sepas algo, entonces»
C: «sepas entonces»

(pág. 120) «Siento que te va a ir mal, Pedro Páramo»
C: «Pedro. /»

Fragmento 11

(pág. 120) «como si despertara de un sueño»
C: «despertara. /»

(pág. 121) «Ni he oído ningún ruido de ningún caballo»
C: «oído *pasar* ningún»

(pág. 121) «—Todo comenzó con Miguel Páramo. Sólo yo sé»
A, B: «Páramo *mi ahijado.* Sólo»

(pág. 121) «cuando oí regresar su caballo»
C: «oí *correr* su»

(pág. 121) «Me extrañó porque nunca volvía a esas horas»
C: «nunca *regresaba* a»

(pág. 121) «Salía temprano y tardaba en volver. Pero»
C: «y *volvía tarde.* Pero»

(pág. 121) «eso de que no regresó es un puro decir»
A, C, B: «es *sólo* un»

(pág. 121) «esa muchacha que le sorbió los sesos»
E: La edición *E* estableció una división de fragmentos en este punto (lo que elevó la suma total a 70). La FJR restableció el criterio observado en los mecanuscritos y en el resto de las ediciones, considerando dicha división un error atribuible a algún corrector del FCE.

(pág. 121) «—¿Qué pasó? —le dije a Miguel Páramo—. ¿Te dieron calabazas?»
C: «dije. ¿Te dieron»

(pág. 122) «ya estaba frío desde tiempo atrás. Lo supimos»
C: «atrás, *de recién anochecido.* Lo»

(pág. 122) «nomás se vuelve un puro corretear. Como»
C: «vuelve *una pura carrera.* Como»

Fragmento 12

(pág. 123) «En el hidrante las gotas caen»
D: «En la *destiladera* las»

(pág. 123) «las gotas de agua que caen del hidrante sobre»
D: «caen *de la destiladera* sobre»

(pág. 123) «Y el llanto. / Entonces oyó el llanto»
C: «llanto. *Hasta* entonces»

Fragmento 13

(pág. 124) «Estaba sobre una tarima, en medio de la iglesia»
C*: «Estaba *encima de* una *plataforma,* en medio»
C: «Estaba *encima de* una»

(pág. 125) «El padre Rentería pasó junto a Pedro Páramo»
C*: «junto a *él*»

(pág. 125) «que según rumores fue cometido por mi hijo»
C: «fue *causado* por»

(pág. 125) «son motivos que cualquiera puede admitir. Pero»
C: «puede *reconocer;* pero»

Fragmento 14

(pág. 127) «Lo supe cuando abrí los ojos»
C: «supe *hasta* que»

(pág. 127) «Sé que ahora debe estar en lo mero hondo del Infierno»
C, A, B: «ahora, *si él fue,* debe»

(pág. 127) «Antes, por el contrario, la tomó del brazo y le dijo»
C: «tomó *en sus brazos* y le dijo»

(pág. 127) «no importa que ahora lo tenga en su Cielo»
C: «que lo tenga»
A, B: «que lo tenga ahora en su cielo»

Fragmento 15

(pág. 129) «Y se disolvieron como sombras. / Había estrellas»
C, A, B: «sombras. *Todavía alguien gritó: ¡Dile que no llore, que aquí me
tiene a míí / —Me saludas a la tuya, le contestaron.* / Había»

Fragmento 16

(pág. 129) «:"Todo esto que sucede es por mi culpa —se dijo—»
Cuad: «*Soy un cobarde,* se dijo. Todo esto que sucede es por mi *causa.*»
C: «mi *causa,* se dijo.»

(pág. 129) «Y éstas son las consecuencias. Mi culpa. He traicionado a
aquellos que me quieren y que me han dado su fe y me buscan para
que yo interceda por ellos para con Dios.»
Cuad: «consecuencias. *Es mi culpa, mi propia culpa; nada más que mi
culpa.* He traicionado a *mis amigos, no sólo a mis hermanos, sino a mis
amigos; porque ellos me quieren.* Me han dado su fe y buscan *mi intercesión* para con Dios.»

(pág. 129) «vino a pedirme salvara a su hermana Eduviges:»
Cuad: «pedirme *que sacara a* su hermana Eduviges *del Purgátorio.*»

(pág. 129) «para que alguien lo reconociera como suyo; pero nadie lo
quiso hacer. Entonces les dijo: "En ese caso yo soy también su padre»
Cuad: «que *alguno se* reconociera como *su padre.* Pero nadie *hubo. Y ella
dijo* entonces: yo»

(pág. 129) «Abusaron de su hospitalidad por esa bondad suya de no
querer ofenderlos ni»
Cuad: «hospitalidad. *Se cebaron en su cuerpo* por esa bondad suya de
no querer *ofender a nadie,* ni»
C: «querer *ofender a nadie,* ni»

(pág. 130) «Se resolvió a eso también por bondad. / —Falló»
Cuad: «bondad. *No quiso hacerse sufrir a sí misma. Sufrir por sufrir es un
pecado que Dios no quiere.* / —Falló»

(pág. 130) «Murió con muchos dolores.»
Cuad: «Murió *dolorosamente.*»

(pág. 130) «Ella se fue por ese dolor. Murió retorcida por la sangre que la ahogaba. Todavía»
Cuad: «dolor. *No fue feliz al morir.* Murió retorcida por la sangre que la ahogaba. *Rompió sus brazos hasta el quebrantamiento por defender su vida.* Todavía»

(pág. 130) «una pobre mujer llena de hijos. / —No tengo dinero»
Cuad: «hijos, *que tuvo que recoger al huérfano de su hermana. Al mismo tiempo viuda desde hacía cuatro años durante los que echó fuera el hígado para que sus hijos vivieran.* / —No»

(pág. 130) «—Sí, padre." / ¿Por qué aquella mirada»
Cuad: «padre. / ¡Oh!, ¿por qué esa fe así? ¿Por qué»

(pág. 130) «para salvar el alma»
Cuad: «para *devolver* el alma»

(pág. 130) «Y sin embargo, él, perdido en un pueblo»
Cuad: «él, *humilde párroco de una iglesia perdida* en un pueblo»

(pág. 130) «repasando una hilera de santos como»
Cuad: «de *nombres* como»

(pág. 130) «Salió fuera y miró el cielo»
Cuad: «fuera *del curato* y miró»

(pág. 131) «"este valle de lágrimas"»
Cuad: «lagrimas." / *Ahora veía la cara de su hermano Aniceto, tendido en mitad de la calle; queriendo elevarse desde la muerte* (...)». Se añaden otras diez líneas recreando esta escena que no aparece en la novela.

Fragmento 17

(pág. 131) «Sentí que la mujer se levantaba»
Cuad: «que *ella* se»

(pág. 131) «casi lo oí junto a mis orejas;»
Cuad: «mis *oídos;*»

(pág. 131) «la hondura del silencio que produjo aquel grito»
Cuad: «que *se* produjo *después de* aquel»

262

(pág. 131) «ni el del latir del corazón»
Cuad: «del *palpitar* del»

(pág. 131) «vine a verte. Quiero invitarte a dormir a mi casa.»
Cuad: «verte, *porque quiero que te vayas* a dormir»

Fragmento 19

(pág. 133) «dos semanas atrás. Esperó»
C: «semanas *antes*. Esperó»

(pág. 135) «—Pues prométeselo. Dile que»
C: «prométeselo. *El prometer no empobrece*. Dile»

Fragmento 20

(pág. 136) «pero ni a eso se decide". "Usted»
C: «ni eso *quiere hacer*». «Usted»

(pág. 136) «al trasponer la puerta grande de la hacienda»
C: «al *transponer* la puerta de la *Media Luna*»

Fragmento 21

(pág. 136) «Fue muy fácil encampanarse a la Dolores»
C: «Fue fácil»

(pág. 137) «mejor le voy a mandar un propio; pero»
C: «un *mandadero;* pero»
A, B: «un *recadero;* pero»

Fragmento 22

(pág. 138) «está toda desconchinflada»
C: «está *muy* desconchinflada»

(pág. 138) «no quise estropearle su entusiasmo»
C: «quise *malorearle* su entusiasmo»

Fragmento 24

(pág. 139) «Oigo el aullido de los perros y dejo que aúllen. Y»
C, A, B: «aúllen. *Los dejo, porque sé que aquí no vive ningún perro.* Y»

(pág. 140) «tan claras que las reconoces. Ni»
C: «las *llegas a reconocer.* Ni»

(pág. 140) «Me detuve a rezar un Padre nuestro»
D: «un *padrenuestro*»

(pág. 141) «las varas correosas de la yerba. Bardas»
C: «yerba *capitana.* Bardas»

Fragmento 25

(pág. 141) «unas mujeres que platicaban: / —Mira quién viene por allí. ¿No es Filoteo Aréchiga? / —Es él. Pon la cara de disimulo. / —Mejor»
C*: «platicaban: / *¿Pero no te escuece el nijayote? —Ya tengo callo.* Mira quién viene por allí. ¿No es Filoteo Aréchiga? —Es él. Pon la cara de disimulo. / Mejor»
C: «—Es él. *Hazte la disimulada.* / Mejor»

(pág. 141) «que es él el que se encarga de conchabarle muchachas a don Pedro»
C*: «de *conchavarselas* a»
C: «de *conseguirle mujeres* a»

Fragmento 26

(pág. 142) «terreno ajeno. ¿De dónde vas a conseguir para pagarme?»
C: «ajeno. *¿Con que* vas a pagarme?»

(pág. 142) «—¿Y quién dice que la tierra no es mía? / —Se afirma»
C: «mía? / —*Los arguenderos. Tú sabes.* Se afirma»

(pág. 142) «—me volverás a ver, ya lo verás.»
C: «—Me *verás.* Ya»

(pág. 142) «mi madre me curtió bien el pellejo»
C: «curtió el»

Fragmento 27

(pág. 143) «Ya tiene aparejadas las bestias»
C, A, B: «las *mulas*»

(pág. 143) «—¿Y si mi padre se muere de la rabia? Con lo viejo que está... Nunca me perdonaría que por mi causa le pasara algo. Soy la única gente»
C: «rabia. *Ya sabes lo viejito* que está. Soy»

(pág. 143) «para hacerle hacer sus necesidades. Y no hay nadie más»
C*: «necesidades. *Lo levanto y lo acuesto.* Y no»

(pág. 143) «¿Qué prisa corres para robarme? Aguántate un poquito»
C: «robarme? *Espérate* un»

(pág. 143) «—Lo mismo me dijiste hace un año»
C: «Fue lo que me dijiste *el año pasado*»

(pág. 143) «Iré a ver a la Juliana, que se desvive por mí. / —Está bien»
C: «mí. *Aunque yo te quiera más a ti, ella me quiere mucho a mí.* / —Está»

Fragmento 28

(pág. 144) «Como si fueran mujeres las que cantaran»
C, A, D: No establecen división de fragmentos en este lugar, sino que se continúa hasta el final del fragmento 29.

Fragmento 29

(pág. 144) «—Vine a buscar... —y ya iba a decir a quién, cuando me detuve»
C: «—Vine, *dije,* a buscar... Y ya iba a decir *que a Pedro Páramo,* cuando»

(pág. 145) «Había un aparato de petróleo»
C: «un *quinqué* de»

Fragmento 30

(pág. 146) «De cómo me sentía apenas me hiciste aquello»
C: «sentía *recién* me»

(pág. 147) «y si lo veo es porque hay luz bastante para verlo»
C: «luz para»

(pág. 147) «como que no encuentra acomodo. Si»
C: «encuentra *su lugar*. Si»

(pág. 149) «por dentro estoy hecha un mar de lodo»
C*: «un mar de *asco*»

(pág. 149) «Si acaso les tocaría un pedazo de Padre nuestro»
C, A, B, D: «*padrenuestro*»

(pág. 149) «Nadie podrá alzar sus ojos al (cielo sin sentirlos sucios»
C, A, B: «ojos sin *en seguida* sentirlos»

Fragmento 31

(pág. 151) «vi pasar parvadas de tordos»
Cuad: «*miré* pasar»

(pág. 151) «nubes ya desmenuzadas por el viento»
Cuad: «por el *aire*»

(pág. 151) «Después salió las estrella de la tarde»
Cuad: «Después *apareció* la»

(pág. 151) «Viniendo de la calle (...) como para no despertarme»
Cuad: El párrafo queda reducido a lo siguiente: «Viniendo de la calle, entró una mujer en el cuarto. *Sacó una petaca de debajo de la cama y después de esculcar en ella, la empujó de nuevo al lugar donde estaba.*»

(pág. 151) «como si le hubieran achicado el cuero. Entró»
C*: «hubieran *entablado el cuerpo. Casi era una tira de cuerpo y se transparentaba.* Entró»
C, A, B: «hubieran *entablado el cuerpo*»
D: «hubieran *estirado* el cuero»

(pág. 151) «Entró y paseó sus ojos redondos por el cuarto. Tal vez me vio. Tal vez creyó que yo dormía. Se fue derecho»
D: «cuarto. Se fue»

266

(pág. 151) «buscando mirar hacia otra parte. Hasta que al fin logré torcer la cabeza y ver hacia allá, donde la estrella»
Cuad: «tratando de mirar hacia otra parte, hacia»

(pág. 151) «No me atrevía a volver la cabeza»
Cuad, C: «a *voltear* la»

(pág. 152) «—No sé. Veo cosas»
Cuad: «sé *qué tengo —dije—*. Veo»

(pág. 152) «—Debemos acostarlo en la cama»
Cuad: «—*Quizá* debemos»

(pág. 152) «Estos sujetos se ponen en ese estado»
Cuad: «ponen *muchas veces* en»

Fragmento 32

(pág. 153) «Él siempre ha tratado de irse»
C*: «siempre ha *estado tratando* de»

(pág. 153) «Cuando me levanté, me dijo: / —He dejado en la cocina»
C*: «dijo: *le ha quedado* en»

Fragmento 33

(pág. 154) «Se perdía más allá de la tierra.»
C: «allá *del horizonte.*»

Fragmento 36

(pág. 156) «*como si fuera un murmullo*»
C, A, B: «*como un puro murmurar*»

(pág. 156) «el calor que acababa de dejar»
C: «que *había dejado atrás*»

(pág. 157) «¿Qué viniste a hacer aquí?»
C, A, B, D: «*veniste*»

(pág. 157) «a uno de ellos lo llamo el "bendito" y al otro el "maldito"»
C, A, B: «el *"maldito"* y al otro el *"bendito"*»

(pág. 157) «nunca dejé de creer que fuera cierto»
C, A, B: «que *no* fuera»

(pág. 157) «¿Cómo no iba a pensar que aquello fuera verdad?»
C, A, B: «aquello *no* fuera»

(pág. 158) «Ése fue el sueño "maldito" que tuve»
C, A, B: «*sueño "bendito"* que»

(pág. 158) «se resolvieron mis huesos a quedarse quietos»
C*: «quedarse *sin movimiento*»

(pág. 158) «¿No sientes el golpear de la lluvia?»
Cuad: «¿No *oyes el gotear* de»
C*: «el *gotear* de»

Fragmento 37

(pág. 159) «Otro buen año se nos echa encima»
Cuad: «nos *viene* encima»

(pág. 159) «Después córrete para allá,»
Cuad: «*Luego* córrete»

(pág. 159) «hemos abierto a la labor toda la tierra, nomás»
Cuad: «labor la tierra *de Los Confines,* nomás»

(pág. 159) «donde comenzaba a amanecer»
Cuad: «comenzaba a *abrirse el horizonte*»

(pág. 159) «La puerta grande de la Media Luna rechinó al abrirse, remojada por la brisa»
Cuad: «*los goznes de* la puerta *rechinaron* al abrirse, *humedecidos* por»

(pág. 159) «Dorotea *la Cuarraca.*»
C: «Dorotea "La Cuarraca"»
A, B: «Dorotea *La Cuarraca*»
D: «Dorotea la *Cuarraca*»

Fragmento 38

(pág. 162) «no alcancé a ver ni el cielo. Al menos, quizá, debe ser el mismo que ella conoció»
D: «ni *las nubes*. Al menos, quizá, *deben ser las mismas* que»

(pág. 162) «me aseguró que jamás conocería la Gloria»
C, A, B: «conocería *el cielo*»

Fragmento 39

(pág. 163) «Rumor de voces»
C, A, B: «*Murmullo* de»

Fragmento 40

(pág. 165) «la dureza de su cama lo tuvo despierto y después lo obligó a salir. Fue la noche en que murió Miguel Páramo»
C*: «después lo *echó a la calle*. Fue la noche en que murió *su hermano, asesinado por* Miguel»

(pág. 165) «y allí se entretuvo mirando en los remansos el reflejo de las estrellas que se estaban cayendo del cielo. Duró varias horas»
Cuad: «cielo. *Allí permaneció* varias»
C*: «el reflejo de *un cielo lleno de estrellas*. Duró»

(pág. 165) «Pedro Páramo, de cosa baja que era, se alzó a mayor. Fue creciendo como una mala yerba. Lo malo»
Cuad: «de *gente* baja que era, se alzó a mayor. Fue creciendo como una mala yerba, *resquebrajando las paredes de las almas, acabando con los buenos corazones de la gente*. Lo malo»

(pág. 165) «pero nunca lo hizo. Y después estiró los brazos de su maldad con ese hijo que tuvo. Al que él reconoció, sólo Dios sabe por qué. Lo que sí sé»
Cuad: «nunca *vino. Y ahora, Miguel su hijo*. Al que él reconoció, sólo Dios *sabía* por qué; *quizá porque le tuvo cariño a la madre*. Lo que»
C*: «nunca *vino. Y ahora* después *ha estirado* su maldad con ese hijo que *tiene*.»
C: «nunca *vino. Y ahora* después»

(pág. 165) «Tenía muy presente el día que se lo había llevado, apenas nacido»
Cuad: «*Recordó cuando* se lo había llevado, *de recién* nacido»

(pág. 165) «Dijo que era de usted»
Cuad: «*Alcanzó a decir* que»

(pág. 166) «Al menos con usted no le faltará el sustento»
Cuad: «faltará *misericordia*»
C: «faltará *cobijo*»

(pág. 166) «—Por la difunta y por usted beberé este trago.»
Cuad: «beberé *esta copa, padre.*»
C: «beberé *esta copa.*»

(pág. 167) «ha despedazado tu Iglesia y tú se lo has consentido»
C: «ha *hecho trizas* tu»

(pág. 167) «que te darán un poco a cambio de tu alma»
C: «poco *de sopa* a cambio»

(pág. 167) «la absolución. Tendrás que buscarla en otro lugar»
C, A, B, D: «en *otra parte*»

(pág. 167) «—¿Quiere usted decir, señor cura, que tengo que ir a buscar la confesión a otra parte? / —Tienes que ir»
C, A, B, D: «tengo que ir. / —Tienes»

(pág. 167) «—¿Y si suspenden mis ministerios? / —No creo que lo hagan, aunque tal vez lo merezcas. Quedará a juicio de ellos»
C, A, B: «mis *órdenes? Tal* vez lo»
D: «mis ministerios? / *Tal* vez lo»

(pág. 167) «deja que a los muertos los juzgue Dios.»
C: «Dios, *según sus actos*»

(pág. 168) «naranjos agrios y arrayanes agrios. A mí se me ha olvidado el sabor de las cosas dulces. ¿Recuerda»
C: «agrios. *Dicen que en algunas partes hay naranjos dulces; pero a mí se me ha olvidado su sabor.* ¿Recuerda»

(pág. 168) «mientras sienta el impulso de hacerlo. / Luego»
C, A, B, D: «impulso. / Luego»

270

(pág. 169) «—¿Se siente mal?»
C, A, B: «siente *usted* mal?»

(pág. 169) «Me dieron de beber tanto, que»
C: «beber *mucho,* que»

(pág. 170) «hasta perdí la cuenta. Fueron»
C: «cuenta, *padre.* Fueron»

Fragmento 41

(pág. 171) «donde murió mi madre hace ya muchos años»
Uni: «hace *cuarenta y tres* años»

(pág. 171) «la misma cobija de lana negra con la cual nos envolvíamos las dos»
Uni: «nos *tapábamos* las»

(pág. 171) «pensando en aquel tiempo para olvidar mi soledad»
Uni: «tiempo. *Tratando de hacerlo* para»

(pág. 171) «los tallos de los helechos, antes que el abandono»
Uni: «helechos, *cubiertos de retoños* antes»

(pág. 171) «que llenaban con su olor el viejo patio»
Uni: «olor *ácido* el»

(pág. 171) «Y las nubes se quedaban allá arriba en espera de que el tiempo bueno las hiciera bajar al valle»
Uni: «arriba, *detenidas, esperando* el tiempo bueno *de* bajar»

(pág. 171) «batiendo las ramas de los naranjos»
Uni: «ramas *del viejo naranjo*»

(pág. 171) «dejaban sus plumas entre las espinas de las ramas y perseguían a las mariposas y reían. Era»
Uni: «dejaban *entre las espinas de las azaleas sus plumas* y perseguían a las mariposas *rompiéndoles las alas*. Era»

(pág. 172) «Que yo debía haber gritado; que mis manos»
Uni: «gritado; *que mi llanto debía haber empapado las paredes;* que mis»

271

(pág. 172) «quebrando las guías de la yedra. En mis piernas»
Uni: «yedra, *sacudiendo las flores blancas de los arrayanes*. En mis»

(pág. 172) «En las lomas se mecían las espigas.»
Uni: «se *mecía el trigo*.»

(pág. 172) «Me dio lástima que ella ya no volviera a ver el juego del viento»
Uni: «a ver *el trigo ni* el juego»

(pág. 172) «¿Pero por qué iba a llorar? / ¿Te acuerdas»
Uni: «llorar? *El llanto no se desperdicia en vano.* / ¿Te»

(pág. 172) «¿Te acuerdas, Justina? Acomodaste las sillas»
Uni: «Justina? *Pusiste* las»

(pág. 172) «Sus pestañas ya quietas; quieto ya su corazón.»
Uni: «quieto ya *el resuello*»

(pág. 172) «Nadie anda en busca de tristezas. / Tocaron la aldaba»
Uni, C*: «tristezas. / *Estaban madurando los limones.* / Tocaron»

(pág. 172) «Yo veo borrosa la cara de la gente. Y haz que se vayan. ¿Que vienen»
Uni: «gente. ¿Que»

(pág. 172) «Díselos, Justina. ¿Que no saldrá del Purgatorio»
Uni: «Justina. *Y haz que se vayan.* ¿Que»

(pág. 172) «¿Dices que estoy loca? Está bien.»
Uni: «bien, *haz lo que quieras*.»

(pág. 172) «Y tus sillas se quedaron vacías hasta que fuimos»
Uni: «vacías *durante un día y medio* hasta»

(pág. 172) «un peso ajeno, extraños a cualquier pena. Cerraron la sepultura con arena mojada; bajaron el cajón»
Uni: «un peso *extraño, ajenos* a cualquier pena, *cerrando* la sepultura con arena mojada; *bajando* el cajón»
C: «pena, *cerrando* la sepultura con arena mojada; *bajando* el cajón»

(pág. 173) «como quien compra una cosa, desanudando tu pañuelo»
Uni: «cosa, *desdoblando* tu»

272

(pág. 173) «y ahora guardando el dinero de los funerales»
Uni: «ahora *conteniendo* el»

(pág. 173) «haber abierto un agujero, si yo no»
Uni: «agujero *hasta ella* si»

Fragmento 42

(pág. 173) «—¿Y quién es ella?»
Uni: «es *doña Susanita?*»

(pág. 173) «La verdad es que ya hablaba sola»
Uni: «*Lo cierto* es»

(pág. 173) «—Pero si ella ni madre tuvo... / —Pues de eso hablaba. / —...O, al menos»
Uni: «—Pero si ella *no* tuvo madre. O al menos»

(pág. 173) «Era una señora muy rara que siempre estuvo enferma y no visitaba»
Uni: «rara que no visitaba»

(pág. 173) «cuando murió. / —¿Pero de qué tiempos hablará? Claro que nadie se paró en su casa por el puro miedo de agarrar la tisis. ¿Se acordará de eso la indina? / —De eso hablaba. / —Cuando»
Uni: «murió. / —*Por* el puro miedo de agarrar la tisis, *por eso* nadie se paró en su casa. Cuando»

(pág. 174) «—¿Oyes? Parece que va a decir algo. Se oye un murmu-llo. / —No»
Uni: «va a *hablar de nuevo.* Se oye *una voz.* / —No»

(pág. 174) «en cuanto les llega la humedad comienzan a removerse. Y despiertan / "El Cielo"»
Uni: «en cuanto *se humedecen* comienzan a *despertar.* / "El cielo"»

(pág. 174) «Dios estuvo conmigo esa noche. De no ser así quién sabe lo que hubiera pasado. Porque fue»
Uni: «noche. Porque»

(pág. 174) «...Tenía sangre por todas partes. Y al enderezarme chapotié»
Uni: «por *todos lados.* Y al *levantarme* chapotié»

(pág. 174) «Quería averiguar si yo había estado en Vilmayo dos meses antes»
D: «Vilmayo *doce años* antes»

(pág. 174) «"¿En cual boda, don Pedro? No, no, don Pedro, yo no estuve. Si acaso, pasé por allí. Pero fue por casualidad..." Él no tuvo intenciones de matarme. Me dejó cojo»
Uni: «don Pedro? Me dejó»

(pág. 174) «Dicen que se me torció un ojo desde entonces, de la mala impresión. Lo cierto»
Uni: «entonces. Lo cierto»

(pág. 174) «El Cielo es grande. Y ni quien lo dude." / —¿Quién será? / —Ve tú a saber. Alguno de tantos. Pedro Páramo»
Uni: «grande." / —¿Quién será? / —*Sabrá Dios.* Pedro»

(pág. 174) «casi acabó con los asistentes a la boda»
Uni: «con *todos* los»

(pág. 174) «iba a fungir de padrino»
Uni: «a *hacer* de»

(pág. 174) «porque al parecer la cosa era contra el novio»
Uni: «porque la cosa»

(pág. 174) «nunca se supo de dónde había salido la bala»
Uni: «había *surgido* la»

(pág. 174) «unos ranchos de los que ya no queda ni el rastro... Mira»
Uni: «ranchos *que ya desaparecieron*...Mira»

(pág. 175) «—¿Y de qué se queja? / —Pues quien sabe.»
Uni: «queja? / —*No lo sé.*»
C: «queja? / —Pues quien sabe *de quién será.*»

(pág. 175) «—Se queja y nada más.»
C*: «—*Da de quejidos* y nada»

(pág. 175) «Tal vez Pedro Páramo la hizo sufrir»
Uni: «vez *por lo que* la hizo sufrir Pedro Páramo»

(pág. 175) «Él la quería. Estoy por decir que nunca»
Uni: «quería. *Yo creo* que nunca»

(pág. 175) «porque ya estaba cansado, otros que porque le agarró la desilusión»
Uni: «porque *se sintió* cansado, otros que *por* desilusión»

(pág. 175) «cara al camino. / "Desde entonces la tierra»
Uni: «camino. *Y* la tierra»

(pág. 175) «con tanta plaga que la invadió en cuanto la dejaron sola. De allá para acá se consumió la gente»
Uni: «tanta *breña y palo pinolillo* que la invadió en cuanto la dejaron sola. De *ese día* para»

(pág. 175) «Recuerdo días en que Comala»
Uni: «Recuerdo *veces* en»

(pág. 175) «parecía cosa alegre ir a despedir»
Uni: alegre *salir* a»

(pág. 175) «con intenciones de volver. Nos dejaban encargadas sus cosas»
Uni: «volver. Dejaban sus cosas»

(pág. 175) «parecieron olvidarse del pueblo y de nosotros, y hasta de sus cosas. Yo me quedé»
Uni: «nosotros. Yo»

(pág. 175) «Otros se quedaron esperando que Pedro Páramo muriera»
Uni: «quedaron *porque aguardaban* que»

(pág. 176) «los pocos hombres que quedaban. Fue cuando yo comencé»
Uni: «quedaban. *Fue cuando aquí cambiábamos huevos por tortillas y aún así no nos faltaba el hambre.* Fue»

(pág. 176) «Y todo por las ideas de don Pedro»
Uni: «por *los zaquizamís* de»

(pág. 176) «Nada más porque se le murió su mujer»
Uni: «Nomás porque»

Fragmento 43

(pág. 176) «—Patrón, ¿sabe quién anda por aquí?»
C*: «sabe *que ya anda aquí de vuelta?*»
C: «anda *otra vez* por»

275

(pág. 176) «¿Qué vendrá a hacer?»
C*: «¿Qué *viene* a hacer *aquí*?»

(pág. 176) «si usted lo cree necesario.»
C: «cree *preciso*»

Fragmento 44

(pág. 177) «"Esperé treinta años a que regresaras, Susana. Esperé»
C, A, B: «Susana, *dijo Pedro Páramo*. Esperé»

(pág. 177) «Pero por el muchacho supe que te habías casado»
C: «por *él* supe»

(pág. 177) «le hacías otra vez compañía a tu padre. / "Luego el silencio»
C*: «padre. *Cuando fui a Mascota y procuré verte, tú no me reconociste. Lo atribuí a tu tristeza, a que estabas embargada de pena por la muerte de tu esposo.* "Luego»

(pág. 177) «están las minas abandonadas de La Andrómeda»
A, B, D: «*La Andrómeda*». En cursiva; lo mismo más adelante.

(pág. 177) «soplaban vientos raros»
C, A, B: «soplaban *aires* raros»

(pág. 177) «quería traerte a algún lugar viviente»
D: «lugar *habitado*»

(pág. 178) «Y lloré, Susana, cuando supe que al fin regresarías."
/ —Hay pueblos»
C*: «regresarías". / —*Ve a dormir, Fulgor. Y en cuanto él salió, yo puse mi cabeza sobre los brazos y dejé derramar mis lágrimas. "Amor, dije. Amor. Y si tú hubieras estado allí te habría despedazado entre mis brazos, Susana"* / —*Don Pedro, allá afuera lo llaman. Le dijeron.* / —Hay»

Fragmento 45

(pág. 179) «la pura maldad. Eso es Pedro Páramo»
C: «eso es *ese hombre*»

(pág. 179) «—Este mundo, que lo aprieta a uno por todos lados»
C: «que *nos rodea* por»

Fragmento 47

(pág. 181) «sus mojados "gabanes" de paja; no de frío»
C: «sus "gabanes" mojados; no»

(pág. 181) «Las manzanillas brillan salpicadas por el rocío. Piensan»
C: «brillan *rociadas* por *la brisa*. Piensan»

(pág. 181) «compró diez centavos de hojas de romero, y regresó, seguida por las miradas»
C: «romero, *regresándose enseguida*, seguida»

(pág. 183) «te quedarás tranquila. / —No te irás de aquí, maldita y
condenada Justina. No te irás porque»
C*: «tranquila. *Susana San Juan se resbaló de la cama y antes de que Justina se diera cuenta la sintió abrazada a su cuello, besándole las manos y los
ojos.* / —No te irás de aquí, maldita y condenada Justina. No te irás
porque»
C: «tranquila. *Susana San Juan se resbaló de la cama y antes de que Justina se diera cuenta la sintió abrazada a su cuello.* / —No te irás de aquí.
No te irás porque»

(pág. 183) «Las sábanas estaban frías de humedad. Los caños»
C: «humedad. *Croaban las ranas*. Los caños»

Fragmento 49

(pág. 186) «su risa se convertía en carcajada»
C: «en *risotada*»

Fragmento 50

(pág. 186) «Siente pequeños susurros. En seguida oye»
C: «pequeños *murmullos. Luego* oye»

(pág. 186) «detrás de la lluvia de sus pestañas. Una luz»
C: «pestañas *enmarañadas*. Una»

(pág. 186) «"Se te está muriendo de pena el corazón —piensa—.»
C: «"pena" piensa.»

(pág. 187) «la miró cercar con sus manos la vela encendida»
C*: «manos la *llama de* la vela»

(pág. 187) «—contestó ella—. No vuelvas. No te necesito.»
C: «ella. No te necesito»

Fragmento 51

C: No registra, en muchos casos, la repetición de una sílaba en las palabras que imitan el tartamudeo del personaje. No se mencionan estos casos.

(pág. 189) «Si al menos hubiera sabido qué era aquello»
C: «sabido *cuál era el mundo de Susana San Juan. Qué* era»

(pág. 189) «la criatura más querida por él sobre la tierra»
C: «querida *que había para* él»

(pág. 189) «y esto era lo más importante, le serviría»
C: «importante, *su hermosura sin término, que* le»

Fragmento 52

(pág. 190) «Entregándome a sus olas.»
C: «olas, *sola. Amé esos días sólo por eso.*»

Fragmento 56

(pág. 194) «esa música tierna del pasado»
C: «tierna *y suave* del»

(pág. 194) «Mi cuerpo liviano sostenido y suelto a sus fuerzas.»
C: «liviano *suspendido al suyo.*»

(pág. 194) «se revolvía inquieta, de pie»
C: «inquieta *entre las sábanas;* de»

(pág. 195) «Si al menos fuera dolor lo que sintiera»
C, D: «dolor *el* que»

278

Fragmento 57

(pág. 195) «se estuvo oyendo el alboroto»
C: «oyendo el *rumor*»

(pág. 195) «mientras no les rompan el hocico»
C*: «rompan *la boca*»

(pág. 197) «Recibe esto: es un regalo insignificante.»
C: «es *una compensación* insignificante»

(pág. 197) «desanudó el bozal con que su caballo»
C: «el *freno* con»

(pág. 197) «no alejarse mucho para oír si lo llamaban, caminó hacia»
C: «oír, caminó»

Fragmento 59

(pág. 199) «para que él no encontrara dificultades»
C: «para que él encontrara *menos* dificultades»

(pág. 200) «la noche quieta del tiempo de aguas»
C*: «de *verano*»

Fragmento 60

(pág. 201) «¡Échate sobre algún pueblo! Si tú andas»
C: «pueblo, *de esos inmundos!* Si»

Fragmento 61

(pág. 202) «incorporada sobre sus almohadas. Los ojos inquietos»
C: «almohadas. *La cabeza quieta.* Los»

(pág. 203) «—Sí, Susana. Y también en el Cielo. / —Yo sólo creo en el Infierno»
C: «cielo. *Acomodó la almohada de plumas sobre su cara, resbalándose en la blandura de su cama y se cubrió el cuerpo desnudo con las sábanas. Luego sonrió:* —Yo *no* creo»

Fragmento 62

(pág. 204) «hace más de tres años que está aluzada esa ventana»
C: «está *iluminada* esa»

(pág. 204) «andemos sueltas por la calle»
C: «andemos *solas* por»

(pág. 205) «Récele un Ave María a la Virgen»
A, B, D: «un *avemaría* a»

Fragmento 63

(pág. 206) «sentado en la orilla de la cama, puestas las manos»
C: «cama, *con* las»

(pág. 206) «—Trago saliva espumosa;»
C: «saliva *granulosa;*»

(pág. 207) «última y fugaz visión de los condenados»
C: «última visión»

Fragmento 65

(pág. 208) «con un sonar hueco, como»
C: «sonar *ronco,* como»

(pág. 209) «Comala hormigueó de gente»
C*: «Comala *se apretó* de»

Fragmento 67

(pág. 210) «Hace mucho tiempo que te fuiste»
Din: «Hace *ya* tiempo»

(pág. 210) «era la misma pobre luz sin lumbre, envuelta»
Din: «lumbre, *empañada, como* envuelta»

(pág. 210) «mirando el amanecer y mirando cuando te ibas, siguiendo el camino»
Din: «amanecer y *mirándote a ti, que seguías* el»

(pág. 211) «moviendo los labios, susurrando palabras. Después»
Din: «labios, *balbuciendo* palabras *sin sonido*. Después»

Fragmento 68

(pág. 211) «la madre de Gamaliel Villalpando,»
Din: «Gamaliel Villa,»

(pág. 211) «cuando llegó y, por la puerta entornada, se metió Abundio Martínez.»
Din: «llegó y se metió por la puerta entornada *Bonifacio Páramo*.» (se mantiene este nombre en adelante; no se anota)
C: «cuando llegó y se metió por la puerta entornada Abundio Martínez.»

(pág. 211) «con el sombrero cubriéndole la cara»
Din: «sombrero *metido en* la»

(pág. 211) «se volvió a dormir todavía farfullando maldiciones»
Din: «todavía *murmurando* maldiciones»

(pág. 211) «tan de mañana? / Se lo dijo a gritos, porque Abundio era sordo. / —Pos nada»
Din: «mañana? / —Pos nada»

(pág. 211) «conque hasta vendí mis burros. Hasta eso vendí»
Din: «conque *dizque* hasta vendí *el solar que me legó mi madre y que usté sabe que era bueno. Conque hasta* eso»
C: «burros. *Dizque hasta* eso»

(pág. 211) «—¡No oigo lo que estás diciendo! ¿O no estás diciendo nada? ¿Qué es lo que dices?»
Din: «—*Háblame más fuerte que no oigo bien.* ¿Qué»

(pág. 212) «cuando está en ese estado, todo le da risa y ni caso le hace a una»
Din: «estado ni caso»

(pág. 212) «—Ninguno, madre Villa.»
Din: «—*No, estoy solo.*»

(pág. 212) «Pa emborracharme más pronto. Y démelo rápido que llevo prisa.»
Din: «más *rápido*. Y démelo *pronto* que»

(pág. 212) «cuando llegue a la Gloria. / —Sí, madre Villa. / —Díselo
antes de que se acabe de enfriar. / —Se lo diré»
Din: «gloria. Díselo antes que se acabe de *derretir*. / —Se lo»-
C: «gloria. *Yo creo que es una de las pocas, porque de verdad era buena la
Refugio, mejor que tú, perdonándome la ofensa.* / —Sí, madre Villa.
/ —Díselo antes de que se acabe de *derretir*. / —Se lo»

(pág. 212) «cuenta con usté pa que ofrezca sus oraciones»
Din: «que *le rece* sus»
C: «que *le ofrenda* sus»

(pág. 212) «Con decirle que se murió compungida porque»
Din, C: «murió *llorando* porque»

(pág. 212) «porque no hubo ni quien la auxiliara.»
Din: «auxiliara. *Es triste, ¿no?*»

(pág. 212) «no fuiste a ver al padre Rentería?»
Din: «padre *Aniceto?*»

(pág. 212) «Usté sabe que andan en la revuelta. / —¿De modo que también él? Pobres de nosotros, Abundio. / —A nosotros qué nos importa»
Din: «revuelta, *dizque levantados en armas.* / —Con razón no me ha soltado la preocupación. Siento desde hace muchos días como que se nos va a
acabar la tranquilidad. ¿De modo que también él? Vaya pues.* / —Pero
a nosotros»

(pág. 212) «pa que usté se deje de apuraciones.»
Din: «usté *esté conforme.*»

(pág. 212) «hay que exigirles el cumplimiento en seguida.»
Din: «cumplimiento *rápido.*»

(pág. 213) «Se le agria mucho el genio»
Din: «Se le *sabe malorear* mucho»
C: «Se le *malora* mucho»

(pág. 213) «no se te olvide darle mi encargo a tu mujer.»
Din: «olvide *decirle* a tu mujer *que vele por mí desde la Gloria.*»

(pág. 213) «Abundio siguió avanzando, dando traspiés, agachando la cabeza y a veces caminando en cuatro patas. Sentía que la tierra se retorcía, le daba vueltas y luego se le soltaba; él corría para agarrarla, y cuando ya la tenía en sus manos se le volvía a ir, hasta que llegó frente a la figura de un señor sentado junto a una puerta. Entonces se detuvo: / —Denme una caridad para enterrar a mi mujer —dijo. / Damiana Cisneros rezaba: "De las asechanzas del enemigo malo líbranos, Señor". Y le apuntaba con las manos haciendo la señal de la cruz./»
Din: «*Bonifacio Páramo* siguió avanzando, dando traspiés, *deteniéndose y* agachando la cabeza y a veces caminando *sobre las manos*. Sentía que la tierra le daba *vuelta*, y luego se le soltaba, *la volvía a encontrar enroscándosele como una culebra,* hasta que llegó frente a la figura de un señor, sentado junto a la puerta *de una casa grande*. / —Denme una caridad para enterrar a mi mujer, dijo. / *Oyó vagamente que alguien decía:* "De las *acechanzas* del enemigo malo, líbranos Señor." / *Era Damiana la que rezaba y* le apuntaba con las manos haciendo la señal de la cruz: "*Del enemigo malo, líbranos, Señor./*»

(pág. 213) «desfigurado por el polvo de la tierra»
Din: «por *la neblina* de»

(pág. 214) «Abundio Martínez oía que aquella mujer gritaba. No sabía qué hacer para acabar con esos gritos. No le encontraba la punta a sus pensamientos. Sentía que los gritos de la vieja se debían estar oyendo muy lejos. Quizá hasta su mujer los estuviera oyendo, porque a él le taladraban las orejas, aunque no entendía lo que decía. Pensó en su mujer que estaba tendida»
Din: «*Bonifacio Páramo no entendía.* No le encontraba la punta a sus pensamientos. No sabía qué hacer *ni de que se trataba*. Sentía que los gritos de la vieja se *estaban oyendo mucho más allá del pueblo.* Quizá hasta su mujer los estuviera oyendo. *Se dio cuenta de eso: de que su* mujer estaba»
D: «No *les* encontraba»

(pág. 214) «para que se serenara y no se apestara»
Din: «se *conservara* y»

(pág. 214) «que todavía ayer se acostaba con él»
Din: «todavía *hacía una semana* se»
C: «todavía ayer, *no; pero sí hacía unas dos semanas* se»

(pág. 214) «se les murió apenas nacido,»
Din: «murió *de recién,*»

(pág. 214) «el doctor que fue a verla ya a última hora, cuando tuvo que vender sus burros para traerlo hasta acá, por el cobro tan alto que le pidió. Y de nada había servido... La Cuca,»
Din: «verla. La Cuca»

(pág. 214) «aguantando el relente, con los ojos cerrados»
Din: «relente *de la noche* con»

(pág. 214) «Los gritos de aquella mujer lo dejaban sordo. / Por el camino»
C*: «mujer lo *dejaron más* sordo. / *Aquel señor que estaba allí, tapándose la cara que él conocía tan bien, era su padre, por eso algo lo hizo recurrir a él, nomás para tantear. No tenía para comprar el cajón. Se había gastado los últimos centavos. ¿En dónde se había gastado los últimos centavos? ¿En dónde se los había gastado? De todos modos aquello no hubiera alcanzado, ni aun haciendo el cajón él mismo. Aquel señor era su padre. / Déme algo para enterrar a mi mujer. Gritos. Nada más gritos. Y la cruz de una mano puesta casi junto a sus ojos.* / Por el camino»
C: «mujer lo *dejaron* sordo. / *Gritos. Nada más gritos. Y la cruz de una mano puesta casi junto a sus ojos.* / Por el camino»

(pág. 214) «luego estuvieron aquí, cerca de él. Damiana Cisneros dejó de gritar. Deshizo su cruz. Ahora se había caído»
Din: «aquí, *junto a* él. *La* Damiana dejó de gritar. Ahora»

(pág. 214) «Apareció la cara de Pedro Páramo, que sólo movió la cabeza»
Din: «*Entonces* apareció la cara de Pedro Páramo que dijo: *"No"*. Moviendo *la* cabeza»

(pág. 214) «Desarmaron a Abundio, que aún tenía el cuchillo lleno de sangre en la mano»
Din: «*Le quitaron a Bonifacio Páramo* el cuchillo que tenía en la mano»

(pág. 215) «Se hizo a un lado y allí vomitó una cosa amarilla»
Din: «lado *de la vereda* y allí *echó* una»

(pág. 215) «Entonces le comenzó a arder la cabeza y sintió la lengua trabada. / —Estoy»
Din: «*Fue cuando* le comenzó a arder la cabeza. / —Estoy»

(pág. 215) «abriendo un surco en la tierra con la punta de los pies. / Allá atrás»

C*: «pies. / —¿*Qué me van a hacer? Les preguntó.* / —*Nada, Abundio. Ya era hora de que muriera Pedro Páramo.* / —*Ese señor es mi padre, dijo él.* / —*Lo has matado. Le hundiste el cuchillo en el estómago muchas veces.* / *Entonces él soltó el llanto, en hipos, como lloran los borrachos.* / —*Era mi padre, dijo. Era mi padre.* Allá»

Fragmento 69

(pág. 215) «miró el cortejo que se iba hacia el pueblo»
Din: «miró *con sus ojos semiabiertos* el cortejo»

(pág. 215) «dejando caer sus hojas»
Din: «dejando caer sus *últimas* hojas»

(pág. 215) «esa aparición que eras tú. Suave, restregada»
Din: «esa *como* aparición que eras tú; *tu cara tierna* restregada»
C: «tú. *Tierna,* restregada»

(pág. 215) «Quiso levantar su mano para»
Din: «mano *izquierda* para»

(pág. 215) «pero sus piernas la retuvieron»
Din: «sus *rodillas* la»

(pág. 215) «Quiso levantar la otra mano y fue cayendo despacio»
Din: «levantar *su mano derecha* y *ella se* fue»
C: «mano y *su mano derecha* fue»

(pág. 216) «—Ésta es mi muerte —dijo. El sol»
Din: «dijo. *Y añadió—. Tengo tiempo de pedir perdón.* / El sol»

(pág. 216) «El calor caldeaba su cuerpo.»
Din: «caldeaba *sus piernas inmóviles.*»
C: «caldeaba *sus piernas.*»

(pág. 216) «saltaban de un recuerdo a otro, desdibujando el presente»
C: «de *una mirada a otra,* desdibujando»

(pág. 216) «De pronto su corazón se detenía y parecía como si también se detuviera el tiempo. Y el aire de la vida»
Din: «*A veces* su corazón se detenía y parecía como si también se detuviera *el aire,* el aire»
C: «el tiempo. *El aire. Como si se detuviera* la vida»

(pág. 216) «tenía miedo de las noches que le llenaban de fantasmas la oscuridad.»
Din: «miedo *de los fantasmas de la noche que* llenaban *la oscuridad cuando la oscuridad lo llenaba todo.*»
(pág. 216) «Sé que dentro de pocas horas vendrá»
Din: «de *unas cuantas* horas»

(pág. 216) «a pedirme la ayuda que le negué.»
Din: «negué *mientras estaba vivo.*»

(pág. 216) «¿No quiere que le traiga su almuerzo?»
Din, C: «su *merienda?*»

(pág. 216) «Pedro Páramo respondió:»
Din: «Páramo *no* respondió.» El fragmento finaliza aquí.

(pág. 216) «como si fuera un montón de piedras.»
C*: «piedras. / *Y junto a la Media Luna quedó siempre aquel desparramadero de piedras que fue Pedro Páramo.*»

Apéndice III

ACLARACIONES DE JUAN RULFO
A SU NOVELA «PEDRO PÁRAMO»

Cuando me encontraba realizando la 1.ª edición para la editorial Cátedra, Juan Rulfo tuvo la gentileza de concederme la siguiente entrevista, grabada el día 30 de abril de 1983 en Madrid. Por mi parte, trataba de encontrar soluciones a ciertas dudas que como editor de la novela se me planteaban; las respuestas de Rulfo son de enorme interés ya que, a pesar de que fueron muy numerosas las entrevistas que concedió, nunca se trataron este tipo de cuestiones de tipo textual. Creo que sus palabras aclaran algunos aspectos confusos de la novela, aunque, al mismo tiempo, originan nuevos enigmas.

En las ediciones anteriores de Cátedra se utilizaron algunos fragmentos de esta entrevista en las notas a pie de página. Ahora se publica en su integridad.

La primera cuestión que le planteé fue sobre los motivos de los pequeños cambios que se observaban en la edición de 1981 del F.C.E., atribuibles al escritor, ya que la faja publicitaria del libro indicaba: «segunda edición revisada por el autor». Su respuesta fue la siguiente:

—Originariamente, el F.C.E., cuando empezó a hacerse la edición de «Letras Mexicanas», me pidió que le diera yo algo para ver si lo podían publicar. Entonces yo les entregué un borrador que tenía de *Pedro Páramo* —el original estaba en el Centro Mexicano de Escritores, donde yo tuve una beca de la

Rockefeller, y ahí se quedó el original y yo me quedé con un borrador— y como ellos no más querían ver qué era o de qué se trataba y si convenía publicarlo, pues me pidieron el borrador. Cuando me fui por ella ya la habían editado. Hasta el año 1980 en que el director del F.C.E. encontró el original en el Centro Mexicano de Escritores. Entonces me dijo que si no convendría mejor sacar el original, que estaba allí, en sustitución de este *(se refiere a las ediciones anteriores del F.C.E.).* Claro, le dije que era el original. Por eso hay esos cambios.

—*Hay una cuestión que ha dividido a la crítica; para unos, Juan Preciado es ya un muerto cuando llega a Comala, para otros aún está vivo.*
—Cuando llega a Comala está vivo, él muere allí.

—*Todo indica que los personajes con los que se encuentra Juan Preciado están muertos; sin embargo, hay una pareja de hermanos que parecen estar vivos.*
—Ah, no, pero es una alucinación. No existen, es una alucinación que tiene *(Juan Preciado)* dentro del terror mismo. Por ejemplo, se le convierte en un montón de barro, de lodo, la mujer esa. Todo eso es absurdo, ¿no? Son alucinaciones que él tiene, de que encontró a esta pareja y que esta pareja lo quiso dar alojamiento. Son alucinaciones que preceden a la muerte. Él muere después de que se encuentra, según él, esa pareja, y quiere huir, empieza a sentir el terror y entonces empieza a tener alucinaciones y oye voces..., y esa mujer que se le convierte en lodo; eso indica que el tipo está totalmente loco.

—*Cuando la madre de Pedro Páramo le comunica que su padre ha muerto hay una frase al final que no acabo de situar. Ella dice: «—Han matado a tu padre», y Pedro Páramo, que se supone que es un adolescente, contesta: «—¿y a ti quién te mató, madre?».*
—Ah, sí, cuando dice que han matado a su padre es un muchacho, pero cuando dice «¿y a ti quién te mató, madre?» ya es grande. Falta interlinear eso, lo pusieron junto, es un pensamiento que le viene.
—*Lo que no tenía sentido es que fuese un diálogo.*

—No. El hecho es que la madre muere después.

—*Cuando muere el padre, Pedro Páramo es un adolescente, pero cuando Sedano va a verle aparece ya como un adulto.*
—No, sigue siendo un adolescente todavía, por eso se dice «cómo me va a mandar este muchacho». Es un cambio muy brusco, él es huérfano de todo y mientras vivía la madre era un muchacho tímido, tonto, que no sabía hacer nada, y después, ya que muere la madre, este hombre queda en posesión de todo y se convierte en otra gente, toma otra personalidad.

—*La madre muere poco después del padre.*
—No.

—*Es que cuando Sedano va a pedir la mano de Dolores le dice que es lo primero que Pedro Páramo ha hecho después de la muerte de su padre, y su madre ya ha muerto también.*
—Bueno, es una forma de darle coba, todo lo que le cuenta es falso, lo está inventando; desde que murió el padre el interés que tiene por ella es puramente económico.

—*De todas maneras, parece que está muy cercano el deseo de casarse con Dolores con respecto a la muerte del padre.*
—No, está lejos, él se casa ya que es grande.

—*Entonces, Sedano ha seguido ocupándose de la hacienda.*
—Sí, en vida del padre, luego de la madre y en vida de él. Es el capataz de la hacienda. Por eso es que le extraña que un muchacho, un tipo de 20 años ya —ya ahí tiene dijéramos 20 o 22 años—, que es cuando él ya quiere tener en sus manos el poder de las propiedades, pero antes nada, quien vigilaba todo era Fulgor Sedano, y entonces aparece este muchacho, ya no tan muchacho, ya mayorcito. Por eso le parece un poco brusco que le quiera dar órdenes. Ya empieza a adquirir conciencia del poder. La raíz de todo esto es la idealización que tiene él de una mujer, que piensa no la puede conseguir mientras no tenga posibilidades económicas y, también, el poder político de cacique de la región, de poder; piensa que con el poder, la riqueza, puede conseguir lo que quiere; entonces,

primero trata de obtener el poder para después conseguir la mujer.

—*Este y otros aspectos no quedan suficientemente claros en la novela.*

—Es que la novela tenía trescientas páginas, tenía sus elucubraciones, tenía divagaciones, tenía explicaciones.

—*En la novela se citan muchos lugares que existen en realidad en la zona de Jalisco.*

—Comala existe, pero no es el mismo pueblo, es un nombre simbólico. Comala es un pueblo muy próspero, no coincide con la realidad.

—*¿Y cuando Susana habla del mar?*

—No, eso es también un sueño. Ese fulano que se casó con ella no existió nunca. Son locuras, son fantasías. Nunca conoció el mar, nunca se casó con nadie, siempre vivió con su padre.

—*Curiosamente, aparece una especie de relación incestuosa.*

—Aparentemente, pero no la hay. El padre la quería tener siempre con él.

—*Algunos críticos cuando hablan de los personajes populares de la novela se refieren a ellos como «indios».*

—No, no hay indios, solo una vez, cuando bajan de Apango; esos sí son indios, los demás son mestizos todos.

—*¿Existe en la novela algún fondo ideológico precortesiano, de mentalidad indígena?*

—No, la mentalidad india es muy difícil, es una mentalidad totalmente ajena. Yo he trabajado en antropología social —van más de veintitantos años— y, a pesar de leer tantos libros y de visitar las comunidades indígenas, es muy difícil entrar en la mentalidad indígena; es totalmente ajena. Existen cincuenta y seis comunidades indígenas, que hablan su propio idioma, tienen sus propias costumbres. No hablan castellano. El indio es aquel que habla como indio, que viste como indio. Hay que hablar con los chamanes, son sacerdotes mayores de las tribus, conservan los secretos, las tradiciones orales.

—*Dorotea tiene el mote de «Cuarraca», palabra que no aparece en los diccionarios.*

—«Cuarraca» le dicen a una persona que es coja o, por ejemplo, una mesa o una silla que tienen una pata más corta que otra. Es que el diccionario eliminó muchísimas palabras; es un arcaísmo, nosotros usamos arcaísmos, no los utilizamos como arcaísmos, ustedes han eliminado muchas palabras del diccionario; a veces, ponen alguno, pero ponen «palabra arcaica»; por ejemplo, en el *Diccionario de la lengua castellana* de Covarrubias, todavía hay esas palabras, pero aquí piensan que los arcaísmos no deben usarse, pero allá se usan, son de uso común porque los que fueron a enseñarnos el idioma eran producto del Siglo de Oro, siglo XVI; entonces, todavía se usan, para nosotros no existen arcaísmos.

—*Juan Preciado y Dorotea comentan, desde su tumba, que llueve. ¿Podría interpretarse la lluvia como un final optimista de la novela?*

—Pedro Páramo dejó un mundo miserable, triste, árido, pero ya a esas alturas ya empieza la lluvia a renacer, a ellos les tocó vivir y morir en Comala..., parece que ahora ya va a renacer, que puede volver a existir como era antes; por eso esa obsesión por la lluvia. La lluvia está regenerando una tierra, pero ahora que ya no la necesitan está volviendo otra vez a ser productiva, ya cuando no tiene remedio; ese pesimismo que existe de que cuando suceden cosas que no suceden en el tiempo justo, suceden cuando ya no hay ninguna esperanza, ya sin remedio.

Tapalpa, *circa* 1950. Fotografía de Juan Rulfo.

Apéndice IV

ÍNDICE DE FRAGMENTOS EN «PEDRO PÁRAMO»